L314

C000217511

Travesías
Libro de lectura y escritura

The Open University

A buen puerto

Advanced Spanish

This publication forms part of an Open University course L314 *A buen puerto: Advanced Spanish*. Details of this and other Open University courses can be obtained from the Student Registration and Enquiry Service, The Open University, PO Box 197, Milton Keynes MK7 6BJ, United Kingdom: tel. +44 (0)845 300 60 90, email general-enquiries@open.ac.uk

Alternatively, you may visit the Open University website at http://www.open.ac.uk where you can learn more about the wide range of courses and packs offered at all levels by The Open University.

To purchase a selection of Open University course materials visit http://www.ouw.co.uk, or contact Open University Worldwide, Michael Young Building, Walton Hall, Milton Keynes MK7 6AA, United Kingdom for a brochure. tel. +44 (0)1908 858793; fax +44 (0)1908 858787; email ouw-customer-services@open.ac.uk

The Open University
Walton Hall, Milton Keynes
MK7 6AA

First published 2010.

Copyright © 2010 The Open University

All rights reserved. No part of this publication may be reproduced, stored in a retrieval system, transmitted or utilised in any form or by any means, electronic, mechanical, photocopying, recording or otherwise, without written permission from the publisher or a licence from the Copyright Licensing Agency Ltd. Details of such licences (for reprographic reproduction) may be obtained from the Copyright Licensing Agency Ltd, Saffron House, 6–10 Kirby Street, London EC1N 8TS; website http://www.cla.co.uk/.

Open University course materials may also be made available in electronic formats for use by students of the University. All rights, including copyright and related rights and database rights, in electronic course materials and their contents are owned by or licensed to The Open University, or otherwise used by The Open University as permitted by applicable law.

In using electronic course materials and their contents you agree that your use will be solely for the purposes of following an Open University course of study or otherwise as licensed by The Open University or its assigns.

Except as permitted above you undertake not to copy, store in any medium (including electronic storage or use in a website), distribute, transmit or retransmit, broadcast, modify or show in public such electronic materials in whole or in part without the prior written consent of The Open University or in accordance with the Copyright, Designs and Patents Act 1988.

Edited and designed by The Open University.

Typeset by The Open University.

Printed in the United Kingdom by Latimer Trend and Company Ltd, Plymouth.

ISBN 9781848732179

1.1

Contents

Production team

Module team

Inma Álvarez (module team chair)

Lluïsa Astruc (academic)

Tita Beaven (module team chair, coordinator of *Travesías*)

Sue Burrows (secretary)

María Fernández-Toro (academic)

Matilde Gallardo (academic)

Becky Jones (curriculum manager)

Martha Lucía Quintero Gamboa (curriculum manager)

Marén Oredein (secretary

Author

Nina Melero

External assessor

Manuel Frutos-Pérez (University of the West of England)

Media team

Andrea Anguera (editor)

Michael Britton (editorial media developer)

Ann Carter (print buying controller)

Margaret Dickens (assistant print buyer)

Neil Mitchell (graphic designer)

Esther Snelson (media project manager)

The module team acknowledges the authors of and contributors to the first edition of this book.

Introducción

Travesías es una antología [anthology] de textos españoles y latinoamericanos que forma parte del curso de la Open University *L314: A buen puerto*. Está concebida para estudiantes de español como lengua extranjera de nivel intermedio y avanzado (equivalente a los niveles B2 y C1 del Marco Común Europeo de Referencia para las lenguas). Al tratar de temas de interés general, puede ser utilizada como complemento para cualquier curso de lengua española o de cultura hispánica. Los profesores o las profesoras que quieran utilizar *Travesías* como recurso didáctico encontrarán que los textos se pueden usar tanto en el aula como fuera de ella.

La antología está dividida en seis unidades que reflejan el contenido de *A buen puerto*. Estas unidades ofrecen un amplio panorama de la cultura y las sociedades hispanas. Las seis unidades son:

1   Culturas

2   Arte

3   Lenguas

4   Ciencia

5   Mercados

6   Medio ambiente

Cada unidad está dividida en varios temas, y cada tema incluye una selección de textos auténticos que intentan reflejar la variedad de géneros que se pueden encontrar en la vida diaria: se incluyen poesías, ensayos, artículos periodísticos, entrevistas y textos divulgativos y académicos. Los textos llevan una breve introducción, y las palabras difíciles están indicadas con un rombo (♦) y explicadas en la lista de vocabulario al final de cada texto, para facilitar la comprensión. También han sido incluidas preguntas que pretenden hacer reflexionar al lector o a la lectora sobre algunas de las cuestiones planteadas en los textos. Estas preguntas pueden servir como punto de partida tanto para la elaboración de trabajos escritos como para la organización de debates en el aula.

Además de la antología de textos, *Travesías* también incluye actividades de lectura y escritura. Las actividades de lectura están pensadas para hacer reflexionar a los alumnos sobre las características de distintos tipos de texto, como puede ser un texto expositivo o un artículo de opinión. Las actividades de escritura presentan diferentes tipos de textos (como una biografía, un relato, una reseña o un informe) y en ellas se analizan y se practican distintos aspectos de cada tipo de texto, como cuestiones léxicas, o puntos gramaticales especialmente relevantes. Luego se invita a los alumnos y a las alumnas a escribir un texto parecido. Las respuestas a las actividades de lectura se pueden consultar en la clave al final del libro.

Unidad 1

Culturas

España y América han sido siempre tierras de encuentro, que hunden sus raíces culturales en un gran número de civilizaciones. Su identidad no puede comprenderse sin examinar los elementos que les dan forma: por un lado, el legado de todos los pueblos que alguna vez habitaron sus tierras; y, por otro, la profunda huella que la experiencia colonial ha dejado en la relación entre los territorios a ambos lados del Atlántico.

En esta primera unidad analizaremos esa relación a través de la visión de varios escritores y pensadores, lo que nos ayudará a comprender mejor la compleja identidad latinoamericana.

Asímismo, investigaremos el papel que representa la religión en los países hispanos, no solo desde un pundo de vista espiritual, pero también en el ámbito social y cultural.

Uno de los aspectos emblemáticos de la cultura española es quizás el flamenco, una música mestiza que aún no ha cesado de fundirse con otras; el flamenco, la rumba, o cualquier otra de las músicas hispanas nos hablan también de la identidad de sus pueblos. En el penúltimo tema de la unidad tendrás oportunidad de descubrir más de estas músicas y, quién sabe, quizás enamorarte de ellas.

Esta unidad termina con un tema clave tanto durante el siglo XX como en la actualidad: los flujos migratorios. La inmigración y el exilio, experiencias a menudo traumáticas para sus protagonistas, marcan la identidad de las sociedades que los reciben, convirtiéndolas en un mosaico de colores impredecibles. Como veremos, es paradigmático el caso de los países hispanohablantes, que han sido tanto origen como destino de aquellos viajeros que llegan para quedarse.

Tema 1 Multiculturalismo

Los tres textos que siguen abordan en tonos distintos el tema de la identidad latinoamericana. En el texto 1.1 el escritor mexicano Carlos Fuentes (1928–) expone la compleja relación sentimental que existe entre España y América Latina, una verdadera obsesión entre los intelectuales de su país después de la Revolución mexicana de 1910. En el texto 1.2, la obrera boliviana Domitila Barrios de Chungara, que fue la voz de las trabajadoras en la Tribuna del Año Internacional de la Mujer en 1975, describe ese mismo sentimiento desde un punto de vista personal, en un registro totalmente diferente. Por su parte, el filósofo mexicano Leopoldo Zea (texto 1.3) hace una descripción histórica de cómo ha evolucionado el sentimiento de identidad en Latinoamérica.

1.1

La virgen y el toro

through

A través de España, las Américas recibieron en toda su fuerza a la tradición mediterránea. Porque si España es no solo cristiana, sino árabe y judía, también es griega, cartaginesa, romana, y tanto gótica como gitana. Quizás tengamos una tradición indígena más poderosa en México, Guatemala, Ecuador, Perú y Bolivia, o una presencia europea más fuerte en Argentina o en Chile. La tradición negra es más fuerte en el Caribe, en Venezuela y en Colombia, que en México o Paraguay. Pero España nos abraza a todos; es, en cierta manera, nuestro *lugar común*. España, la madre patria, es una proposición doblemente genitiva, madre y padre fundidos en uno solo, dándonos su calor a veces opresivo, sofocantemente familiar, meciendo la cuna en la cual descansan, como regalos de bautizo, las herencias del mundo mediterráneo, la lengua española, la religión católica, la tradición política autoritaria – pero también las posibilidades de identificar una tradición democrática que pueda ser genuinamente nuestra, y no un simple derivado de los modelos franceses o angloamericanos.

La España que llegó al Nuevo Mundo en los barcos de los descubridores y conquistadores nos dio, por lo menos, la mitad de nuestro ser. No es sorprendente, así, que nuestro debate con España haya sido, y continúe siendo, tan intenso. Pues se trata de un debate con nosotros mismos. Y si de nuestras discusiones con los demás hacemos política, advirtió W. B. Yeats, de nuestros debates con nosotros mismos hacemos poesía. Una poesía no siempre bien rimada o edificante, sino más bien, a veces, un lirismo duramente dramático, crítico, aun negativo, oscuro como un grabado de Goya, o tan compasivamente cruel como una imagen de Buñuel. Las posiciones en favor o en contra de España, su cultura y su tradición, han coloreado las discusiones de nuestra vida política e intelectual. Vista por algunos como una virgen inmaculada, por otros como una sucia ramera, nos ha tomado tiempo darnos cuenta de que nuestra relación con España es tan conflictiva como nuestra relación con nosotros mismos. Y tan conflictiva como la relación de España con ella misma: irresuelta, a veces enmascarada, a veces resueltamente intolerante, maniquea, dividida entre el bien y el mal absolutos. Un mundo de sol y sombra, como en la plaza de toros. A menudo, España se ha visto a sí misma de la misma manera que nosotros la hemos visto. La medida de nuestro odio es idéntica a la medida de nuestro amor. ¿Pero no son éstas sino maneras de nombrar la pasión?

Varios traumas marcan la relación entre España y la América española. El primero, desde luego, fue la conquista del Nuevo Mundo, origen de un conocimiento terrible, el que nace de estar presentes en el momento mismo de nuestra creación, observadores de nuestra propia violación, pero también testigos de las crueldades y ternuras contradictorias que formaron parte de nuestra concepción. Los hispanoamericanos no podemos ser entendidos sin esta conciencia intensa del momento en que fuimos concebidos, hijos de una madre anónima, nosotros mismos desprovistos de nombre, pero totalmente conscientes del nombre de nuestros padres. Un dolor magnífico funda la relación de Iberia con el Nuevo Mundo: un parto que ocurre con el conocimiento de todo aquello que hubo de morir para que nosotros naciésemos: el esplendor de las antiguas culturas indígenas.

(Fuentes, C. (1992) *El espejo enterrado*, México, Fondo de Cultura Económica, pp.15–17)

- Según Carlos Fuentes, ¿por qué es conflictiva la relación entre España y América Latina?

- ¿Es esta la relación inevitable entre los países colonizados y los colonizadores?

Testimonio

La historia que voy a relatar, no quiero en ningún momento que la interpreten solamente como un problema personal. Porque pienso que mi vida está relacionada con mi pueblo. Lo que me pasó a mí, le puede haber pasado a cientos de personas en mi país. Esto quiero esclarecer, porque reconozco que ha habido seres que han hecho mucho más que yo por el pueblo, pero que han muerto o no han tenido la oportunidad de ser conocidos.

Por eso digo que no quiero hacer nomás una historia personal. Quiero hablar de mi pueblo. Quiero dejar testimonio de toda la experiencia que hemos adquirido a través de tantos años de lucha en Bolivia, y aportar un granito de arena con la esperanza de que nuestra experiencia sirva de alguna manera para la generación nueva, para la gente nueva.

[...]

Finalmente quiero esclarecer que este relato de mi experiencia personal y de la experiencia de mi pueblo, que está peleando por su liberación – y a la cual me debo yo – quiero que llegue a la gente más pobre, a la gente que no puede tener dinero, pero que sí necesita de alguna orientación, de algún ejemplo que les pueda servir en su vida futura. Para ellos acepto que se escriba lo que voy a relatar. No importa con qué clase de papel pero sí quiero que sirva para la clase trabajadora y no solamente para gentes intelectuales o para personas que nomás negocian con estas cosas.

Empezaré por decir que Bolivia está situada en el cono sur, en el corazón de Sudamérica.

Tiene unos cinco millones de habitantes nomás. Somos poquitos los bolivianos. Al igual que casi todos los pueblos de Sudamérica, hablamos el castellano. Pero nuestros antepasados tenían sus diferentes idiomas. Los dos principales eran el quechua y el aymara. Estos dos idiomas son bastante hablados en Bolivia también hoy día por una gran parte de los campesinos y muchos mineros. En la ciudad también se conserva algo de los mismos, especialmente en Cochabamba y Potosí, donde se habla bastante el quechua, y en La Paz, donde se habla bastante el aymara. Además, muchas tradiciones de estas culturas se mantienen, como por ejemplo su arte de tejer, sus danzas y su música, que hoy día, incluso, llaman mucho la atención en el extranjero, ¿no?

Yo me siento orgullosa de llevar sangre india en mi corazón. Y también me siento orgullosa de ser esposa de un trabajador minero. ¡Cómo no quisiera yo que toda la gente del pueblo se sienta orgullosa de lo que es y de lo que tiene, de su cultura, su lengua, su música, su forma de ser y no acepte de andar extranjerizándose tanto y solamente tratando de imitar a gente que, finalmente, poco de bueno ha dado a nuestra sociedad!

[...]

La mayoría de los habitantes de Bolivia son campesinos. Más o menos el 70% de nuestra población vive en el campo. Y viven en una pobreza espantosa, más que nosotros los mineros, a pesar de que los mineros vivimos como gitanos en nuestra propia tierra, porque no tenemos casa, solamente una vivienda prestada por la empresa durante el tiempo en que el trabajador es activo. Ahora, si es verdad que Bolivia es un país tan rico en materias primas, ¿por qué es un país de tanta gente pobre? ¿Y por qué su nivel de vida es tan bajo en comparación con otros países, incluso de América Latina?

[...]

Bolivia es un país bien favorecido por la naturaleza y nosotros podríamos ser un país rico en el mundo; sin embargo, a pesar de que somos tan poquitos habitantes, esta riqueza no nos pertenece. Alguien dijo que "Bolivia es inmensamente rica, pero sus habitantes son apenas unos mendigos". Y en realidad así es, porque Bolivia se halla sometida a las empresas transnacionales que controlan la economía de mi país.

(Viezzer, M. (1988) *"Si me permiten hablar...":* *testimonio de Domitila, una mujer de las minas de Bolivia,* Madrid, Siglo Veintiuno Editores, pp.13–18)

La identidad latinoamericana

A lo largo de la historia de la América Latina se han planteado dos grandes problemas estrechamente relacionados entre sí: el de la identidad y, a partir de ella, el de su integración en relación distinta a la que le han venido imponiendo los coloniajes desde 1492. Esta doble preocupación antecedió a los movimientos de emancipación política de la región al inicio del siglo XIX. Preocupación que adquirió mayor fuerza al lograrse la emancipación. ¿Qué somos? Y a partir de la respuesta, ¿qué tenemos de común los hombres y pueblos que forman la región? Simón Bolívar, desde Jamaica, al iniciar su acción liberadora se plantea el problema: ¿Qué somos? ¿Indios? ¿Españoles? ¿Americanos? ¿Europeos? Posteriormente, alcanzada la independencia, otra generación, la de los civilizadores, empeñados en ordenar el mundo que ha alcanzado la emancipación, consideran que es insuficiente si no es seguida de la "emancipación mental". El argentino Domingo F. Sarmiento vuelve a preguntar: ¿qué somos? De la respuesta a este interrogante dependerá el orden e integración de la región en la libertad y no bajo el signo de dependencia alguna.

Los retos de la historia agudizarán más aún esta doble preocupación. Anulado el coloniaje impuesto por la Europa ibera surgen nuevas formas de imperialismo y de coloniaje que mantienen la doble preocupación. La Europa occidental, al otro lado de los Pirineos en Europa, y los Estados Unidos, al otro lado del río Bravo en América, van imponiendo formas de integración ajenas a la voluntad de los pueblos de la América Latina. Las preguntas sobre la identidad son ahora en relación con el extraordinario mundo que el mundo occidental, Europa y Estados Unidos, había originado y las razones por las cuales los pueblos de la América Latina se saben marginados. ¿Cómo ser como Europa? ¿Cómo ser como Estados Unidos? Para poder serlo, se concluye, habrá que anular una identidad que el viejo coloniaje impuso a la región. Ni indios, ni españoles, ni mestizos: para ello lavados de sangre y de cerebro. Habrá que anular etnias y culturas consideradas impuestas por el coloniaje para poder ser otro de lo que se es. Fue ésta la respuesta de positivistas y civilizadores.

Al finalizar el siglo XIX, la brutal presencia en América de un nuevo y poderoso imperialismo replanteó el problema. En 1898 éste expulsó a España de sus últimas colonias en América. El nuevo imperialismo inicia la ocupación del vacío de poder de los antiguos coloniajes. Se replantea la doble preocupación sobre la identidad y la integración de los pueblos que forman la región. El fracaso liberal y civilizador plantea la necesidad de asumir la historia y la identidad que a lo largo de ella se ha formado. Y a partir de esa asunción afirmar lo que de valioso tiene esa múltiple identidad, india, española, africana, americana, europea y mestiza. En vez de ver en tal diversidad pobreza, hacer patente la extraordinaria riqueza que la misma lleva. Éste es el mensaje de los Martí, Rodó y Vasconcelos continuando el mensaje de los Bolívar, Bello, Bilbao, Torres Caicedo y otros muchos a lo largo del mismo siglo XIX. Un "no" a la *nordomanía* y la asunción de la múltiple identidad que caracteriza a los hombres de la región. José Vasconcelos resume esta idea en la utopía de la Raza Cósmica. ¿Qué somos? Somos indios, españoles, americanos, africanos, asiáticos y mestizos, y por serlo, una rica y peculiar expresión del hombre sin más.

La aceptación de la peculiar humanidad de los pueblos que forman la América Latina se fortalecerá aún más a lo largo del siglo XX. Revoluciones como la mexicana y otras expresiones de un nacionalismo defensivo, patentes en diversas regiones de Latinoamérica, impulsan aún más la preocupación por afirmar la peculiar identidad de los pueblos de la región y, a partir de esta afirmación, un nuevo intento de integración que no descanse en los intereses de los centros de poder mundial.

(Zea, L. (1993) *Fuentes de la cultura latinoamericana*, México, Fondo de Cultura Económica, pp.7–8)

Nota: En el texto se mencionan a Simón Bolívar (Venezuela, 1783–1830), Domingo F. Sarmiento (Argentina, 1811–88), José Martí (Cuba, 1853–95), José Enrique Rodó (Uruguay, 1872–1919) y José Vasconcelos (México, 1882–1959), que son algunos de los grandes filósofos, pensadores y políticos de la América Latina de los siglos XIX y XX.

- ¿Por qué es difícil definir "quiénes son" los latinoamericanos? ¿De qué forma se plantea la cuestión de la identidad en cada uno de los textos que has leído?

- ¿Qué problemas encuentran los autores al hablar de "identidad"? ¿Qué consecuencias tienen estos problemas y qué tipo de soluciones se dan?

Simón Bolívar

Tema 2 Religión y grupos sociales

No cabe duda que la religión ha representado siempre un papel importante en el mundo hispánico, no solo en lo que se refiere a cuestiones espirituales, sino también en la cultura, la política y la sociedad en general.

La extrema pobreza y la profunda religiosidad de las grandes masas populares en Latinoamérica han dado lugar a una importante corriente religiosa, la Teología de la Liberación. Este movimiento denuncia la marginación y opresión de los pueblos, especialmente de Latinoamérica, y afirma la vocación social revolucionaria de la Iglesia.

1.4

Teología de la Liberación

En los años 70 la gran preocupación era el pobre y el oprimido material, social y político. La liberación integral tenía que pasar por las liberaciones histórico-sociales sin las que difícilmente escaparía de la acusación de alienación y de espiritualismo.

En los años 80 el desafío mayor fue el pobre y oprimido cultural: el indio, el negro, las mujeres, los jóvenes y tantas otras minorías discriminadas en razón del sexo, del color, de la enfermedad y de la religión. [...]

En los años 90 nos vemos confrontados con una crisis mayor, la del sistema tierra. Es la crisis ecológica en sus varias vertebraciones: ambiental, social, mental e integral. La tierra no aguanta más la dilapidación sistemática de sus recursos. No sólo los pobres y oprimidos gritan. También la tierra grita. Ahora no hay ya un arca de Noé que salve a unos y deje que se pierdan otros. O nos salvamos todos o nos perdemos todos.

Si el riesgo es mundial, la liberación ha de ser también mundial. Importa articular una liberación verdaderamente integral de la tierra y de los hijos e hijas cautivos de la tierra. Para eso es preciso inaugurar un nuevo paradigma de religación, de sinergia y de nueva alianza para con la Tierra Madre. Ahora la Teología de la Liberación tiene la oportunidad de ser verdaderamente integral. [...]

Como en una lectura de ciego que sólo capta el relieve, subrayaremos algunos ejes principales de la Teología de la Liberación. [...]

La Teología de la Liberación significó un llamado a la conciencia mundial. Pone su atención sobre la suerte♦ de las "grandes mayorías" de la humanidad, condenadas a la miseria y a la exclusión por causa de la otra parte minoritaria, insensible, cruel y sin piedad. Movió Estados, órganos de seguridad del sistema mundial y atrajo la ira de los poderosos. Por eso, personas que apoyaron la Teología de la Liberación fueron perseguidas, presas, torturadas, desaparecidas, y muchas, asesinadas: obispos, sacerdotes, teólogos, laicos, jóvenes, hombres y mujeres. Se granjeó♦ también la admiración de los mejores espíritus de nuestro tiempo.

El peso de la Teología de la Liberación se hizo sentir en el aparato central de la Iglesia Católica, en el Vaticano. Los papas tomaron frecuentemente posición ante ella. Las instancias doctrinales reaccionaron en 1984 y en 1986 con diferentes niveles de compromiso. Fundamentalmente, y en contradicción con la versión dominante en los medios de comunicación, la Teología de la Liberación fue aprobada por la Iglesia. Ésta llamó la atención, eso sí, sobre dos peligros que siempre acosaron a ese tipo de teología: la reducción de la fe a la política y el uso acrítico del marxismo. Evitado ese peligro – pues un peligro nunca invalida el coraje del pensamiento – la Teología de la Liberación es útil y necesaria en la presente coyuntura del flagelo planetario de los pobres. [...]

La Teología de la Liberación obligó a las demás corrientes de teología a preguntarse por su significado social. No basta que las teologías sean ortodoxas y los argumentos internamente bien articulados. Las teologías no pueden ser sólo productos para el consumo interno de los cristianos. Tienen que ser más. Deben pensar las cuestiones del mundo y de las personas de la calle, porque estas cuestiones tienen que ver objetivamente con Dios, pues de una forma o de otra, Él está presente en ellas. Especialmente deben preguntarse cuál es la funcionalidad ideológica que asumen dentro de la sociedad: pasan de largo de los conflictos que comportan graves violaciones de la justicia (pecado social) y con eso se hacen alienadas, cuando no piezas de legitimación del *status quo*. [...]

(Adaptado de www.servicioskoinonia.org)
[último acceso julio de 2009]

Vocabulario

suerte   destino

se granjeó   se ganó

- ¿Crees que la religión tiene algo que aportar a los debates sobre la crisis ecológica?

- ¿Te parece que la religión puede o debe tener una misión social?

Los pueblos de América Latina no adoptaron simplemente el catolicismo tal como lo trajeron los españoles, sino que incorporaron elementos de su propia cultura, creando un sincretismo religioso. No es posible hablar de una religión cubana. El abanico de creencias de los pobladores de esta isla singular es tan variopinto como enigmático para el extranjero.

1.5

C U B A: la isla de los mil dioses

Mauricio Vicent

Los católicos le llaman Dios, pero para los santeros♦ cubanos su nombre es Olofi. Los mayomberos♦ y seguidores de la regla de Palo Monte♦ hablan de Sambi, y a él le rezan cuando sacrifican gallos y carneros para *dar de comer* a los muertos que viven en sus prendas – *ngangas* – de Siete Rayos y Zarabanda.

Los *abakuás* de La Habana y Matanzas creen, en cambio, que la verdadera esencia divina está en el gran Abasí, cuya representación en la tierra es un crucifijo y habla a sus hijos a través de Ékue, el tambor sagrado, dueño del secreto y de la sabiduría. En Cuba, Dios es así. Uno y muchos a la vez. Mulato o cristiano, pero siempre hecho a la medida de los hombres y – más le vale – tolerante, mundano y práctico. Algunos cubanos

son ateos, pero se casan de blanco y con la marcha nupcial a todo volumen tocada ante notario.

Otros se bautizan en la iglesia para luego poder cantar *amike miñongo* tras jurarse *abakuás* o pedirles favores a los muertos Francisco y Marrufina o a Ma Juliana. Muchos que se dicen católicos aseguran que si no van a la iglesia, Dios les comprenderá. Por eso el viajero que desembarque en esta isla y sólo repare en los campanarios y cruces de las iglesias católicas, o en los cánticos de los templos protestantes, o en las tres sinagogas que aún quedan en La Habana, no entenderá nunca cómo son y cómo creen los cubanos. […]

No es que todo en Cuba sea brujería. Pero las religiones afrocubanas y sobre todo el Palo prometen remedios rápidos y "efectivos" para casi todos los problemas humanos. Ésta es una de las razones de su éxito en estos tiempos de crisis, cuando la gente anda más apurada. Hay resguardos para *jineteras*◆, *obras* para afianzarse en la vida, *trabajos* para lograr la impotencia del marido o del novio de la mujer que te gusta. La receta para dejar la bebida es sencilla: "sudor de caballo, raíz de escobamarga, tres hojas de cundeamor, se mezcla todo y se pone un tiempo a coger sombra en tu *nganga*". Algunos mayomberos curtidos◆ pueden hasta hacer una brujería para acabar con tu enemigo. Te pedirán sólo su nombre y apellido, su fecha de nacimiento, tres velas negras, azufre, un gato negro, y lo más difícil será buscar unos cuantos huesos de muerto loco en el cementerio de Calabazar. […]

[…] Cuba [es] la antítesis de un país beato. Son demasiadas cosas: cuatro siglos de colonia; la isla como tierra de paso; el calor del Trópico de Cáncer; un millón de esclavos; una autoridad férrea que obligó a los negros a someterse a la fuerza, pero que en seguida cedió a la sandunga◆ del mestizaje; también, y sobre todo, la necesidad de los africanos de camuflar sus divinidades de sol y pan bajo las imágenes de santa Bárbara (Changó para los santeros; Siete Rayos para los *paleros*), el Niño de Atocha (Elegguá en santería; Lucero en Palo) y detrás de las vestiduras de otros muchos santos y vírgenes católicas. […]

(Vincent, M. *El País Semanal*)

Vocabulario

santeros creyentes en los conjuntos de creencias y prácticas religiosas propias de los negros de Cuba

mayomberos creyentes de una de las sectas santeras

Palo Monte una de las sectas santeras

jineteras prostitutas

curtidos con mucha experiencia

sandunga gracia, salero

En España, como en muchas partes de América Latina y en Estados Unidos, las iglesias evangélicas están ganando fieles, sobre todo entre la población más marginada.

1.6

Los evangélicos pescan fieles en la crisis católica

ROMÁN OROZCO

Mientras Benedicto XVI alerta de la extinción de la fe, los protestantes españoles se multiplican.

El papa Benedicto XVI puso el dedo en la llaga el pasado lunes: "La fe se debilita hasta extinguirse" en algunas naciones. Precisamente en aquellas que fueron "ricas de fe y vocaciones". Y aunque no la citó, España es una de ellas. Pero si la fe católica pierde terreno, otras lo ganan. La profesora de Antropología de la Universidad de Sevilla Manuela Cantón Delgado resume la cuestión: "Se extingue la fe de los católicos, pero no la de sus primos hermanos, los protestantes. Ésta sube de manera imparable".

Los datos lo atestiguan◆: hace un siglo, había 4.000; llegaron a los 22.000 durante la República, en 1932; el franquismo los redujo a 7.000; hoy suman 400.000. Más casi otro millón de inmigrantes, según los datos de la Federación de Entidades Religiosas Evangélicas de España (Ferede).

¿Cuáles son las razones del aumento de los evangélicos, término que prefieren al de protestantes? Desde luego, como señala el joven pastor sevillano José Pisa, nieto del primer pastor evangélico gitano, en primer lugar está la democracia: "Con el franquismo era difícil reunirse; con libertad de expresión y libertad religiosa, nos hemos podido extender más y mejor". Y añade Jorge Fernández Basso, responsable de Comunicación de Ferede: "El cristianismo evangélico-protestante es dinámico y participativo y tiende a crecer donde hay libertad".

La profesora Cantón, que investiga desde hace 20 años el movimiento evangélico en América Latina y España, afirma que "el catolicismo lleva mucho tiempo en retroceso ante las iglesias evangélicas, mucho más flexibles". Unas religiones que, en palabras de esta experta, al ser más participativas y contar con centros de culto más pequeños, provocan un mayor conocimiento y apoyo mutuo entre sus fieles. Por el contrario, la Iglesia Católica mantiene una "organización muy vertical".

¿Cuál es el origen social de los evangélicos? Los primeros protestantes españoles, hace ya cuatro siglos, pertenecían a las clases altas e ilustradas. Hoy la gran masa de creyentes son de clase media y en ocasiones vecinos de barrios marginales.

Algunos expertos señalan que crecen porque se ha producido una "retirada" de la Iglesia Católica de esos barrios. La profesora Cantón prefiere hablar, más que de una retirada, de "un cierto rechazo a la Iglesia Católica española actual, tan reaccionaria, que se manifiesta de manera pavorosa♦ y nos trae recuerdos que nos estorban".

La presencia cada día más intensa de pastores evangélicos en las zonas deprimidas de las ciudades españolas es […] otra de las razones de su crecimiento. […]

José Jiménez, de 42 años, es gitano, vendedor ambulante y pastor evangelista en uno de esos barrios. Dirige la Iglesia Evangélica La Unción en la zona más conflictiva de Sevilla, las Tres Mil Viviendas. Un barrio donde la policía, los partidos políticos, los servicios básicos del Estado han permanecido ausentes durante muchos años; un barrio de 20.000 habitantes, de los que casi la mitad son analfabetos y están en paro; un barrio batido por la droga, donde los bomberos dejaron de actuar, los carteros pasaban de largo, los autobuses no llegaban y ni siquiera se recogía la basura.

El pastor Jiménez llegó al culto de la mano de su compañera poco antes de casarse. "Hasta entonces, yo era un pecador, había hecho cosas malas". Hoy, trabaja para recuperar "a personas que no andan por un camino recto, pues aquí hay prófugos que huyen de la policía, atracadores, secuestradores".

A través de la Federación de Asociaciones Cristianas de Andalucía (FACA), los evangelistas gitanos han desarrollado un sinfín de programas sociales. Entre los más importantes, los de rehabilitación de drogadictos. La profesora Cantón afirma que "muchas familias gitanas se hacen religiosas sólo para huir de la droga". Como le dijo un rehabilitado, su "terapia se llama Jesús de Nazaret".

Además de esta labor social, los gitanos se sienten cómodos en las iglesias evangélicas porque, según la profesora Cantón, en estos cultos "ellos son los protagonistas, los pastores son gitanos como ellos, mientras en la Iglesia Católica se consideran marginados".

(*El País*, 13.10.08)

Vocabulario

lo atestiguan lo prueban

pavorosa terrible

- ¿Por qué crees que la religión puede suponer un apoyo para las personas marginadas?
- ¿Se te ocurre algún ejemplo concreto de cómo la religión puede aportar ayuda a estas personas?

Tema 3 Ritmos mestizos

El baile es una de las expresiones más hermosas de la identidad de un pueblo. Los textos que aparecen a continuación tratan sobre dos tradiciones musicales en España (1.7 y 1.8) y en Cuba (1.9).

En el texto que sigue, la bailaora, coreógrafa y profesora Ángeles Arranz del Barrio presenta algunos de los aspectos más importantes del flamenco.

1.7

El baile flamenco

El flamenco es la expresión del pueblo gitano-andaluz, una inspiración popular profundamente arraigada◆ en la cultura hispanoandaluza que se manifiesta a través del cante, del toque y del baile. Se acompaña de percusiones naturales y de exclamaciones vocales.

Al ser el espejo y testimonio de numerosos siglos de vida española, se refleja en el todo de la persona: en su manera de ser, de entender la vida, de vestirse, de actuar, de estar. El flamenco no excluye a nadie. Todos los que sienten, los que viven el flamenco, forman parte de su mundo. El pueblo, a través del cante, del toque y del baile sigue manteniendo la "esencia flamenca" y conservando sus leyes y códigos hasta nuestros días.

El flamenco, como las primeras danzas, obedece al esquema ritual mágico representado por el círculo, el maestro de ceremonias y los participantes. Así parece que algunos bailes flamencos han llegado hasta nuestros días, al menos en lo que concierne a su elemento colectivo y ceremonial. Aparecen, sin duda, en el flamenco todos los elementos del primitivo ritual: grupo reducido, construcción instintiva del círculo y afirmación simbólica del ser en posición central. Asimismo, está presente en algunos "palos"◆ una base rítmica vocal materializada por exclamaciones y percusiones naturales con la finalidad evidente de estimular al ejecutante para que llegue a un trance.

El flamenco, como todo en la vida, evoluciona, se adapta a su tiempo incorporando cambios y elementos nuevos que, sin duda, marcan y marcarán la evolución de este arte hacia metas insospechadas.

Fuera de los circuitos comerciales y profesionales, menos afectados por consideraciones de carácter técnico-profesional, el flamenco resiste las influencias exteriores.

Hoy todavía encontramos en los circuitos flamencos esos momentos únicos e irrepetibles donde el fondo y la forma del baile flamenco se manifiestan ensamblados. En estos momentos se percibe que los movimientos del baile flamenco hablan con fidelidad su peculiar lenguaje. Se suceden instintiva y espontáneamente comunicando el sentir del pueblo a través del sentimiento del intérprete.

Vemos que el "flamenco" aúna◆ diferentes aspectos de la tradición, de la cultura, vivencias, geografía, etc. de un pueblo. Este bagaje está ahí y no se puede separar del acto de bailar. Por ello, no es igual bailar flamenco que bailar una coreografía flamenca.

El panorama actual del baile flamenco es muy variado y confuso y nos encontramos en ocasiones con que el fondo y la forma del baile flamenco no se corresponden. En el trabajo de algunos artistas, no existe la coherencia interna necesaria para que el mensaje que el "flamenco" envía a su público, no llegue distorsionado.

El baile flamenco como arte independiente

El baile flamenco, como expresión artística, nace instintivamente de la necesidad de expresión del pueblo gitano-andaluz. Ha ido consolidándose y adquiriendo fisonomía propia junto con el toque y el cante.

Cuando el flamenco comienza a profesionalizarse (mitad del siglo XIX) el baile empieza a adquirir su propia identidad como arte independiente y pasa, de ser una interpretación profundamente popular que obedece un impulso, a incorporarse al mundo del academicismo. Con esto no quiero decir que sale de la calle y entra en una escuela, sino que el baile comienza a establecer sus leyes. La propia juventud de este arte hace que los códigos y principios básicos que se establecen a raíz de su profesionalización no estén todavía tan desarrollados y estudiados como en otras modalidades de danza. Además, debido a la idiosincrasia de los artistas flamencos, estos principios suelen no ser del dominio público. Recordemos que los primeros datos históricos que tenemos son de finales del siglo XVIII y principios del XIX, siendo éstos escritos dedicados en su mayoría a reproducir la vida popular andaluza. En la danza académica (ballet clásico) los primeros escritos sobre la técnica datan de 1581 en Venecia "Il Ballarino" de Caroso y posteriormente en la época de Luis XIV (1643–1715) ya aparecen escritos mencionando las cinco posiciones. (Esto lo apuntamos

sólo para recalcar el hecho de que el flamenco es un arte relativamente joven en cuanto al establecimiento de sus códigos.)

[...]

El aprendizaje del baile flamenco

La historia del flamenco nos enseña que este arte se ha ido forjando gracias a las aportaciones de los intérpretes-creadores y que se ha ido transmitiendo visualmente de padres a hijos, de un aficionado a otro y de bailaor a bailaor. Se ha ido asimilando a medida que se trabajaba en los locales flamencos al lado de los artistas tradicionales y se participaba activamente en los ambientes y fiestas flamencas.

Hoy en día, cada vez hay un mayor desconocimiento de lo genuino, posiblemente porque cada vez lo genuino está más oculto, más desvirtuado y apartado del original. Cada generación tiene menos oportunidades de conseguir unos conocimientos que sólo se transmiten *in situ* y que se adquieren a medida que se trabaja en los ambientes flamencos y con los artistas tradicionales.

Diferencias con otras modalidades de danza

¿Pero qué elemento diferencia al baile flamenco de otras modalidades de danza?

El baile flamenco nace como la expresión natural de un pueblo y se va consolidando como arte independiente en sí mismo por su valía. Todo ello dentro de unos códigos de comunicación, específicos para cada baile, entre el bailaor, el cantaor y el guitarrista. También importa el respeto mutuo entre todos ellos. Los intérpretes tienen libertad para expresarse tanto emocional como técnicamente. Las limitaciones las establecen las capacidades técnicas y expresivas de los intérpretes y la habilidad para improvisar y crear que tengan. A diferencia de otras modalidades de danza, el baile flamenco no consiste en aprender pasos, bailes o coreografías, ni tampoco en la búsqueda de la perfección técnica, ni en el dominio del cuerpo y de la técnica de los movimientos. En el baile flamenco sólo importa bailar flamenco. Con esto quiero decir que hay que aprender a desarrollar la capacidad de expresarse, de improvisar, de escuchar, de respetar al otro, de comunicarse con los otros y de establecer un diálogo entre cante, toque y baile. Es también necesario saber concretar todos los conocimientos en un instante que nunca podremos prever del todo porque hay tres artistas "haciendo" ese instante: el bailaor, el cantaor y el guitarrista. En ese momento el cantaor se expresa a través de su cante, el guitarrista a través de su toque, el bailaor a través de su baile. Todos ellos actúan libremente y sin interferencias. En ese momento, en el escenario, es donde se establece el diálogo que sirve para que esas expresiones y técnicas se unan para dar forma al baile, para crear ese momento único e irrepetible.

Al bailaor, a diferencia del bailarín, le basta conocer, escuchar la guitarra y escuchar a su corazón para crear su propio mundo plástico. El bailaor no necesita estudiar música ni coreografiar sus bailes ni conocer las técnicas que requiere el arte de la danza, ni siquiera poseer condiciones físicas especiales.

El bailaor parece tener una especial intuición por encima del aprendizaje o la disciplina. Es inevitable que, para que se reconozca el baile flamenco en su manifestación más tradicional, el bailaor debe saber expresarse sin limitarse a la técnica. Para ello debe desarrollar las capacidades intrínsecas de este arte (las dirigidas a potenciar la improvisación y la creación). Esto no quiere decir que los pasos que improvisa el bailaor sean cualquier cosa: implican el estudio y dominio de la técnica puesta al servicio del flamenco.

Cuando se cumplen estos requisitos podemos decir que en el baile flamenco cada intérprete-creador es único e irrepetible, lo que hace que el baile flamenco esté lleno de diferentes estéticas, cada una de ellas sorprendente y llena de matices.

(Arranz del Barrio, A. (1988) *El baile flamenco*, Madrid, Librerías Deportivas Esteban Sanz SL, pp.21–8)

Vocabulario

arraigada   ligada, vinculada

palos   tipos de baile, cante y toque del flamenco

aúna   incorpora, une

- Según la autora, ¿qué es el flamenco?

- ¿Por qué es el flamenco distinto de otros tipos de danza?

- ¿Has visto algún baile flamenco? Describe tus impresiones

El texto 1.8 explora la tendencia denominada "Nuevo flamenco", trazando un recorrido que va desde los pioneros que apostaron por el mestizaje y la renovación, hasta las corrientes más modernas, como el "Flamenco chill". El éxito de esta música de fusión refleja la enorme popularidad de la estética gitana y flamenca en la actualidad.

El nuevo flamenco (no tan nuevo)

Alicia Rodríguez Mediavilla

Triana, Veneno, Raimundo Amador y Pata Negra fueron pioneros de lo que se conoce como nuevo flamenco o flamenco-fusión. Algunos lo saludaron como el futuro del flamenco, mientras que para otros será la tumba del flamenco puro, del flamenco de toda la vida.

Pop, rock, jazz, blues, música electrónica, cubana, africana, israelí... parece que todo puede fusionarse y, de hecho, ya se ha hecho. Incluso cantaores formados en la ortodoxia y grandes dominadores del flamenco puro han hecho también varios acercamientos, sino a la fusión, sí a la heterodoxia. Baste citar a Enrique Morente o El Lebrijano.

Este nuevo flamenco arrancó en los años 70, a mediados, cuando en España terminaba la dictadura de Franco y se iniciaba un nuevo periodo histórico que en lo musical se tradujo en una gran efervescencia, no sólo en el flamenco. Desde entonces y hasta la actualidad, el nuevo flamenco ha ido haciendo camino poco a poco.

Los primeros

"Veneno" (1977) es imprescindible en la historia del nuevo flamenco porque abrió de par en par las puertas de la fusión, al menos con el pop. Fue el mejor disco de Veneno, grupo de corta vida y no mucho éxito liderado por Kiko Veneno y Raimundo Amador, quien sin embargo cita a Triana como los verdaderos pioneros. Con Triana (1974–1983) el flamenco y el rock se dieron la mano♦. Se convirtieron en un fenómeno casi de masas que llegó incluso a dar nombre a una corriente musical: el rock andaluz o rock con raíces. En su estilo se han inspirado otros como Medina Azahara o Alameda.

Manzanita, recientemente fallecido, ha sido siempre uno de los abanderados♦ del nuevo flamenco. En los años 70 fundó Los Chorbos,

2005 – Chambao, pioneros de la fusión del flamenco con la música electrónica

grupo con el que creó el llamado sonido Caño Roto, nombre de la barriada madrileña en la que creció. Y desde entonces, este guitarrista y cantaor no dejó de investigar en otras músicas.

No puede pasarse por alto Pata Negra, el grupo formado por los hermanos Amador, Raimundo y Rafael. Con ellos, blues y flamenco se hicieron uno. Su cuarto disco, "El blues de la frontera" es también imprescindible en la historia de la fusión. En él nace la "bluesería", palabra con la que los hermanos Amador definen su estilo de la mejor manera posible.

Y hay otros muchos que merecen, al menos, ser mencionados: Las Grecas, Los Chorbos, o Smash, Los Chunguitos, Los Chichos y, sobre todo, Lole y Manuel y su disco Nuevo Día (1975), con el que el espíritu hippy llegó al flamenco.

Jazz, música electrónica y mucho más

El encuentro entre el jazz y el flamenco ha sido más tardío, pero muy prolífico. Chano Domínguez, Gerardo Nuñez y Dorantes son sólo algunos de los músicos flamencos asociados también al jazz.

Flamenco y jazz: Jorge Pardo

Además son muchos los que han sido "captados" por el flamenco sin tener previa formación en el arte "jondo"♦, como Carles Benavent o Jorge Pardo.

Incluso la música electrónica ha alcanzado un alto grado de fusión, tanto que de la mezcla ha surgido lo que es casi un nuevo género, el flamenco chill, con Chambao a la cabeza y un número de grabaciones de sesiones de flamenco chill que no deja de crecer.

Sones, boleros, música israelí, árabe, ritmos afro-cubanos, sonidos brasileños… La era del mestizaje ha llegado al flamenco.

Discografía imprescindible de la fusión:

Pata Negra: Blues de la Frontera
Jazz: Flamenco Jazz
Chambao: Endorfinas en la mente

(www.esflamenco.com) [último acceso 10.5.09]

Vocabulario

darse la mano   unirse

abanderado   portavoz, representante, máximo exponente de una causa o movimiento

arte jondo (o **arte hondo**)   arte genuino andaluz, de profundo sentimiento

- ¿De la fusión de qué palabras puede proceder el neologismo "blueslería", que aparece en el texto?

- ¿Por qué piensas que el artículo se titula así?

- De acuerdo con la autora, ¿qué reacciones ha suscitado el nuevo flamenco? ¿Por qué?

A continuación, encontrarás un artículo periodístico que describe en qué consiste la fiesta popular de la "rumba del solar" en Cuba. La rumba, como la mayor parte de la música caribeña, se basa en un ritmo de origen africano marcado con instrumentos de percusión, y se baila en parejas no enlazadas.

La rumba del solar

Jesús Díaz

La palabra solar puede aludir a sol o a suelo; un suelo objeto de afecto. En Cuba, además designa un tipo de edificación popular urbana que es también un modo de vivir. El solar típico suele disponer de un patio central rodeado de decenas de habitaciones en cada una de las cuales se apiña una familia de muchos miembros. El resultado es un falansterio♦. Y también un anfiteatro.

El escenario es el patio: allí están los servicios comunes, la pila de agua y los baños, donde transcurre gran parte de la vida, a la vista de todos. Allí también tiene lugar la fiesta, que alivia las fortísimas tensiones de la convivencia forzada y los rigores del día tras día.

La fiesta, en el solar, ha devenido un sinónimo de aquello que la constituye, la rumba, riquísimo complejo musical y de danzas de los negros y de los blancos pobres cubanos. Unos pocos instrumentos de percusión hechos de cuero y madera, y cuando no los hay, simples cajones; manos encallecidas de trabajadores y lavanderas, voces esenciales de mujeres y hombres capaces de expresar alegría y fe de vivir durante siglos de esclavitud y sufrimiento; cuerpos bailando, fundidos con la música y el canto, en un erotismo procaz♦ y delicado. Eso es la rumba.

De los tres modos que la constituyen, columbia, yambú y guaguancó, prefiero el último. Rompe con la diana, una llamada de atención en la voz del *apukón* o solista, que raja como un cuchillo la tristeza de la tarde de domingo y se va elevando en música, letra y danza que se unen en un todo inextricable.

La pareja baila en medio del patio, rodeada por la gente del solar. El macho persigue a la hembra que se le niega y lo invita, le da un quiebro y lo invita, se le cierra y lo invita y lo enloquece y de pronto se da un giro y se le abre, lo sorprende y se hace la sorprendida hasta que él la penetra y ambos vencen.

Es el "vacunao", el último golpe de tambor y de caderas. El final de la rumba. El origen mismo de la vida.

(*Noticias Latin America*, marzo de 1998, pp.16–17)

Vocabulario

falansterio   alojamiento colectivo para mucha gente

procaz   desvergonzado, obsceno

• ¿En qué sentido es la rumba del solar "erótica"?

Tema 4 Inmigración y exilio

Dos elementos que han marcado la sociedad española y latinoamericana son la inmigración y el exilio. Los textos que aparecen a continuación tratan el tema desde diferentes perspectivas.

El primer texto nos habla de la inmigración ilegal que elige España como puerta de entrada a Europa. El sueño de una vida mejor lleva a numerosos magrebíes a desafiar el peligro y lanzarse a las aguas del estrecho de Gibraltar. Mientras muchos encuentran en ellas la muerte, algunos consiguen alcanzar la costa; no obstante, lo que les espera a su llegada está muy lejos del paraíso que imaginaron.

1.10

20 años y 12.000 sueños muertos

- Se cumplen 20 años de la llegada de la primera patera♦ con víctimas.

- Más de 158.000 inmigrantes han arribado♦ a España.

- Unos 12.000 han muerto en el intento.

"Fue penoso, trágico, morir por buscar un mundo mejor". Quien habla así es Antonio Ruiz, de 62 años. El 1 de noviembre de 1988 era alcalde de Tarifa (Cádiz). Ese día, su pueblo adquirió fama internacional. Una patera con 23 inmigrantes marroquíes a bordo naufragó en la playa de Los Lances. Sólo cinco sobrevivieron para contarlo. Otros 18 murieron ahogados. El mar fue devolviendo poco a poco, día tras día, los cadáveres de once de ellos.

Fue el primer naufragio de una patera con víctimas conocido en España. Veinte años después, la historia se ha repetido en innumerables ocasiones. Más de 158.000 inmigrantes han arribado a nuestras costas en estas dos décadas, según los datos de Interior, y otros 11.800 se han dejado la vida en el camino, según la ONG No Fortress Europe. Los tres últimos ayer miércoles, en La Gomera. Sus cuerpos llegaron en un cayuco♦ junto a 125 subsaharianos.

"La tragedia de la inmigración se ha convertido en algo desgraciadamente cotidiano", señala el periodista Ildefonso Sena. En 1988 vivía en Tarifa y fue el único reportero que esa mañana acudió a la playa de Los Lances.

Con su cámara retrató para la historia el cadáver de uno de los marroquíes. "La mañana era fría. Yo estaba allí cuando llegó la Guardia Civil. Como me defendía♦ en francés, hice de intérprete".

Pagaron 35.000 pesetas

Cinco magrebíes habían sobrevivido para contarlo. Fueron encontrados por la Benemérita♦, tiritando y sin papeles, en la N-340. Habían salido la tarde anterior de una playa de Tánger (Marruecos) en una patera de 5,5 metros. Cada uno de ellos pagó 35.000 pesetas por el viaje.

"Llegaron a Tarifa y la proximidad de las luces de la costa les hizo pensar que estaban ya cerca. Saltaron al agua creyendo que hacían pie♦, sin embargo el agua era aún profunda. Intentaron volver a la patera, pero volcó. Supongo que sólo sobrevivieron los que sabían nadar", señala el capitán José Osorio, que en 1988 era sargento y ayudó a sacar algunos cadáveres del agua.

"Los supervivientes estaban aterrados". "Les dimos de comer y ropa", concluye. "Eran muy jóvenes, menores de 30 años", afirma Sena. "El revuelo mediático◆ fue terrible. En aquella época llegaban pateras de vez en cuando, no había la avalancha de ahora. España era país de paso, querían ir a Francia a trabajar", explica el ex alcalde Ruiz.

Mansur Lakrad. Marroquí, 22 años: "Mi viaje en patera costó 1.200 euros"

Ahora tiene 22 años, pero sólo con 14 la vida le puso en el amargo dilema de tener que abandonar a su familia y subirse a una patera que le trajo a España. […]

Nació en Kala, una aldea del interior de Marruecos, que depende de la agricultura. Asegura que nunca pasó hambre, pero cuando creció se dio cuenta de que no tenía futuro y de que "allí se aspira a muy poco". Entonces comenzó su aventura. Primero estuvo intentando colarse debajo de los camiones en el puerto de Tánger porque era gratis, pero "no tuvo suerte". La siguiente opción, la patera.

"Tuve que pagar unos 1.200 que me dio mi madre y que eran prácticamente los ahorros de su vida". Fue en enero de 2001, cuando la vigilancia policial no era tan fuerte como ahora.

Hizo el camino más corto, los famosos 14 km que van desde Tánger a Tarifa. "La travesía duró cerca de cinco horas, había muchas olas, me mareé e incluso estuve vomitando durante todo el trayecto". Y sin saber nadar. Lo que sigue tiene un final de cuento. Mansur fue acogido por una familia. Gracias a su ayuda "y a mi esfuerzo" pudo estudiar.

(Fernández, D. y López, J., *Diario 20 Minutos*, Madrid, 30.10.08)

Vocabulario

patera o cayuco   barca de fondo plano usada frecuentemente por inmigrantes ilegales

arribar   llegar en una embarcación

defenderse (en un idioma)   ser capaz de establecer una comunicación, aunque no se domine perfectamente la lengua

la Benemérita   La Guardia Civil, cuerpo de naturaleza militar que forma parte de las Fuerzas de Seguridad de España. Una de sus competencias es la custodia de las vías de comunicación y fronteras del territorio.

hacer pie (en el agua)   apoyarse en el fondo, tocarlo con los pies (Es posible "hacer pie" sólo cuando el agua no es muy profunda).

el revuelo mediático   la agitación en los medios de comunicación

Los inmigrantes de segunda generación están cambiando para siempre la sociedad española. El diario más vendido en España, El País, trata este tema basándose en un reciente estudio sociológico llevado a cabo por expertos de la Universidad de Comillas, Princeton y Clemson.

1.11

"Yo no me siento español"

Dos de cada tres hijos de inmigrantes rechazan la identidad nacional – La mayoría de los encuestados vive peleas interraciales en su colegio

Más del 65% de los hijos de inmigrantes madrileños de entre 12 y 17 años dice que no se siente español. La cifra está extraída de *La segunda generación en Madrid, un estudio longitudinal* (se harán sucesivos seguimientos con los mismos encuestados), un trabajo elaborado por profesores de las universidades de Comillas, Princeton y

Clemson (las dos últimas en EE.UU.) con encuestas en colegios públicos y concertados♦ de la capital a casi 4.000 adolescentes hijos de extranjeros pero nacidos ya en España (sólo el 13%) o que llegaron muy pequeños al país.

En opinión de uno de los autores, Alejandro Portes, que previamente ya hizo una labor semejante en Estados Unidos, las respuestas obtenidas dibujan un panorama "complejo, pero no del todo negativo".

No es el único dato que sugiere un cierto desapego♦ de estos chicos. Un 40% de ellos afirma que no tiene interés en quedarse en España y preferiría trasladarse a otra nación del "mundo desarrollado". Uno de cada cuatro encuestados dice preferir España. Exactamente los mismos a los que les gustaría trasladarse a Estados Unidos o a cualquier otro país desarrollado. "En América estos chicos se sienten norteamericanos, pero en España la diferencia es que saben que vienen con su padre y su madre y éstos les han dicho que desean regresar", subrayan los autores, que insisten: "En España no se valora el Estado de bienestar, y al otro lado del Atlántico, al costarles todo mucho más, también lo valoran más".

Conceden que no sienten un "gran rechazo" por los autóctonos de su ciudad de acogida, Madrid. Más de la mitad declararon que nunca se han sentido discriminados, aunque un porcentaje mínimo de un 5% asegura que sí lo ha sentido muchas veces. Sin embargo, una abrumadora mayoría, cerca del 70%, considera que los españoles se sienten superiores. Una opinión que tal vez sea la que condicione la configuración de sus pandillas: menos de la mitad son españoles y la mayoría de su círculo lo conforman niños de su mismo país. El grueso de los estudiantes de colegios públicos (el 85% de la muestra) reconoce que hay "frecuentes peleas entre chicos divididos en bloques de distintas nacionalidades".

Estas peleas interétnicas no están ausentes en los colegios concertados, a los que pertenecen 500 de los 3.375 alumnos preguntados en la encuesta. Pero, advierten los autores, "son significativamente menores". En ambos tipos de centros educativos, más de una tercera parte de los alumnos asegura que las frecuentes peleas interfieren con sus estudios (el 41% de los chavales que asisten a los centros públicos y el 34,9% de los que acuden a los concertados).

Pero, por otro lado, tal y como resaltan los investigadores, "es muy positivo que no perciban que hay una barrera infranqueable para progresar por su color de piel o acento o procedencia". Cuatro de cada cinco hijos de inmigrantes están de acuerdo o muy de acuerdo con la afirmación "las personas de color tienen tantas oportunidades de avanzar en España como los blancos".

Otra de las autoras, Rosa Aparicio, pone de manifiesto la relevancia que tiene el nivel educativo y de expectativa laboral en el malestar de la población inmigrante europea, por ejemplo, en los disturbios del extrarradio♦ parisiense de 2006. Las cifras del estudio madrileño no son muy buenas. Sólo el 53% de los adolescentes aspira a ir a la universidad. Su autoestima tampoco parece muy alta: sólo el 32% cree que lo conseguirá realmente. Además, no llega a la mitad quienes aspiran a trabajos de nivel alto (39%). Este dato hay que matizarlo: "Los españoles de esas franjas de edad dicen las mismas cosas", dicen los autores.

[…]

La encuesta, que lanzó 100 preguntas a los adolescentes, revela que los orígenes de los nuevos españoles son extremadamente variados. Más de 60 diferentes nacionalidades aparecen en la muestra. El país de origen predominante es Ecuador, seguido de Colombia, Rumania, Perú, Marruecos y República Dominicana. Aproximadamente el 70% procede de países latinoamericanos; los ecuatorianos representan la mitad de este total. El predominio de hijos de latinoamericanos explica en gran parte el cuasi-universal conocimiento del castellano. También otorga a esta población un perfil similar al de Estados Unidos, donde los hijos de latinoamericanos son mayoría, y muy distinto del de otros países europeos. "Puede decirse que la Latinoamérica del exterior crece hoy fundamentalmente en Estados Unidos y España", concluyen los autores.

(Borasteros, D., *El País*, Madrid, 3.3.09) [último acceso 23.3.09]

Vocabulario

colegios concertados   centros educativos no estatales que reciben subvención pública (por ejemplo, algunos colegios religiosos)

desapego   falta de interés, alejamiento

extrarradio   afueras, parte exterior de una ciudad

- ¿Cómo son los adolescentes inmigrantes en tu país? ¿En qué medida coinciden con el perfil descrito en el reportaje?

Tres periodistas españolas han recorrido las calles de Madrid para entrevistar a inmigrantes que han elegido esta ciudad para establecerse. El resultado es el libro "El viaje de Ana", en el que personas procedentes de Marruecos, Camerún, Colombia, Zimbabue y China nos hablan de la inmigración en primera persona. El Señor Wong es uno de ellos.

1.12

Pequeña Gran China en Lavapiés

En este rincón de Madrid, personas con diversas culturas conviven con los vecinos de toda la vida. Mi abuela se sorprende mucho del cambio: dice que las tiendas, la calle, los cafés, los colegios, restaurantes y hasta las asociaciones, parecen resurgir del sueño en un barrio que vuelve a poblarse con las voces que llegan de todas partes del mundo. [...]

El señor Wong

Para el señor Wong, una conversación requiere tiempo y tranquilidad. Un tiempo que transcurre sin interrupciones en el rincón de su restaurante, en el centro de Madrid. El té de loto, servido en los pequeños recipientes bajo la tenue luz de las lamparillas, calienta nuestras manos en esta noche desapacible.

[...]

Hay cierto misterio en torno a la comunidad China. Las referencias que tenemos sobre sus costumbres, relaciones y valores son muy escasas. Lo cierto es que constituyen un grupo muy aislado. Tal vez la causa sea que, cuando las personas vienen de China, encuentran rápidamente apoyo entre familiares y amigos, y se integran en una red social que no suele mantener muchos contactos con la sociedad receptora. Otras razones importantes, son el desconocimiento del idioma y las dificultades para encontrar trabajo cuando no conocen a nadie que pueda introducirles en el mercado laboral. En la mayoría de los casos, son contratados dentro del circuito que sustentan en la red de hostelería, comercio o talleres.

Normalmente, las personas que emprenden viaje lo hacen con un contacto previo, y contraen una deuda que se comprometen a pagar en el transcurso de los primeros años de estancia en nuestro país. Éste no fue el caso del señor Wong. Llegó hace más de cuarenta años, desde un pueblo cercano a Shangai. Por aquellos tiempos, la presencia de personas procedentes de China era excepcional y él no se sintió diferente en una sociedad cuya idea del extranjero oriental era un tanto exótica.

Vino en los años cincuenta con una beca de estudios en Ciencias Económicas, que el Gobierno le concedió gracias a que Franco tenía una buena relación con un dirigente de su país. En principio, pensaba retornar una vez hubiera finalizado sus estudios, pero el destino decidió que terminara estableciéndose, llamara a la que poco después fue su mujer para formar una familia y olvidara la idea del regreso. Dice que nunca se ha sentido extranjero, quizás por su carácter emprendedor o porque, como afirma, "España es un país de mezcla que hace que no te sientas así. No es como en Inglaterra o en Alemania. Allá te sientes antes chino que alemán, o más chino que inglés. En España no me siento diferente… y te diré que, hace cuarenta años, añoraba mi país pero, sin embargo ahora, me siento español". A pesar de ello, reconoce que la situación ha cambiado mucho, desde entonces. "La comunidad china ha crecido mucho. Al principio había, sobre todo, personas chinas de Taiwán. Luego, hace ya veinte años, vinieron de la parte continental. Cada día hay más y más. Se calcula que hay unos cuarenta mil chinos en España. Sólo los de Taiwán llegan casi a cinco mil personas. Muchos, nos reunimos en asociaciones. Tengo apuntadas unas cuarenta y tantas de distintos sectores, en toda España. La que fundé yo en 1978 es la Asociación de Restaurantes Chinos en España. En ellas, damos clases a los que llegan, para que aprendan español, al menos las primeras palabras indispensables. Y en Madrid, hay dos colegios que enseñan chino a los hijos de españoles chinos, para que no se pierda el idioma, porque luego no se entienden con los padres y se olvidan de su origen".

Le explico al señor Wong que entiendo que las personas que vienen de Latinoamérica o de los países más próximos a España nos prefieran como país de destino◆, pero me resulta difícil comprender por qué eligen nuestro país aquellos que vienen de un lugar tan lejano y tan distinto como es China. El señor Wong sonríe, despreocupado. "Es por el tema del visado y por la red, —afirma—. Es importante tener conocidos aquí, también se elige España por la facilidad con la que

pueden entrar en el país… Cuando una persona viene de allí es porque ya tiene familiares aquí, que le han invitado a venir. Normalmente, como no conoce a nadie más, trabaja en un restaurante, en una tienda o en un taller de confecciones◆ en el que trabaja su familia. Luego, poco a poco, se va situando, porque es muy difícil salirte del circuito si no tienes contactos. Mira, yo soy economista y si no tengo contactos, no tengo clientes y si no tengo clientes, ¿cómo voy a hacer el trabajo?"

El señor Wong ha vivido mucho. Ha visto nacer a sus cuatro hijos y sus cinco nietos. Todos son matrimonios mixtos y sin ningún problema de integración. "Nacieron aquí" —dice, mientras nos sirve nuevamente té—. Todos fueron educados en colegios españoles para ir después a la universidad. El señor Wong se queda pensativo y continúa diciendo: "No hablan nuestra lengua, ni practican el budismo. Su madre lo intentó durante muchos años. Les hablaba para que no perdieran el idioma y les explicaba nuestras costumbres pero, poco a poco, fueron ganando las costumbres de los grupos de amigos. Son valores que no puedes imponer. Nosotros somos dos abuelos con muchos recuerdos del pasado y ellos ya son parte del futuro, de otra forma de vida. En cierto sentido, me alegro, porque les va muy bien: no tienen problema de trabajo, hablan dos idiomas y tienen familia. Los nietos quieren a su abuela, una gran contadora de cuentos, pero no creo que viajen a China nunca. Todo esto queda muy lejos. Para nosotros es necesario conservar la tradición dentro de la familia. Decimos que uno tiene que mirar por uno mismo; una vez que te cuidas a ti mismo tienes que cuidar a tu familia; una vez que cuidas a la familia debes cuidar a tu pueblo; después del pueblo cuidas al país y después del país, cuidas al mundo. Lo primero es alegrarse uno mismo, si uno no se alegra… Pero, como te decía, ellos son parte de otro mundo. Me da un poco de pena, pero así es la vida… Cuando las personas se casan, deben tener la misma mentalidad. Si una española se casa con un chino, al principio se atraerán por las diferencias, por la variedad, pero llega un momento, cuando te haces mayor, en el que es difícil convivir. Por eso, es necesario tener las mismas ideas, o compartir los mismos valores".

(Martínez Ten, L. *et al* (2002) *El Viaje de Ana*, editado por el Consejo de la Juventud de España, Madrid, pp.77–80)

Vocabulario

país de destino   país que acoge al inmigrante, territorio al que se dirige

taller de confección   pequeña fábrica textil poco mecanizada

- ¿Te parece importante que los hijos de inmigrantes mantengan las tradiciones y la cultura de sus padres? Razona tu respuesta.

- Según el Sr. Wong, ¿qué papel representan las diferencias culturales en la relación de pareja?

Como hemos visto, la cuestión de la identidad es un tema candente para todas aquellas personas nacidas en un país distinto al de sus padres. El artículo periodístico que aparece a continuación revela algunos de los conflictos de identidad experimentados por los hijos de latinoamericanos que nacen y crecen en Inglaterra.

1.13

HIJOS DE DOS CONTINENTES

Eva Urzaiz

"Ellos han nacido allí y nosotros aquí. Somos diferentes. Yo quería que mis padres fueran más ingleses y ellos que yo fuera más latina". Así recuerda Susana Díaz, una joven de 23 años, un conflicto de identidad que viven muchos hijos de latinoamericanos nacidos y educados en Inglaterra.

[…]

Mario Marín, conocido trabajador comunitario, tiene dos hijos, de 19 y 10 años, y mantiene que en numerosos casos los jóvenes pueden experimentar un conflicto de identidad y afirma que, "mientras crece convencido de ser poseedor de una cultura e idioma superior al de los padres, en la adolescencia el joven se da cuenta de que no es tan británico como creía sino que es un extranjero y comienza a moverse en ese vacío de si "soy o no soy", o "qué es lo que soy". Tampoco ayuda el que los padres no sean conscientes de que este tipo de conflicto cultural se puede presentar posteriormente en los hijos".

[…]

La mexicana Marcela Montoya está casada con un inglés y tiene dos hijos de 10 y 7 años. Nos explica que en un matrimonio mixto "los niños van a ser más ingleses debido al propio ambiente: el padre, los abuelos, la escuela, los amigos, el área donde viven…" Sin embargo, para ella es muy importante que los niños mantengan algún aspecto de la cultura o el carácter mexicano como "el idioma, algunas costumbres, la habilidad para comunicarse, disfrutar de la vida y poder manifestar las emociones".

Marcela resalta la importancia del marido o esposa en la aceptación y respeto de la cultura minoritaria, en su caso la mexicana.

Lorena Gavilanes, ecuatoriana, tiene tres hijos de dos, cuatro y siete años, y le preocupa que la educación que reciben los niños en la escuela se reduce a historia, literatura y temas ingleses sin ofrecerles la posibilidad de aprender sobre Latinoamérica. "Sería bueno que cada distrito tuviera un lugar donde los sábados se dieran clases de historia y cultura latinoamericana", afirma.

[…]

Mario Marín explica que el problema se debe a que las escuelas británicas no reconocen el carácter multiétnico de esta sociedad. "Lo ideal sería que el apoyo y servicios que ofrecen las comunidades para mantener sus culturas fueran apoyados por el Estado y la educación oficial. Esto permitiría la integración armónica del niño que vive en una sociedad que no es estrictamente anglosajona sino multiétnica".

Susana [Díaz] lamenta el no haber tenido más contacto con niños y gente latinoamericana durante su crecimiento: "Creo que sería bueno que hubiera más actividades en las que niños y padres pudiesen reunirse e intercambiar impresiones. A veces, la gente tiende a aislarse y eso en Londres es muy peligroso".

(*Noticias Latin America*, enero de 1999, p.25)

- ¿En qué consiste el conflicto de identidad que experimenta la generación de latinoamericanos nacidos en el Reino Unido?

- ¿Qué medidas consideran necesarias los padres latinoamericanos para la conservación de su cultura en el país extranjero? ¿Qué otras medidas se te ocurren a ti?

Si bien la experiencia del exiliado político y del inmigrante económico tienen muchos puntos en común, también presentan rasgos diferenciados. El texto siguiente ofrece una visión poética del drama del exilio a través de los ojos de la escritora y activista nicaragüense Gioconda Belli, miembro del Frente Sandinista que en los años 70 se enfrentó a la dictadura de Anastasio Somoza.

1.14

Exilio

Esto es el exilio,
este tenerme que inventar un nombre,
una figura,
una voz nueva. Este tener que andar diciendo
de dónde soy,
qué hago aquí.
Esto es el exilio,
esta soledad clavándose en mi carne
y este tiempo vacío.
Esto es el exilio,
este sentirse como caballo salvaje
trasladado a una cuadra de caballos y aristócratas
y dar coces y brincos
cuando nadie nos mira
y esperar que todo esto pasará pronto
—como un mal sueño—
y que de nuevo respiraré
la tierra
las flores amarillas
el campo
ahora que sólo carros y edificios veo
y gentes, miles de gentes,
cruzándose las calles en silencio.

Ahora que vivo
en un edificio de apartamentos
donde mi ventana
sólo ve a la ventana del frente
y siendo este desmedido♦ afán♦
de lucha y guerra,
de irme, esconderme,
y subrepticiamente♦ regresar a mi tierra
a limpiar los cañones
a fabricar las trampas
y nada pasa
sino esta lenta,
desesperante,
espera...

(Belli, G. (1984) *Amor insurrecto*, Managua, Nueva Nicaragua)

Vocabulario

desmedido exagerado, desmesurado

afán deseo, empeño

subrepticiamente de forma oculta, a escondidas

- En tu opinión, ¿en que difieren las figuras del exiliado y del inmigrante?

- ¿Qué echarías más de menos si tuvieras que dejar tu país?

Actividad de lectura

En esta unidad has tenido oportunidad de leer textos de diversos tipos, entre ellos, algunos artículos humanísticos.

Comprender o escribir un texto humanístico – oral o escrito – no es fácil, principalmente por la formalidad de su registro y la complejidad de los conceptos examinados.

A continuación encontrarás una lista de las **características del texto humanístico**:

- Léxico: empleo de términos abstractos, tecnicismos y cultismos.

- Contenido: presentación de conceptos e ideas abstractas, y de hechos polémicos; defensa de una tesis personal; intensa elaboración de ideas.

- Estructura: introducción, desarrollo y conclusión (en textos expositivos); contraposición de ideas opuestas con intento de disuasión (en textos argumentativos).

- Estilo: claridad, precisión y elegancia.

El discurso humanístico puede, en general, identificarse como expositivo o argumentativo, aunque en muchas ocasiones ambos se combinan.

Las características que los diferencian son:

- El texto expositivo es una comunicación objetiva de hechos o ideas. Su objetivo es informar.

- El texto argumentativo pretende demostrar la veracidad o falsedad de hechos o ideas. El autor adopta un punto de vista y utiliza argumentos para defender una tesis. Su objetivo es convencer.

Lee nuevamente los textos que forman el tema "Multiculturalismo" (1.1, 1.2 y 1.3) y contesta a las preguntas:

1   Como has visto, el tratamiento del tema es muy distinto en cada uno de esos tres textos. De acuerdo con las características descritas arriba, ¿son todos ensayos humanísticos?

2   En el punto anterior hemos comentado las características propias de los textos expositivos y argumentativos. Si observas los textos 1.1 ("La Virgen y el toro"); y 1.3 ("La identidad latinoamericana"), ¿cómo definirías cada uno de ellos? ¿En qué se diferencian?

Actividad de escritura

Esta actividad está dedicada específicamente a desarrollar tus destrezas de escritura. El trabajo de escritura está dividido en dos sesiones. En la primera, "Observa y aprende" te familiarizarás con la estructura, el contenido y el lenguaje de un tipo determinado de texto; y en la segunda, "Ahora tú", tendrás ocasión de escribir un texto de ese género tú mismo/a.

Observa y aprende

En esta primera sesión aprenderás los rasgos que caracterizan una biografía, es decir, el relato sobre la vida de una persona. Para entender el tema del multiculturalismo en España hay que conocer la cultura andalusí. A continuación analizarás cómo está contada la vida de un gran pensador de aquella época, Averroes.

Este texto te ayudará a descubrir cuáles son los ejes principales en los que suelen apoyarse las biografías:

- el marco: categorías de información;
- la relación con los acontecimientos históricos;
- los tiempos verbales más frecuentes;
- la psicología del personaje.

A medida que realizas las actividades, también encontrarás "pistas" que te ayudarán a la hora de escribir tu propia biografía. Esos consejos se titulan "¡Fíjate!".

El marco: categorías de información

1   Haz una lista del tipo de información que crees que debe contener una biografía.

   Ejemplo

   lugar de nacimiento

2   Ahora, lee por encima la biografía siguiente.

Averroes, genio universal

Abu-l-Walid Ibn Rusd, conocido en el mundo occidental como Averroes, latinización de la forma coloquial andalusí Abén Rochd, es el más grande de los pensadores de al-Andalus. Fue, además, un espíritu original, empecinado observador de la naturaleza y aficionado a las verificaciones empíricas, sin dejar de ser un auténtico creyente musulmán.

Nació Ibn Rusd el año 1126 en Córdoba. Según los biógrafos recibió primero la tradicional educación alcoránica, después la jurídica y más tarde la médica. En cuanto a la filosofía, tuvo un maestro que fue también amigo y protector. La licencia para enseñar debió recibirla entre 1141 y 1146; y debió casarse entre 1146 y 1153, pues en esta última fecha aparece ya en la vida pública.

Para reorganizar la enseñanza debió ser llamado, entre otros, el joven Ibn Rusd. El año 1163 llegó a ser califa Yusuf Ibn Abd al-Mumin, hombre culto y que se rodeó de una corte de letrados, científicos y pensadores. La presentación de Ibn Rusd a la corte almohade tuvo lugar en 1168. Decisivas fueron las consecuencias de la presentación: el aprecio por parte del califa, su nombramiento como *cadí* (juez) de Sevilla (1169), como médico principal de cámara y *cadí* de Córdoba (1182), como habían sido su abuelo y su padre, y finalmente la confirmación de estos cargos por su sucesor Yaqub al-Mansur (1184).

Siendo *cadí* en Sevilla escribió sus obras científicas; pero durante su periodo sevillano hizo frecuentes viajes a Córdoba, donde al parecer tenía su biblioteca de trabajo, y a Marraquech. En esta última ciudad redactó una parte del tratado *Sobre la sustancia del mundo* (1178); y antes de esta fecha había escrito todas sus obras aparte de *Sobre la*

República de Platón y *De las fiebres de Galeno* (médico griego).

Una lectura un poco cuidadosa de los textos médicos de Ibn Rusd muestra enseguida la influencia andalusí en el filósofo cordobés; recomienda el uso moderado del vino, y en días alternos; reconoce las virtudes de la sobriedad y la prohibición canónica de beberlo, pero declara que un poco de vino es conveniente para los hombres maduros y los ancianos, pues la embriaguez no se produce por gustarlo, sino por ingerirlo en exceso.

A partir de 1184, sus contactos con la corte son muy frecuentes, tanto en Marraquech como en Córdoba, ya que Yaqub al-Mansur pasó a la Península para frenar los constantes ataques de los castellanos. En estas ocasiones Ibn Rusd reside en palacio, conversa a menudo con el califa de temas científicos: y según los biógrafos, la intimidad entre ambos era tal que el pensador cordobés llamaba a su soberano "hermano mío", apelativo equivalente a nuestro "amigo".

El 18 de junio de 1195 Yaqub al-Mansur derrotó a Alfonso VIII de Castilla en la batalla de Alarcos a la cabeza del *yihad* (guerra santa). Pocos meses después se abre un proceso a Ibn Rusd que terminaría con la condena de sus escritos y el destierro a Lucena, que duraría algo más de dos años, pues a comienzos del 1198 le es levantado, regresando a Marraquech, donde reside la corte. Ibn Rusd tiene grandes dudas sobre la posibilidad real de una sociedad justa en su tiempo. Las críticas que ha dirigido a ella de un modo explícito en *Sobre la República de Platón* fechado en 1194, puede ser otra de las causas de la persecución que poco después iba a padecer.

El año 1198 el sultán almohade perdonó a Ibn Rusd, levantó su destierro y volvió a llamarle a la corte de Marraquech. Unos meses después de su rehabilitación, Ibn Rusd murió en Marraquech, a la edad de 72 años

Su aprecio global en el occidente musulmán fue muy alto. Además, al decir de sus biógrafos, fue fiel musulmán; gran trabajador, que habría declarado que sólo dos días de su vida no trabajó: el de la muerte de su padre y el día de su boda. Aunque su labor se concentrase en sus escritos, recibía en privado a un reducido grupo de discípulos y a veces en alguna escuela aneja a la mezquita daba "clases" más amplias. Finalmente ejerció la medicina y tuvo una gran preocupación por la observación directa de los fenómenos naturales.

(Adaptado de Cruz Hernández, M. (1985) *Historia del pensamiento en Al-Andalus*, vol. 2, Sevilla, Editoriales Andaluzas Unidas SA, pp.11–38)

3   Vuelve a leer el texto e identifica las categorías que aparecen. Toma notas de la siguiente información:

Categorías de información	Datos de Averroes
Nombre(s)	Ibn Rusd (árabe), Averroes (latín)
Familia	......
Lugar y fecha de nacimiento	......
Primeros años / estudios	......
Profesión	......
Vida privada	......
Acontecimientos de su vida	......
Ejemplos de su obra	......
Muerte	......
Su personalidad	......
Su importancia	......

¡Fíjate!

Algunas de las categorías que acabas de establecer son más importantes que otras. No todas tienen que estar siempre incluidas. Las que aparezcan variarán dependiendo del tipo de persona que sea su protagonista.

Relación con los acontecimientos históricos

Normalmente hay una relación entre los acontecimientos históricos y la vida de un individuo, especialmente la de una persona que ocupa cargos públicos.

4   Completa el siguiente cuadro con los hechos históricos que ocurren durante la vida de Averroes:

1163	Yusuf califa – corte de letrados, científicos y pensadores
1184	_____
1195	_____

Un elemento de interés en las biografías puede ser el análisis inteligente del personaje. La relación entre los hechos históricos, por ejemplo, con la evolución de la identidad, el éxito profesional o el cambio de mentalidad de la persona no es siempre evidente. Introducir una conexión de este tipo puede ayudar a la reflexión del lector o de la lectora sobre la importancia, personalidad o mentalidad del personaje.

Los tiempos verbales

5   Ahora vas a examinar los tiempos verbales que pueden incluirse en una biografía.

¿Cuáles de estos tiempos verbales esperas encontrar en una biografía? ¿Por qué?

- futuro
- condicional
- presente
- pretérito perfecto
- pretérito imperfecto
- pretérito indefinido
- pretérito pluscuamperfecto

6   Vuelve a leer la biografía de Averroes para comprobar lo siguiente:

(a) ¿Cuáles son los tiempos verbales más frecuentes?

(b) ¿Por qué crees que el autor introduce el tiempo presente en la biografía?

Otro aspecto importante de una biografía son las referencias cronológicas.

Las expresiones de tiempo son esenciales al escribir una biografía. Estas expresiones son las que ayudan a ordenar la evolución de la vida del personaje, ya que no siempre tienen por qué narrarse los hechos en su orden histórico real. Por ejemplo, se pueden intercalar referencias al pasado o al futuro para luego continuar con el momento que se estaba narrando. En el tercer y cuarto párrafo de la biografía de Averroes encontrarás cómo la secuencia histórica se rompe para volver a aludir al pasado.

7   Vuelve a leer la vida de Averroes y toma nota de las expresiones de tiempo:

   (a) Con fechas: *el año 1126, …*

   (b) Para ordenar acontecimientos: *primero, …*

   (c) Para expresar duración: *durante su periodo sevillano, …*

> La cronología de una vida se puede relacionar con fechas o con la edad de la persona. La edad se puede expresar con precisión, por ejemplo con expresiones como "a la edad de 72 años", "con 20 años". Si la referencia quiere ser menos específica se pueden usar algunas expresiones como "de joven (niño/a, pequeño/a, chico/a, mayor, viejo/a)", "ya mayor (adolescente, anciano/a)", "en su juventud (infancia, niñez, mediana edad, madurez)", etc.

La psicología del personaje

Para escribir una biografía, es importante saber describir personalidades o rasgos psicológicos.

8   Busca en el texto sobre Averroes los adjetivos que describen su personalidad o sus actividades y los sustantivos relacionados con ellos.

   Ejemplo

   el más grande de los pensadores

9   Anota un sinónimo, que sea apropiado a Averroes, de cada uno de los adjetivos siguientes:

   (a) grande   (e) culto

   (b) original   (f) global

   (c) empecinado   (g) fiel

   (d) auténtico

Ahora tú

En esta sección vas a poner en práctica lo que has aprendido en la sesión anterior.

Escribe una biografía

Primera fase: preparación de las ideas

10 ¿Quién será el protagonista de esta biografía? Elige una persona que tenga una vida interesante, y anota algunos datos significativos sobre la vida de esta persona.

11 Haz una lista de las categorías de información que quieres incluir en la biografía, teniendo en cuenta lo que aprendiste en la sesión de escritura anterior. No te olvides de incluir una introducción explicando por qué has seleccionado a esa persona para tu biografía, y una conclusión sobre la importancia que tiene ese personaje para ti.

Segunda fase: elaboración del texto

12 Escribe una biografía de unas 300 palabras. No te olvides de reflexionar sobre las siguientes preguntas antes de escribir:

- ¿Por qué escribo? ¿Quién lo va a leer?

- ¿Mis lectores y lectoras ya sabrán algo sobre esta persona?

- ¿Voy a utilizar un estilo formal o informal?

- ¿Cuál es mi opinión personal sobre esta persona? ¿Cómo la voy a expresar?

- ¿Cuáles son los tiempos verbales principales que necesito para relatar la biografía?

Tercera fase: autoevaluación

13 Evalúa el contenido de tu biografía:

- ¿Has incluido todos los datos significativos?

- ¿Has establecido conexiones entre los distintos datos sobre la vida de tu personaje?

- ¿Has relacionado estos datos con los acontecimientos históricos de la época?

- ¿Has descrito las características psicológicas de tu personaje?

14 Evalúa el grado de corrección gramatical. Comprueba cómo has usado:

(a) Los tiempos y formas verbales:

- Pretérito indefinido, imperfecto, perfecto y pluscuamperfecto (para relacionar acontecimientos pasados).

- Futuro, condicional, presente histórico (para cambiar la perspectiva y añadir interés a la narrativa).

- La pasiva con "ser" o pasiva con "se".

(b) Los elementos que dan cohesión:

- La partícula "lo" con distintas funciones.

- Los demostrativos neutros "esto", "eso", "aquello".

- Expresiones temporales.

15 Lee tu borrador final y comprueba la concordancia entre los sujetos y los verbos, así como entre los adjetivos y los sustantivos.

Arte

El arte, pieza clave del patrimonio cultural de cualquier sociedad, es también reflejo inevitable de su historia y su identidad. Es por eso que al analizar algunos ejemplos de estas manifestaciones artísticas, no podemos olvidar el contexto social e histórico en el que fueron creadas para, de este modo, poder llegar a comprender mejor a sus autores y a las sociedades que representan.

En esta unidad reflexionaremos sobre la naturaleza del arte y la polémica cuestión de si éste debe sólo buscar la belleza o cumplir propósitos más bien sociales; y examinaremos la delgada línea que separa el arte de la artesanía mientras descubrimos manifestaciones artísticas populares de los pueblos de Centroamérica.

Por otro lado, algunos de los textos que aparecen en esta unidad abordan la relación entre el arte y la política, y su contenido versa de temas tan variados como el muralismo mexicano, la canción protesta, la pintura de denuncia o el cine que desafía a la censura. El arte da testimonio de los momentos clave de la historia y es un instrumento innegable de reivindicación de justicia y cambio social que, como veremos, no siempre se encuentra necesariamente en los museos.

No podemos estudiar la huella de la pintura, la música y el cine en nuestra sociedad y pasar por alto el medio de comunicación de mayor influencia: la televisión. Es en ella donde triunfa un polémico género a medio camino entre la literatura y el folletín, el cual, a pesar de recibir duras críticas, es todo un fenómeno social en Latinoamérica: la telenovela, a la que dedicamos el último texto de esta unidad.

Tema 5 Definiciones

La imaginación desempeña un papel primordial no solo en el arte, sino también en la vida diaria, y ¡hasta en el fútbol! A continuación aparecen algunas reflexiones sobre la imaginación, formuladas por intelectuales y por la sabiduría popular.

2.1

CITAS – LA IMAGINACIÓN

La facultad de degradar las obras divinas es llamada por los pintores su imaginación.

Santiago Rusiñol (1861–1931), pintor y escritor español.

La hija directa de la imaginación es la metáfora nacida al golpe de la intuición, alumbrada por la lenta angustia del presentimiento.

Federico García Lorca (1898–1936), escritor español.

Imaginación suelta, en un instante anda mil leguas.

Refranero español.

La imaginación hace cuerpo de lo que es visión.

Refranero español.

Cuando la realidad visible parece más bella que la imaginada es porque la miran ojos enamorados.

Luis Cernuda (1902–1963), poeta español.

Que alguien me diga qué hacer con dólares y sin imaginación: nada.

Juanma Bajo Ulloa (1967–), director de cine español.

La política se ausenta en verano y vive de la imaginación y de la novela.

José Esteban (1936–), crítico literario español.

El fútbol necesita tanto de la imaginación como de la corrección.

Ángel Cappa (1949–), entrenador de fútbol argentino.

(*Muy Interesante*, no. 206, julio de 1998, p.52)

- ¿Cuál de estas citas te gusta más? ¿Por qué?
- ¿Qué es la imaginación para ti? ¿Cómo la definirías?

Los textos que aparecen a continuación tratan sobre el arte popular. En el primero las autoras explican las dificultades que plantea toda definición de los conceptos de arte y artesanía, y comentan la diferencia entre ellos. En el segundo se analiza el folclore mexicano y la temática que lo protagoniza.

2.2

Arte y cultura popular

Antonia María Perelló y Catalina Aguiló Ribas

Toda posible definición en torno al concepto de cultura y arte popular entraña♦ una evidente dificultad derivada de la complejidad que encierran ya en sí mismos ambos conceptos. En un sentido amplio se entiende por cultura popular el conjunto de manifestaciones procedentes del pueblo. Éstas estarían constituidas por las canciones y bailes populares, fábulas, leyendas, cuentos y todos aquellos instrumentos que, de algún modo, configuran el trabajo y la vida cotidiana de una comunidad. Por extensión de este concepto, arte popular sería la creación de determinados objetos útiles, originados por la necesidad social. […]

Cultura popular frente a cultura oficial

La cultura popular existe por oposición a una cultura no popular, oficial, establecida por las clases dominantes; de este modo aquélla se podría definir como la cultura de los que no están integrados en dichas clases. Entre ambas existe una relación dialéctica, en la que son realidades vivas y cambiantes.

Por lo general la cultura "oficialista" ha intentado manipular y controlar toda manifestación de tipo popular. De este modo el franquismo entendió la cultura popular no como una creación del pueblo, sino como una creación para el pueblo. Recogía la tradición, la depuraba y la devolvía a las clases populares como producto de consumo. Frente a esta apropiación ideológica de dicha cultura por parte del poder, se da una reacción de signo contrario que la entendería como base de una cultura nacional, como reencuentro de la propia identidad.

Arte popular y artesanía

Si por arte popular entendemos el conjunto de objetos creados con una utilidad real frente a las necesidades de una comunidad social determinada, la artesanía sería la consecuencia de la ampliación de demanda de dichos objetos. Demanda que vendría dada no por unas necesidades reales de uso, sino por un deseo nostálgico de recuperación basado supuestamente en la cercana desaparición de los modos de vida que los originaban. Como hemos señalado anteriormente, el turismo ha jugado un papel muy importante en la aparición del artesano, en contraposición al artista popular. Si anteriormente éste ajustaba su producción a las necesidades funcionales de su comunidad, ante la nueva demanda se ve forzado a aumentar su producción y en ocasiones a crear nuevas formas y modelos, intentando ofrecer una mayor diversidad de objetos al mercado. El artesano se halla, de este modo, fuera de su contexto de origen, por lo que el arte popular pierde la que había sido su esencia: la funcionalidad dentro de su contexto.

(*Batik*, no. 63, 1981, pp.28–30)

Vocabulario

entraña   supone

- ¿Qué diferencia hay entre arte popular y artesanía? Escribe una lista de objetos que pertenecen a tu cultura y decide cuáles son arte popular y cuáles son artesanía.

- Lee el texto 2.3 y decide a qué definición (arte o artesanía) podrían adscribirse estas tradiciones.

2.3

El arte popular de México

Resultado del mestizaje en nuestro arte popular

Don Salvador Novo[1] describe magistralmente el mestizaje básico de nuestro arte popular:

> El primer encuentro entre las artesanías de dos culturas tuvo lugar en Santa María de la Victoria en Tabasco, en 1519… Cortés ordenó a dos carpinteros de los blancos que hicieran una cruz de madera muy alta e hizo que los indios alzaran "un buen altar y bien logrado". Los trabajadores españoles y los indígenas, como en un doble rito, dieron así nacimiento a la nueva artesanía con su doble origen: el español, rico de influencias europeas, y el indígena.

Adquiere así, nuestro arte popular, un atractivo singular de misteriosos y velados orígenes, rodeado de una atmósfera inconfundible que combina de modo admirable el misticismo y la alegre fantasía, impregnados de una dulce ingenuidad.

Este mestizaje múltiple es la característica que señala al arte popular de nuestro país, dando lugar a una de las producciones artesanales más ricas y variadas, no sólo de América, sino del mundo. […]

La transculturación♦ de los diversos pueblos que contribuyen a formar nuestra artesanía le da una gran complejidad en técnicas, formas y estilos. La mezcla de culturas explica la riqueza en variedad y originalidad de este gran arte llamado menor♦.

La temática del arte popular

Debido a la complejidad de sus orígenes, nuestros artesanos se expresan a veces en temas insólitos para otras latitudes y otras sensibilidades.

La muerte

Destaca especialmente el tema de la muerte, familiar para nosotros desde las grandes esculturas del México prehispánico, de las que es máximo exponente la majestuosa y terrorífica Coatlicue, diosa de la Tierra y de la Vida, que ostenta sin embargo la máscara de la muerte, o las bellísimas esculturas talladas magistralmente por el orfebre♦ azteca en el duro cristal de roca, pasando por el agridulce humor de los grandes dibujantes populares como Santiago Hernández, Manuel Manilla o Guadalupe Posada, que comentan los acontecimientos de la vida del pueblo a través de figuras de esqueletos, con una expresión irónica o llena de humorismo sarcástico, donde la "pelona"♦ es una muerte de rasgos humanos, es el amigo o compadre con el que nos permitimos gastar una broma. […]

Mientras que para el hombre del Viejo Continente o para el que heredó de él su cultura, la idea de la muerte es algo pavoroso♦ que lo angustia, para la generalidad de los mexicanos no es una negación de la vida, sino parte complementaria de ella, y la aceptan en forma tan natural que se la comen en calaveras de azúcar, juegan con ella en títeres de esqueletos que se manipulan con una cuerda por detrás, danzando grotescamente; en pequeñas figurillas denominadas "padrecitos", que tienen un garbanzo por cabeza y adheridas a una tira de papel van en procesión cargando un ataúd o en sarcófagos que, al tirar de un hilo, dejan salir al esqueleto con una botella en la mano; la representa en barro o cartón con toda clase de figuras esqueléticas que asumen, paradójicamente, actitudes llenas de vida, ciclistas, sacerdotes, charros♦, madres con sus niños en brazos, grupos de mariachis, hasta una pareja vestida de novios: la muerte tomando parte en el sacramento dedicado a perpetuar la vida. Es una idea que tiene su base más profunda en los estratos indígenas de nuestra nacionalidad. Para el hombre del México prehispánico, cada muerte no es sino algo necesario para la resurrección; perecer es necesario para nacer; la Muerte es la gran engendradora de la vida.

---

1 Escritor mexicano (1904–1974)

(Gutiérrez, E. y Gutiérrez, T. (1970) *El arte popular de México*, México, Artes de México y del Mundo SA, pp.7–9)

Vocabulario

transculturación   adopción y adaptación que hace un pueblo o grupo social de una cultura procedente de otro pueblo o grupo

arte menor   cada una de las artes decorativas, bajo las que se comprenden objetos de arte creados con fines ornamentales, como muebles, cerámicas y tejidos

orfebre   persona que trabaja metales como el oro y la plata para elaborar objetos de arte

"pelona"   figura que representa la muerte

pavoroso   que da miedo o asusta

charro   jinete que lleva el traje tradicional mexicano

- ¿Cómo afecta el mestizaje a la cultura o al arte?
- ¿Cómo se representa la muerte en el arte y la cultura de tu país?
- ¿Cuáles son los temas fundamentales en la cultura de tu país?
- ¿Hasta qué punto crees que las representaciones artísticas de un pueblo reflejan la personalidad de sus habitantes? Razona tu respuesta.

Tema 6   La función social del arte

Este tema plantea la imposibilidad de desligar el arte de su contexto, tanto desde el punto de vista de la producción como de la crítica. De esta forma, la función del arte puede verse no sólo cómo la búsqueda de la calidad estética, sino también como la necesidad de adoptar un compromiso político.

El primer texto analiza la relación entre el arte producido en Latinoamérica y los lugares de promoción artística fuera de los países latinoamericanos.

2.4

La especificidad del arte latinoamericano

[…] A escala planetaria, a pesar de las diferencias de grado de desarrollo, de las injustas desigualdades en el progreso tecnológico y en la acumulación y usufructo de la riqueza, se ha generalizado el consenso de que vivimos en una sociedad en acelerada mutación, en un mundo que cambia vertiginosamente, merced sobre todo al acrecentamiento de los poderes de transformación de la materia por el hombre. Este continuo trastrocamiento acarrea modificaciones fundamentales en los modos de vivir, de percibir, de concebir, de operar y de representar el mundo. El arte de nuestro tiempo es un arte de ruptura, caracterizado por una permanente voluntad de innovación, por una inestabilidad y una mutabilidad acrecentadas que son el correlato de nuestra aceleración histórica, del permanente proceso de adaptación del hombre a la movilidad de un universo controvertido sin cesar.

América Latina, a pesar de sus atrasos sociales y económicos, de sus estructuras a menudo obsoletas, de sus abismales diferencias internas, de sus primordiales insuficiencias, no escapa al dictamen de la época. Continente explosivo por su alto crecimiento demográfico, por la velocidad de su desorganizada urbanización, por la presión de las masas sojuzgadas◆ que reclaman nivel de vida decoroso y verdadera participación política, por la violencia de los enfrentamientos sociales, en él se agudizan las crisis, las rupturas, los contrastes, la inestabilidad, la movilidad, los altibajos y antagonismos.

En un continente donde la inmensa mayoría de la población campesina está doblemente marginada, marginada de la sociedad rural y de la sociedad global, donde casi un tercio de la población total tiene ingresos de 60 a 70 dólares anuales que prácticamente la excluye de la economía monetaria o de consumo, cincuenta millones de receptores y diez millones de televisores exaltan los beneficios de la vida moderna. Los pueblos entran auditiva y visualmente en una realidad contemporánea cuyo aprovechamiento les está vedado◆. Actualmente en Latinoamérica el arte popular más extendido es el que difunden los *mass media*. Por ahora, la plástica está condenada a ser privilegio de minorías, a pesar de que en los países más urbanizados es reproducida en revistas que se tiran a escala industrial y que se venden en los quioscos.

Como en otras áreas, en el arte latinoamericano contrastan dos movimientos: uno marginal, de repliegue◆, centrípeto, localista, y el otro expansivo, centrífugo, internacionalista. El primero promueve y consagra valores que no trascienden las fronteras nacionales y que alcanzan en el mercado local cotizaciones a veces desmesuradas◆. Se trata en general de artistas tranquilizadores, previsibles, de tendencias asimiladas por el gusto social, "legibles" para la mayoría y estéticamente más o menos anacrónicas.

Frente a estos artistas de reconocimiento exclusivamente nacional, hay valores internacionales que se incorporan al circuito mundial por contacto directo con las metrópolis culturales y rara vez a partir de sus países de origen.

A veces, los artistas que tienen formación e información actualizadas, producen obras de avanzada◆ que son rechazadas por el medio, cuyo grado de permeabilidad y de cosmopolitismo superan excesivamente. También se da a menudo, como ha ocurrido en Buenos Aires en varias ocasiones, la falta de repercusión de manifestaciones premonitorias pero realizadas fuera del gran circuito mundial. Para ingresar a éste se impone fatalmente el exilio.

Esta diferenciación inicial y esquemática permite desde ahora entrever el funcionamiento de la promoción artística en Latinoamérica. Su situación marginal con respecto a los centros mundiales de decisión económica, política y cultural, su condición de sociedad dependiente de metrópolis exteriores al continente, el carácter del neocolonialismo imperante◆ en nuestro ámbito impone también subordinaciones estéticas. Así como somos países exportadores de materias primas e importadores de productos manufacturados, lo somos también de productos culturales, exportamos artistas e importamos estéticas. Tanto las pautas◆ de nuestros sistemas económicos como las pautas de nuestro sistema educativo han sido impuestas desde afuera o trasplantadas por minorías cosmopolitas con adecuación insuficiente a la realidad local. […]

(Yurkievich, S. "El arte de una sociedad en transformación", *Arte y sociedad*, Barcelona, Editorial Seix Barral SA, pp.176–7)

Vocabulario

sojuzgadas dominadas bajo violencia, oprimidas

vedado prohibido

repliegue el hecho de encerrarse en sí mismo

desmesuradas excesivas

obras de avanzada obras de vanguardia

imperante dominante, reinante

pautas normas

El siguiente texto analiza la figura del intelectual y el artista —muy distinta en Europa y Latinoamérica—, desde la perspectiva del compromiso social. Se trata de un ensayo de Mario Benedetti, (1920–2009), escritor uruguayo autor de una extensa obra que abarca la crítica literaria, la poesía, el ensayo y la narrativa. Después del golpe militar en su país en 1973, Benedetti vivió exiliado en Argentina, Perú, Cuba y España.

2.5

El artista y el compromiso social en Europa y América Latina

[...] El problema está en que nosotros no somos europeos, y esto lo digo sin ninguna clase de prejuicio, tan sólo como un registro de distancias. No somos europeos y en consecuencia no hemos alcanzado aún la fría capacidad de contemplar el mundo a través de un inteligente cansancio. Somos latinoamericanos, y en consecuencia ciertos fenómenos típicamente europeos, como el *nouveau roman* o aun la *nouvelle critique*, suelen parecernos un formidable desperdicio de talento, un prematuro museo de nuevas retóricas. No descarto la posibilidad de que yo esté profundamente equivocado; que los actuales módulos europeos constituyan en verdad una etapa de progreso y hasta una inmóvil revolución, para la que no estamos ni intelectual ni sicológicamente preparados; que la verdadera distancia sea la que va del intelectual de un medio desarrollado al intelectual que es inevitablemente producto del subdesarrollo. Realmente, es verosímil que así sea, y quizá llegue el día, no de admitirlo como conjetura sino como hecho irrebatible◆. Pero mientras tanto, mientras la América Latina siga siendo un volcán, mientras la mitad de sus habitantes sean analfabetos, mientras el hambre constituya la mejor palanca para el chantaje del más fuerte, mientras los Estados Unidos se consideren con derecho a presionar, a prohibir, a invadir, a bloquear, a asesinar, a impedirnos en fin que ejerzamos nuestro pleno derecho a existir, e incluso nuestro derecho a morir por nuestra cuenta y sin su costosa asistencia técnica; mientras América Latina busque, así sea caóticamente y a empujones, su propio destino y su mínima felicidad, permítasenos que sigamos pensando en el escritor como en alguien que enfrenta una doble responsabilidad: la de su arte y la de su contorno.

Nuestro mundo es otro que el de Europa, con otras exigencias, otras tensiones, otra actitud hacia un presente, el nuestro, que para muchos europeos tiene, lógicamente, características que se asemejan bastante a las de su propio pasado, ya abolido. Está bien, pero déjennos aprender nuestra lección. Quizás lleguemos, con el tiempo, a las mismas conclusiones, al mismo lúcido cálculo infinitesimal de posibilidades semánticas, a la misma retórica de lo objetivo; pero, mientras tanto, la adopción de semejantes actitudes tendría sobre nuestra quemante situación continental el efecto de un ridículo parche de esnobismo◆. Libertad absoluta para el creador. ¿Cómo no defender esa divisa◆, sobre todo ahora que tenemos toda la opaca e interminable historia del realismo socialista para comprobar que las militancias políticas, por nobles que sean, no constituyen de ningún modo una garantía de alta calidad artística y mucho menos de verdadera profundidad social? Cuentos realistas o fantásticos, novelas de envase clásico o experimental, poemas de rígida frontera o de rupturas en cadena. Después de todo, en éste como en cualquier siglo, la única fórmula invencible sigue siendo el talento. No creo en el compromiso forzado, sin profundidad existencial; ni en la militancia que desvitaliza un tema, ni menos aún en la moraleja♦ edificante que poda la fuerza trágica de un personaje. Pero tampoco creo en un hipotético deslinde♦, en esa improbable línea divisoria que muchos intelectuales, curándose en salud♦, prefieren trazar entre la obra literaria y la responsabilidad humana del escritor. Estoy dispuesto a reconocer, dondequiera sea capaz de detectarla, la alta calidad literaria de un escritor que, por otros conceptos, pueda parecerme repudiable; pero no estoy dispuesto a que, en mérito a esa excelencia artística, eximamos a ese mismo escritor de su responsabilidad como simple ser humano. Se me ocurre que sería muy lamentable para cualquier artista auténtico la mera aceptación de la idea de que una de las posibles funciones de la obra de arte sea la de absolver mágicamente a su creador de todas sus cobardías. El hecho de que reconozcamos que una obra es genial, no exime♦ de ningún modo a su autor de su responsabilidad como miembro de una comunidad, como integrante de una época. [...]

(Benedetti, M. (1971) *Literatura y arte nuevo en Cuba*, Barcelona, Editorial Estela, pp.149–51)

Vocabulario

irrebatible   irrefutable, indiscutible

parche de esnobismo   medida provisional para copiar lo que está de moda, sin asimilarlo

divisa   lema, frase que resume un ideal de conducta

moraleja   enseñanza que se deduce de un cuento, fábula o experiencia

deslinde   límite, línea divisoria entre dos cosas

curándose en salud   tomando precauciones para evitar un daño

no exime   no libra (de una obligación o responsabilidad)

- ¿Qué relación se establecen en los textos entre desarrollo económico y actitud intelectual?

- ¿Estás de acuerdo con Benedetti cuando afirma que los artistas e intelectuales tienen ciertas responsabilidades como miembros de una comunidad, o piensas que el arte no debe estar ligado a nada más allá de sí mismo?

El muralismo mexicano fue un movimiento estético que volvió su mirada de Europa hacia la realidad más cercana de México. Coincidiendo con un fervor patriótico y un apoyo por parte de los dirigentes del país, los pintores trabajaron por restituir a México unas señas de identidad que habían quedado difuminadas por años de colonialismo. El movimiento tuvo una gran influencia en América Latina.

2.6

El muralismo mexicano

El muralismo mexicano constituye un fenómeno singular en la primera mitad del siglo XX, muy digno de atención por su valor ejemplar. Se manifiesta como una coherente escuela de pintura mural, de intención político-social, muy vinculada a la tradición del mural y con un vigoroso lenguaje plástico muy moderno.

Esta escuela surge como un empeño patriótico del pueblo mexicano, auspiciado por ilustres gobernantes y alimentado por un patriotismo de auténtica autoctonía, basada en el indigenismo, el espíritu anticolonial y antiimperialista.

Este muralismo mexicano nos brinda uno de los pocos mensajes artísticos con cumplido◆ contenido ideológico del que puede hacer gala nuestro siglo XX, plasmado◆ en la forma que se hace más asequible a las masas, que es el mural. Su aparición se debe, pues, como corresponde a los genuinos y pletóricos◆ movimientos artísticos, a la feliz concurrencia de un desvelado pueblo, ciertos conscientes gobernantes y muchos entusiastas y capaces artistas. Este conglomerado actuó animado por un mismo legítimo orgullo nacional, zaherido◆ por viejas y nuevas heridas, que reclaman para retornarse una exaltada conciencia y unidad nacional, que necesitan que el arte los despierte. Tal es la motivación del muralismo mexicano, que plásticamente cumplió cabalmente◆ la función que le correspondía, empleando un lenguaje a la vez asequible, convincente y artístico, de buena ley, y apelando unas veces a soluciones tradicionales, otras veces iniciando técnicas muy nuevas.

Además de la anterior motivación, falta para que esta evocación sea suficiente, citar el nombre de los principales artistas de esta escuela y alguna de las cualidades que los distinguen. Entre los pioneros merecen destacarse Roberto Montenegro y el doctor Atl, con obras de valiente composición. Enaltecen el movimiento Diego Rivera, de gran monumentalidad, dibujo expresivo y dinámico que nos recuerda a Gauguin, y bello color, plasmados en importantes conjuntos de México y EE.UU. También debe considerarse uno de los grandes del muralismo mexicano a José Clemente Orozco, de gran vigor dramático, expresado en un sintético lenguaje, de gran eficacia expresiva. Más recientes son otros dos grandes muralistas, el apasionado David Alfaro Siqueiros, ora tierno, ora sarcástico◆, pero siempre grandioso; y el lírico y poético pintor de la raza que fue Rufino Tamayo.

La escuela ha echado hondas raíces y sigue su cada vez más prolífico y prestigioso desarrollo, que tratan de exportar a otros hermanos países, en empeños proselitistas, las más de las veces frustrados, por faltarles las favorables condiciones que brinda el pueblo mexicano para este desarrollo artístico.

(Prat Puig, F. (1984) *Conferencias de historia del arte*, Santiago de Cuba, Editorial Oriente, pp.210–11)

Vocabulario

cumplido   grande, abundante

plasmado   representado

pletóricos   optimistas

zaherido   ofendido, herido

cabalmente   completamente, perfectamente

ora tierno, ora sarcástico   a veces tierno, a veces sarcástico

- ¿Por qué crees que el muralismo se considera una forma artística "asequible a las masas"?

En el siguiente texto, el pintor boliviano Mamani Mamani explica su obra como reflejo del profundo sentir de su pueblo. Desde un punto de vista muy personal, el artista reflexiona sobre la pintura como transmisora de la identidad y reflexiona sobre aspectos claves de la cultura aymara, como la figura de la mujer, los colores brillantes y el sentido de la ecología.

2.7

Los colores de la Madre Tierra

Roberto Mamani Mamani, uno de los pintores más reconocidos de Bolivia, siente que tiene una misión muy personal. Sus pinturas son algo más que una representación pasiva del estilo de vida y la cultura de los indios aymaras del altiplano♦ boliviano. A través de sus obras busca preservar y estimular una visión de vida diferente a la del moderno e industrializado siglo XX. "Hemos cambiado la vida serena que tenían mis antepasados… Lo importante para mí es mostrar que nosotros,

los aymaras, tenemos otra cultura con otros valores, principios y otras formas de ver el mundo", dice el pintor.

"Soy aymara y lo reflejo en mis obras. No podría expresarme como un japonés o un europeo porque ellos tienen su propia cultura y sus propias tradiciones". Debido a su adiestramiento♦ poco convencional, su pintura es diferente de la mayoría de sus contemporáneos bolivianos. Aunque comenzó a pintar a los ocho años, estudió Agronomía en vez de Bellas Artes cuando era joven en La Paz. "No se espera que el hijo de una familia aymara vaya a la Escuela de Bellas Artes en La Paz", dice Mamani.

Después de ganar el primer premio en el concurso artístico más prestigioso de Bolivia, el Salón Pedro Domingo Murillo, en 1991, Mamani Mamani finalmente se dedicó de lleno a la pintura. Cree que el no haber estudiado académicamente pintura le ha permitido explorar más temas de la cultura boliviana que otros artistas del país. "En Bolivia no hay artistas que salgan afuera, hay un estancamiento por la formación académica de la escuela europea, no hay la visión de ver nuestra propia cultura. Como artista he tenido mucha influencia de mi cultura, de los rituales, de las fiestas, de todo ese colorido, esa cultura grande que nos han dejado nuestros antepasados".

En vez de mencionar a los antiguos maestros como la inspiración de su estilo y sus temas, Mamani Mamani habla de su abuela. "Mi abuela no sabía hablar ni una palabra de castellano, sólo aymara. Ella tenía otra visión, la visión del aymara. No conocía la palabra estrés o depresión. Éstas son palabras occidentales… Sembraba sus papas y su quinoa y ha vivido casi hasta los noventa años".

En su exposición en La Paz titulada *M'hamas, cholas y w'awas*, Mamani Mamani rindió tributo a mujeres como su abuela. Explica que las *M'hamas* son las mujeres más viejas, *cholas* es el término utilizado para la típica mujer aymara en vestimenta tradicional, y *w'awas* son sus hijos. Sus cuadros las muestran como formas estilizadas con enormes manos desgastadas y vestidos tradicionales.

Las figuras son monolíticas y sin rasgos, y sus voluminosas formas aparecen a menudo protegiendo a sus hijos con una tierna caricia. Mamani Mamani dice que ha pintado estas imágenes en homenaje a la mujer aymara porque "trabaja más que el hombre, carga a su *w'awa*, sigue arando la tierra, tiene cinco o seis hijos, sale a vender y lucha por la vida a veces más que el hombre."

Mamani Mamani crea un tono emocional en consonancia con la vida andina con sus vibrantes colores. Sus pinturas, principalmente en acrílico y pastel, irradian las brillantes combinaciones de rojos, turquesas, violetas y naranjas que caracterizan las telas y las cerámicas de la región. "Utilizo muchos colores del altiplano.

Una vez le pregunté a mi abuela por qué utilizaban colores tan fuertes en el campo, y me dijo que era para ahuyentar los malos espíritus, para que nosotros estemos felices y no nos coma la oscuridad". Mamani Mamani utiliza estos colores en simples diseños ondulantes para transmitir una sensación de paz y armonía que surge de la estrecha interrelación de los aymaras con la tierra. Es este sentido de lo sagrado en la naturaleza lo que emana gran parte de su obra.

"Para mí, el arte es algo que se origina en la profundidad del ser, para mí, el arte es la *Pachamama* (Madre Tierra). Es igual que la Tierra", dice el pintor. Sus pinturas expresan esta relación con la tierra, y tienen un profundo mensaje ecológico. "En la cultura aymara siempre existe una estrecha relación entre el hombre y su medio ambiente… Existe una comprensión del ecosistema en el mundo aymara. Por esta razón agradecemos a la *Pachamama*".

En las obras de Mamani Mamani también se repite un tema histórico: el de la ruptura de la vida indígena que se produjo con la llegada de los españoles hace unos quinientos años. Pinta muchas de las fiestas del campo que incluyen temas de conquista y resistencia. En una de estas obras, La fiesta de Yawar, o la fiesta de la sangre, se amarra un cóndor al cuello de un toro. El cóndor picotea la cabeza del toro hasta que éste muere. "Este ritual es muy fuerte para nosotros", dice Mamani Mamani. "El cóndor representa el pueblo de los Andes y el toro a España. Esta fiesta simboliza la reivindicación de la dignidad latinoamericana sobre la conquista española". [...]

Su obra no sólo muestra las tradiciones aymaras, sino que devela♦ un conjunto de valores universales. Los arcángeles indígenas de Mamani Mamani muestran la forma en que dos mundos opuestos pueden unirse para formar una nueva expresión cultural. Sus paisajes y figuras se mezclan para formar un ser espiritual único, que ofrece un respeto por la tierra. Pero lo más importante es que su lucha diaria por promover el bienestar de su pueblo nos estimula a celebrar diferentes formas de ver y relacionarnos con el mundo.

"En Bolivia somos casi el 60 por ciento de indígenas, es poca la gente de afuera", dice Mamani Mamani. "Por esta razón es importante que valoremos nuestra cultura, que la gente se sienta orgullosa de su diferencia. Éste es mi trabajo como artista y como hombre".

(Grant, J., revista *Américas*, marzo-abril de 1998, pp.20–4)

Vocabulario

altiplano   llanura extensa en la parte superior de la cordillera andina entre Perú, Bolivia y Chile

adiestramiento   preparación, formación

devela   revela

- Según el pintor, ¿qué relación existe entre el arte y la identidad cultural?
- ¿Cómo define Mamani Mamani los valores de su cultura en contraposición a los valores occidentales?
- ¿Por qué exalta el artista en su obra la figura de la mujer?

Tema 7 Música

Como hemos visto, es inmenso el poder político y social del arte. La música no es una excepción: en los años sesenta y setenta, las voces de cantautores como Daniel Viglietti, Víctor Jara o Lluis Llach se alzaron a ambos lados del atlántico para denunciar las injusticias de las dictaduras uruguaya, chilena y franquista respectivamente. El primer texto de este tema (2.8), recorre la trayectoria de la canción protesta y analiza sus características. Más adelante tendrás oportunidad de leer dos de sus textos emblemáticos, las letras de las canciones *La estaca* (2.9) y *Te recuerdo, Amanda* (2.10).

La canción protesta es un fenómeno artístico y social que hunde sus raíces en el Medievo: del trovador al cantante rap, la música ha sido con frecuencia vehículo de la expresión de rebeldía contra la situación política de cada momento. El siguiente artículo hace un repaso a la historia de estas composiciones, prestando especial atención al fenómeno en los países de habla hispana que sufrieron regímenes dictatoriales.

2.8

La canción protesta

Desde la muerte de Franco, la canción protesta ha sido históricamente asociada con la lucha en los últimos años contra el Caudillo◆, incluso en los tiempos presentes, hablar de compositores como Raimon, Aute o Serrat se sigue asociando al taburete◆ y la guitarra en mano, a las canciones sobre la libertad y la justicia.

Pero una vez muerto Franco, todos aquellos cantautores ampliaron sus horizontes y, mientras unos alcanzaron la fama popular y el respeto de la crítica, otros forman parte del compromiso contra el franquismo ya de por vida. Desde tiempos lejanos, todo movimiento reivindicativo y de protesta ha contado entre sus armas la guitarra y las canciones, temas que hablaban sobre la lucha del pueblo, contra las dictaduras y a favor del campesino. Ya en el medievo, existía la figura del cantante o trovador que cantaban elevando su voz a modo de opinión contra las monarquías absolutas o contra las injusticias sociales, con letras comprensibles para el pueblo, para los campesinos y desheredados◆, pero no eran canciones políticas, no, los cantautores no eran políticos sino todo lo contrario, ellos dignificaron la belleza del idioma de cada país, de cada nación, poniendo música a los poemas populares.

La denominada canción protesta, tal y como hoy la conocemos, surgió en Estados Unidos, en la década de los treinta del pasado siglo con el maestro y pionero Woody Guthrie, quien influyó a Peter Seeger, cantante que llevó el modelo de canción a un público más amplio y comercial y a los autores que se levantaban contra las dictaduras latinoamericanas. Nos encontramos a finales de la década de los cincuenta: del Festival de Folk de Newport salió Joan Baez, la primera gran figura conocida por el público en general gracias a sus actuaciones en locales del Greenwich neoyorquino, zona por la que hacia 1961 llegó un joven desde Minnesotta llamado Robert Zimmerman y al que pronto se le conoció como Bob Dylan […].

Por aquel entonces, aquí, en España, las primeras composiciones de Pi de la Serra (*Les corbates* o *L' home del carrer*) y el ya legendario *Al vent*, de Raimon, comenzaban a interesar y a causar algo de revuelo en el panorama artístico y musical de la España de principios de los sesenta. Para 1966, Raimon se convierte en el máximo representante del artista comprometido, sentado en un taburete, guitarra en mano y micrófono en frente (de ese mismo año es *Cançons de la roda del temps*). Por otro lado, hacia 1967, de Cataluña surgen el que muchos denominan como movimiento pre-mayo del 68 [...] influenciados por el pop y el rock psicodélico llegado de Londres, formando un efímero movimiento que se esfumará para principios de los setenta con la llegada de una pandilla de jovenzuelos rebeldes y contestatarios [...] destacando el que iba a ser el cantautor más brillante y carismático de esta nueva ola: Joan Manuel Serrat, quien debutó en el 65 con "Una guitarra", en homenaje al instrumento que su padre le regaló cuando cumplió los 16 años y que llegaría a la cumbre de su carrera artística con "Mediterráneo", en 1971.

[...]

Mientras que en Estados Unidos, Dylan era encumbrado gracias a *Blowin' In The Wind*, *Masters Of War* o *Knockin' On Heaven's Doors*, en el mismo continente, pero bajando hacia el sur, voces sagradas como Violeta Parra, Mattos Rodríguez o, asesinado por la dictadura de Pinochet, el chileno Víctor Jara, plantan cara al poder abusivo y asesino de los militares golpistas, autores de hermosas canciones revolucionarias que pronto se vieron respaldados por la denominada Nueva Trova Cubana, representada por Silvio Rodríguez [y] Pablo Milanés [...].

Para Milanés, la Trova fue el "único movimiento de este tipo que alcanzó la mayoría de los objetivos propuestos". A pesar de aparecer hacia el 66, se llamó Nueva Trova Cubana porque era heredera de la Trova Cubana que ya era popular desde muchas décadas atrás, casi centenaria, según comentó el cantautor cubano. Temas de contenido social, contestatario o político, constituyen el mensaje principal de esta nueva manera de "trovar", que en Cuba tuvo su auge en la década del 60, dando lugar a un movimiento llamado Nueva Trova. Para Silvio, "un trovador es un poeta con guitarra" y, por supuesto, aquellos años fueron los más representativos de dicha afirmación.

Mientras que Serrat apostó tanto por el catalán como por el español, otro cantautor clave, Lluis Llach apostó sólo por el catalán, tema que trajo diversos disputas entre la gente de a pie, algo que completó Paco Ibáñez y su pasión por la lengua francesa, grabando temas tanto en castellano como en francés como se puede comprobar en el legendario concierto grabado en el teatro Olimpia de París, en 1970. Y por fin llegamos a finales de los setenta y a los primeros pasos de la bautizada como "la Movida"◆, aquel movimiento juvenil cultural que puso a Madrid en el centro de la vanguardia mundial. Una vez acabada la transición y con el gobierno de la UCD♦ presidiendo el parlamento, la figura del cantautor fue degradándose poco a poco, dirigiéndose más a lo comercial e incluso radiándose en las emisoras comerciales tipo 40 Principales (ahí estaban Ana Belén y Víctor Manuel con su pegadiza "La puerta de Alcalá").

En los noventa, la figura del cantautor se fue haciendo más *underground* e independiente y miles de chavales salían de fiesta o iban a la universidad con camisetas del Che Guevara. Los nuevos nombres los encontramos en Pedro Guerra, Albert Pla, Javier Álvarez, Ismael Serrano y Nacho Vegas. Comenzado el Siglo XXI, el *hip-hop* se muestra como la eterna protesta juvenil.

[…]

(Noblejas, A., http://mundomusica. portalmundos.com) [último acceso 1.6.09]

Vocabulario

caudillo   líder político. Era el título empleado para referirse a Franco.

taburete   silla sin brazos ni respaldo, para una sola persona

desheredado   pobre, que carece de medios de vida

la Movida   movimiento contracultural surgido en Madrid durante la transición a la democracia, y que gozó de su máximo apogeo en los años 80

UCD   Unión del Centro Democrático, partido político de centro que desempeñó un papel clave en el proceso de la Transición

- Según el texto, ¿qué papel desarrolla la canción protesta en relación con la lengua?
- ¿Qué diferencias piensas que existen entre la canción protesta en inglés y en español?

Una de las canciones protesta más representativas es la que aparece a continuación, *L'estaca*, del cantautor catalán Lluis Llach. Convertida en un himno contra la injusticia y el totalitarismo, ha sido traducida a decenas de idiomas, e incluso fue usada por el sindicato polaco Solidaridad. La canción, escrita en catalán en un tiempo en que esta lengua estaba prohibida, acarreó muchos problemas a su autor, que se veía obligado a interpretar sólo la versión instrumental en sus conciertos para que la policía no lo detuviera. El público, de todos modos, entonaba a gritos la letra, que era cada vez más conocida.

2.9

L'estaca

L'avi Siset em parlava
de bon matí al portal
mentre el sol esperàvem
i els carros vèiem passar.

Siset, que no veus l'estaca
on estem tots lligats?
Si no podem desfer-nos-en
mai no podrem caminar!

Si estirem tots, ella caurà
i molt de temps no pot durar.
segur que tomba, tomba, tomba,
ben corcada deu ser ja.

Si jo l'estiro fort per aquí
i tu l'estires fort per allà,
segur que tomba, tomba, tomba,
i ens podrem alliberar.

Però, Siset, fa molt temps ja,
les mans se'm van escorxant,
i quan la força se me'n va
ella és més ampla i més gran.

La estaca

El viejo Siset me hablaba
al amanecer, en el portal,
mientras esperábamos la salida del sol
y veíamos pasar los carros.

Siset: ¿No ves la estaca♦
a la que estamos todos atados?
Si no conseguimos liberarnos de ella
nunca podremos andar.

Si tiramos fuerte, la haremos caer.
Ya no puede durar mucho tiempo.
Seguro que cae, cae, cae,
pues debe estar ya bien podrida.

Si yo tiro fuerte por aquí,
y tú tiras fuerte por allí,
seguro que cae, cae, cae,
y podremos liberarnos.

¡Pero, ha pasado tanto tiempo así!
Las manos se me están desollando♦,
y en cuanto abandono un instante,
se hace más gruesa y más grande.

Ben cert sé que està podrida
però és que, Siset, pesa tant,
que a cops la força m'oblida.
Torna'm a dir el teu cant:

Si estirem tots, ella caurà...

Si jo l'estiro fort per aquí...

L'avi Siset ja no diu res,
mal vent que se l'emportà
ell qui sap cap a quin indret
i jo a sota el portal.

I mentre passen els nous vailets
estiro el coll per cantar
el darrer cant d'en Siset,
el darrer que em va ensenyar.

Si estirem tots, ella caurà...

Si jo l'estiro fort per aquí...

Ya sé que está podrida,
pero es que, Siset, pesa tanto,
que a veces me abandonan las fuerzas.
Repíteme tu canción.

Si tiramos fuerte, la haremos caer...

Si yo tiro fuerte por aquí...

El viejo Siset ya no dice nada;
se lo llevó un mal viento.
– él sabe hacia dónde –,
mientras yo continúo bajo el portal.

Y cuando pasan los nuevos
muchachos,
alzo la voz para cantar
el último canto que él me enseñó.

Si tiramos fuerte...

Si yo tiro fuerte por aquí...

(Llach, L. (1968) www.lluisllach.cat) [último acceso 1.6.09]

Vocabulario

estaca   palo afilado en un extremo que puede
   clavarse en una superficie

desollar   quitar la piel

- ¿Qué crees que es en realidad "la estaca"
  de la que habla el cantautor?

Víctor Jara, una de las figuras más conocidas de la canción chilena, fue una de las muchas víctimas de la dictadura militar del General Pinochet, que derrocó al gobierno de Allende. Víctor Jara fue detenido, torturado y ejecutado por sus ideas. *Te recuerdo, Amanda* es una de sus canciones más famosas. Habla del amor entre una mujer, Amanda, y un joven obrero que se unió a la guerrilla y murió luchando.

Te recuerdo, Amanda

Te recuerdo, Amanda
la calle mojada,
corriendo a la fábrica donde
trabajaba Manuel.
La sonrisa ancha,
la lluvia en el pelo,
no importaba nada,
ibas a encontrarte con él, con él,
con él, con él, con él.
Son cinco minutos,
la vida es eterna
en cinco minutos,
suena la sirena
de vuelta al trabajo.
Y tú caminando
lo iluminas todo,
los cinco minutos
te hacen florecer.
Te recuerdo, Amanda
la calle mojada,
corriendo a la fábrica donde
trabajaba Manuel.
La sonrisa ancha,
la lluvia en el pelo,
no importaba nada,
ibas a encontrarte con él, con él,
con él, con él, con él
que partió a la sierra,
que nunca hizo daño,
que en cinco minutos
quedó destrozado.
Suena la sirena
de vuelta al trabajo,
muchos no volvieron,
tampoco Manuel.
Te recuerdo, Amanda,
la calle mojada,
corriendo a la fábrica donde
trabajaba Manuel.

Tema 8 Cine

Se ha dicho que el cine es un espejo que refleja la sociedad, aunque también puede cambiar nuestro modo de ver el mundo. La autora española Josefina Aldecoa (1926–) evoca en este hermoso texto la magia de las imágenes cinematográficas, que cambiaron su forma de ver el mundo y la de toda una generación.

2.11

Ojos como pantallas

Josefina Aldecoa

La primera vez que visité Madrid era el otoño de 1942 y yo tenía quince años. Mi padre me invitó a acompañarle en un corto viaje a la ciudad lejana y mitificada por nosotros, los adolescentes de provincias. Supongo que la visita, incluido el Museo del Prado, debió impresionarme. Pero lo curioso es que lo único que recuerdo claramente es el descubrimiento de dos catedrales del cine: el Callao y el Capitol, salas a las que mi padre me llevó en su afán♦ de mostrarme la importancia de Madrid.

Cuando regresé a León y todos me preguntaron qué tal la, entonces, excursión insólita, yo recuerdo que repetía: "La ciudad maravillosa, sobre todo los cines. El Callao es como un palacio todo en amarillos y el Capitol otro palacio, todo en rojos". Más tarde nunca volví a preguntarme por la exactitud de esos colores que decoraban por dentro aquellas muestras de lujo y poderío. Yo venía de la grisura♦ y el apagado sobrevivir de la posguerra en una pequeña ciudad y la visión de Madrid, a pesar de las huellas de la reciente tragedia, me deslumbró. Y fueron los edificios que albergaban las salas de cine los que más me fascinaron. En las frecuentes reflexiones sobre el pasado, cada vez entiendo mejor esa reflexión mía, aparentemente exagerada. Porque ya entonces era el cine la única ventana abierta al mundo, la única vía de evasión de una realidad áspera y cruel.

La mía fue una infancia en blanco y negro. La guerra, la posguerra, la desolación de la época ha quedado reflejada en los documentales cinematográficos. Años después, en el Nueva York de los últimos cincuenta, Ignacio y yo veíamos por primera vez los documentales prohibidos. El texto de Hemingway, la voz de Orson Welles, la presencia de Buñuel. Tierra española destrozada y revivida en un cine de Broadway. El cine nos devolvía la historia de nuestra infancia en blanco y negro.

En cuanto a aquellas películas que de niños veíamos: *Charlot, La pandilla, El gordo y el flaco, Fu-Manchú, Tarzán*, eran las que, en mi caso, pasaban en la sala de los Agustinos los domingos por la tarde para el público infantil. Y en todas ellas, el blanco y negro era el único y vigoroso soporte de las imágenes.

Pero fue en el año cuarenta y cuatro, al trasladarme a vivir a Madrid con toda mi familia, cuando el horizonte se amplió considerablemente y el cine empezó a tener un significado consciente en mi vida cotidiana. El cine era un refugio de la escasez y la pobreza. Cines de barrio que por edad y cercanía nos correspondían: Espronceda, Bilbao, Fuencarral. Programas dobles del Cine Chueca al que íbamos los hermanos mayores acompañados de los pequeños, con bocadillos incluidos. Tardes de jueves y domingos. Largas sesiones de alegrías y entusiasmo, ilusión y esperanza. Adolescencia ante la pantalla. Con todos sus recortes y doblajes aptos para menores, nos llegaban tantas cosas... Había un mundo ancho y ajeno que nos estaba prohibido. Y al menor destello de ese mundo, el ensueño♦ crecía, la imaginación se disparaba. Durante unas horas todo era posible en la pantalla. En la calle quedaban la triste realidad, las quejas familiares, los problemas: la difícil tarea de salir adelante.

El cine, el mensajero eficaz de las pequeñas o grandes historias, nos enseñaba, mientras tanto, un lenguaje que transformó nuestra capacidad de percibir. A través del cine descubrimos la épica, la denuncia de la injusticia, los gérmenes de las revoluciones. Una forma nueva de reaccionar ante las situaciones y una forma diferente de pensar y proyectar. Con una economía de elementos impresionante, el cine nos hizo conocer modelos de vida, formas de expresar los sentimientos, de imaginar lo apenas sugerido. La censura monolítica y torpe como era, no pudo impedir que el cine despertara en nosotros rebeldías, preguntas, dudas.

Al final de los cuarenta empiezan a llegar las películas de la Segunda Guerra Mundial: *Sangre, sudor y lágrimas* también en blanco y negro. Soldados heroicos, enfermeras valientes, enemigos sanguinarios. Noticias de una historia que estaba sucediendo ahí, al otro lado de la frontera pirenaica. Noticias de países implicados, el horror de los combates, la angustia de la retaguardia.

Y con la primera juventud nos llegó el cine en color. Paisajes exóticos, musicales brillantes, la Historia con mayúscula, el paso de los siglos con vestuarios y decorados fastuosos. Comedias de costumbres, aventuras emocionantes. El Oeste y los indios. La vida en Tecnicolor.

Más tarde fueron los viajes a París en busca del cine prohibido, los libros prohibidos, en busca sobre todo del excitante sabor de la libertad. Y al pasar los años, cuando esa libertad alcanzó España, el cine siguió reflejando en las pantallas de nuestros ojos el ritmo cambiante de la vida, los objetos, los paisajes que nunca veremos, la luna que nunca pisaremos.

El cine nos ha hecho como somos. Para nosotros, el amor no volvió a ser el mismo después de *Breve encuentro*, *Rebeca* o *Intermezzo*. El terror no volvió a ser el mismo después de *Los pájaros*, la épica cobró todo su sentido en *El acorazado Potemkin*. La afinidad conmovedora con *El ladrón de bicicletas* nos afianzó en la necesidad de la denuncia testimonial.

Junto con los libros, el cine fue para nosotros, los adolescentes de entonces, el alimento básico que iba a contribuir al desarrollo de nuestras actitudes sentimentales y de nuestra formación intelectual.

El tiempo ha pasado sobre nosotros y sobre las inolvidables imágenes del cine en blanco y negro. Pero hoy como antes, resguardados en la confortable butaca de un íntimo minicine, seguiremos vibrando con el cine de hoy, más complejo, más elaborado, pero con la misma intensidad y parecida fuerza a aquella que tenía en sus comienzos.

Yo no sería la que soy, no me reconocería a mí misma si tuviera que borrar de mis ojos las imágenes imborrables de mil horas de cine. Ojos como pantallas por las que desfilaba la vida en imágenes amadas, sorprendentes, reveladoras. Una forma diferente de ver. Un modo de resumir y concretar el mensaje narrativo en una nube que pasa, un gesto, una lágrima, una música que adelanta el gozo, el miedo, la emoción de lo que va a venir. Ojos como pantallas, para siempre.

(*Nickel Odeon*, no.7, julio–septiembre de 1997, pp.90–3)

Vocabulario

afán   deseo, empeño

grisura   cualidad de gris

ensueño   sueño, fantasía

- Aldecoa explica cómo el esplendor del cine contrastaba con el ambiente gris de la España de la época. ¿En qué momento histórico se sitúan la infancia y juventud de la autora?

- Para Aldecoa, "el cine nos ha hecho como somos". ¿Qué significa el cine para ti?

Una de las figuras más destacadas de la historia del cine es el director español Luis Buñuel (1900–1983). Sus inquietantes películas, de corte surrealista, mezclan elementos oníricos con el más duro realismo. En esta entrevista, Buñuel comenta algunos aspectos de una de sus mejores obras, *Viridiana* (1961), y del escándalo que rodeó su estreno.

2.12

Cine y censura: *Viridiana*

—*Viridiana* es una de las películas clave de usted, una de las más famosas, y significa su reencuentro con España. ¿Cómo surgió? ¿De dónde viene el nombre?

—El nombre viene del latín *viridium*: sitio verde. Allá por 1910, cuando yo estaba estudiando con los jesuitas, había una revista, *La hormiga de oro*, que contaba, en un número, la vida de Santa Viridiana. No

recuerdo si era una santa italiana, pero realmente existió. Aquí, en el Museo de la Ciudad de México, hay un retrato de ella: está con una cruz, una corona de espinas y unos clavos (esos objetos aparecen en la película). Bueno, después de filmar *Nazarín*, creo, Gustavo Alatriste, entonces casado con la actriz Silvia Pinal◆, me dijo que quería hacer una película conmigo: "Tiene usted libertad total para hacer la película a su gusto". Yo pensaba cobrar lo que había cobrado hasta entonces en México, pero Alatriste me ofreció cuatro veces más y quiso que filmáramos en España. Ahí empezó para mí el conflicto: ¿Debía ir a trabajar a España? Finalmente me dije: si la película es honesta, ¿por qué no hacerla?

—¿Cómo fue ese reencuentro con España?

—Conmovedor. Soy muy sentimental, vivo mucho de los recuerdos. Reencontré tantas imágenes personales, de la infancia, la adolescencia, la juventud, que fue como cuando volví a París después de la Segunda Guerra. Paseaba solo por las calles, con lágrimas en los ojos.

[…]

—¿La película trata de la inutilidad de la caridad cristiana?

—Más bien de su carácter contraproducente, porque produce catástrofes: el estropicio◆ de la casa por los mendigos, riñas entre éstos, la posible violación de Viridiana. Sin embargo, no se trata de una película anticaridad ni antinada. No creo que criticar la caridad cristiana sea un asunto importante en nuestros tiempos. Sería un poco ridículo...

[...]

—La parodia de la Última Cena ha sido muy comentada, en todos los tonos, desde el elogio hasta la indignación.

—La indignación no la comprendo. Los mendigos están cenando y casualmente forman una composición como el cuadro de Leonardo.

—Una de las mendigas dice: "Voy a tomarles una foto con una camarita que mi madre me dio". Se alza las faldas y "fotografía" – con el sexo, se supone – a sus compañeros en la composición "leonardesca".

—Es una vieja broma infantil española. Si alguien se coloca en una postura en que destaca mucho su trasero, se le grita: "¡Me estás fotografiando!" La mendiga repite esa broma, que es inocente, de niños.

—Pero, ¿es inocente que usted lo filme?

—Son mendigos españoles, son creyentes pero al mismo tiempo se toman libertades con la religión. Eso es muy español. No tienen mala intención. Además están borrachos, se divierten. Viridiana los ha tenido rezando y trabajando todo el tiempo. Esa orgía nocturna es para ellos una liberación. Otra cosa: a algunas personas les pareció mal que se viera la corona de espinas quemándose en una hoguera. ¿Qué hay allí de blasfemo? Los viejos objetos litúrgicos suelen ser quemados...

—Háblenos del escándalo que provocó *Viridiana*.

—Terminamos de filmarla poco antes del festival de Cannes y fue invitada a éste. El festival comenzó cuando aún se estaban haciendo las mezclas◆ en París. Dos o tres días antes de que terminara el concurso, Juan Luis llegó a Cannes con la copia, para exhibirla. Se le dio el premio ex aequo y un padre dominico, hermano de un banquero muy conocido, que estaba como corresponsal de *L'Osservatore Romano*◆ en el festival, escribió que *Viridiana* blasfemaba sobre los santos óleos◆, que el cine estaba perdido moralmente, etc. De *L'Osservatore*, esa opinión pasó a España, al episcopado◆, a los ministros. El director de cinematografía español, que había recogido la Palma de Oro concedida a la película, fue destituido. El ministro de Información dimitió, pero Franco no aceptó su renuncia.

—La verdad es que el escándalo no sólo vino de parte de la "España negra" sino también de la "España de las luces". Los exiliados republicanos españoles estaban indignados de que usted hubiera aceptado filmar en España bajo el régimen de Franco. El periodista Mirabal escribió en una nota: "Ya va el falso genio Buñuelito a España a servirle una película a Franco"... algo así.

—Ahora ya no me llama "Buñuelito", sino don Luis.

(*Documentos hispanicos – El cine español* (1992), Consejería de Educación, Centro de Recursos Didácticos)

Vocabulario

Silvia Pinal   actriz protagonista de *Viridiana*, presente también en otras películas de Buñuel

estropicio   destrozo

mezclas   aquí, combinaciones de imágenes y sonidos durante la edición de una película

L'Osservatore Romano   diario italiano, órgano de la Iglesia católica

santos óleos   aceite consagrado que se usa en algunas ceremonias religiosas

episcopado   conjunto de los obispos de la Iglesia de un país

- ¿Por qué vaciló Buñuel en ir a España a rodar *Viridiana*?
- Según lo que se deduce de la entrevista, ¿cuál es la actitud de Buñuel ante el catolicismo oficial?
- ¿Qué actitud adopta Buñuel durante la entrevista?

Si ha habido un cineasta emblemático del cine español en las últimas décadas, ése es Pedro Almodóvar. Ganador de dos Óscar de la Academia, el manchego es creador de un universo muy personal, entre costumbrista y punk, donde, insólitamente, se dan la mano la España rural con la "modernidad" que trajo consigo el período de transición a la democracia. El éxito internacional del director comenzó con *Mujeres al borde de un ataque de nervios*, película que fue candidata al Oscar como mejor película extranjera en 1989. Esta película, que no ha perdido ni una gota de su frescura y actualidad, es paradigmática de la relación de Almodóvar con las mujeres, quienes ocupan un lugar muy especial en su filmografía. En el siguiente artículo periodístico se hace un análisis de la "chica Almodóvar" y lo que representa.

La chica Almodóvar

Omar Khan

La trascendencia del cine de Pedro Almodóvar reside en su capacidad para vibrar con el entorno y, al mismo tiempo, retratar las más arrebatadas♦ pasiones.

[…]

Mujeres al borde de un ataque de nervios traza una gruesa línea que divide la compleja y coherente filmografía de Pedro Almodóvar en un antes y un después. No solamente porque se trata de la película con la que se dio a conocer internacionalmente, sino porque, con ella, inicia un vuelco estilístico de envergadura♦ en lo que había sido su manera de ver y entender el cine. Es ésta la última gran película de su primera etapa como realizador.

La figura de Pepa sentada sobre una maleta, con el corazón desgarrado y la cama del desengaño♦ chamuscada♦ después del incendio, es más que un símbolo almodovariano. Es una imagen que se identifica como un icono del cine español de los ochenta y que define un modo de narración cinematográfica único, cuya invención es mérito total de Pedro Almodóvar.

[…]

¿La chica Almodóvar?

Algo es seguro. La "chica Bond" existe y es una tipología perfectamente identificable. Es más, hay dos categorías: la buena y la mala. Y ambas tienen en común el hecho de querer ligarse al agente con licencia para matar. Pero, con el correr del tiempo, dentro y fuera de España, se ha insertado la frase "chica Almodóvar" como si tal cosa. Habría que preguntarse primero si eso existe y luego, si la respuesta es afirmativa, qué es, qué función tiene y para qué sirve. La mujer ocupa un lugar fundamental en el cine del director manchego♦ y no hay mejor muestra de ello que la pandilla♦ de *Mujeres al borde de un ataque de nervios*, cuyo título habla por sí solo. Pero reducirlas a buenas y malas, a viejas o jóvenes, a acomplejadas o extravagantes, no es lo que más ayuda.

Madres, lesbianas, agresivas… En su universo hay de todo. Libidinosas a montón♦, madres abnegadas a chorros♦, lesbianas en proporciones considerables, vampiras a granel♦, niñitas en cantidad♦ y agresivas por un tubo♦. Generalmente no son chicas débiles, aunque las hay. Sus prototipos de malignas son tías♦ que exudan sexo y levantan oscuras pasiones desde la platea, como la Assumpta Serna de *Matador* o la cínica Victoria Abril de *Kika*. Y a ellas se contraponen las entrañables amas de casa, donde es reina absoluta la Carmen Maura de *¿Qué he hecho yo para merecer esto?*, aunque no hay que olvidar las múltiples abuelitas caseras de Chus Lampreave. En el apartado madre, no hay que olvidar a la obsesa Marisa Paredes de *Tacones lejanos* ni las geniales construcciones de Julieta Serrano. En el capítulo de exóticas estrafalarias♦ están todas las Rossy de Palma y la Francesca Neri de *Carne trémula*. Siendo ellas tan diversas, parece arbitrario englobarlas dentro de esa abstracta categoría unificadora de "chica Almodóvar".

(*Cartelmanía* (1998) Madrid, Progresa, p.2)

Vocabulario

arrebatadas apasionadas

de envergadura importante

desengaño impresión negativa que se recibe al comprobar que una cosa o una persona no responde a lo que se esperaba de ella

chamuscada ligeramente quemada

el director manchego el director originario de La Mancha, es decir Almodóvar

pandilla grupo de amigos

a montón, a chorros, a granel, en cantidad, por un tubo (expresiones coloquiales) muchas, en grandes cantidades

tías (*coloquial*, sobre todo en España) chicas, mujeres

estrafalarias extravagantes y ridículas

- ¿Por qué ha sido *Mujeres al borde de un ataque de nervios* una obra tan significativa en la carrera de Pedro Almodóvar?

- ¿Por qué es difícil definir a la "chica Almodóvar"?

- ¿Qué adjetivos se te ocurren para calificar el cine de Almodóvar?

El cine latinoamericano goza de una estupenda vitalidad. El talento y el coraje son las principales características de las últimas películas que nos llegan de los países de habla hispana, muchas de ellas con una fuerte carga social y planteamientos arriesgados que no se achantan ante las dificultades, tanto económicas como políticas. Entre ellas se encuentra *Fresa y chocolate*, con la que el cine cubano alcanza resonancia internacional. La película contrapone dos visiones opuestas de la revolución: la monolítica, hecha de consignas aprendidas, representada por el joven David; y la creativa e independiente, encarnada en la figura de Diego, un homosexual lleno de amor por su país.

2.14

FRESA Y CHOCOLATE

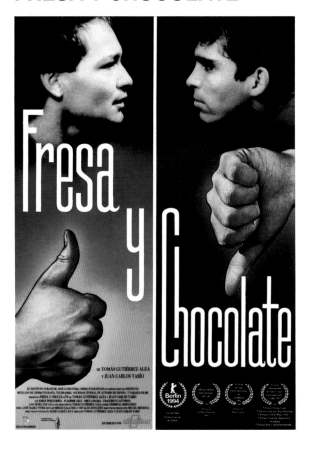

David ¿Por qué tú eres...?

Diego (*algo sorprendido*) ¿Maricón?◆ Porque sí. Mi familia lo sabe.

David Ellos tienen la culpa.

Diego ¡No! ¿Quién dijo? ¿Por qué?

David Si te hubieran llevado al médico cuando chiquito... Eso es un problema endocrino.

Diego (*Atragantándose sin poder contener la risa*) ¡Por favor, David! ¿Qué teoría es esa? Parece mentira en un muchacho universitario. ¿A ti te gustan las mujeres? A mí me gustan los hombres. ¡Eso es perfectamente normal! Además, ocurre desde que el mundo es mundo. Y eso no impide que yo sea una persona decente y tan patriota como tú.

David Sí, pero tú no eres revolucionario.

Diego (*Poniéndose serio*) ¿Quién te dijo a ti que yo no soy revolucionario? (*Pausa. Diego se pone en pie*) Yo también tuve ilusiones, David. A los catorce años me fui a alfabetizar◆, ¡porque yo quise! Fui para las lomas◆ a recoger café, quise estudiar para maestro... ¿y qué pasó? ¡Que esto (*se señala la cabeza*) es una cabeza pensante, y ustedes, al que no dice que sí a todo, en seguida lo miran mal y lo quieren apartar!

David ¿Pero qué ideas diferentes son las que tú tienes? ¡Eso es lo que yo quiero saber! ¿Cuáles son? ¿Montar las exposiciones esas con esas cosas horribles?

Diego ¿Y qué defiendes tú, chico?

David Yo defiendo a este país.

Diego ¡Yo también! ¡Que la gente sepa lo que tiene de bueno! ¡Yo no quiero que vengan aquí los americanos ni nadie a decirnos aquí lo que tenemos que hacer!

David Está bien. ¿Pero tú no te das cuenta que con todas esas monerías◆ que tú haces nadie te puede tomar en serio? Tú te has leído todos esos libros, ¿verdad? Pero nada más que piensas en machos...

Diego *(Cada vez más alterado)* Yo pienso en machos cuando hay que pensar en machos, ¡como tú en mujeres! Yo no hago ninguna monería, ni soy ningún payaso. Dicen que soy un enfermo, un anormal, ¡pero no lo soy, coño, no lo soy! ¡Ríanse de mí, ríanse, yo también me río de ustedes! Formo parte de este país, ¡aunque no les guste! Y tengo derecho a hacer cosas por él. ¡De aquí no me voy ni aunque me den candela por el culo! ¡Sin mí le faltaría un pedazo, para que te enteres, comemierda! *(Va hacia la puerta y la abre, dándole la espalda a David)* Hazme el favor de irte. *(David vacila, pero sale. Diego cierra la puerta tras él.)*

(Gutiérrez Alea, T. y Tabío, J. C., guión de la película *Fresa y chocolate*)

Vocabulario

maricón (vulgar)   homosexual

alfabetizar   enseñar a leer y a escribir (Después de la Revolución cubana se organizó una importante campaña de alfabetización en la que muchos jóvenes de la ciudad se fueron a vivir con familias campesinas para enseñarles a leer y a escribir. La campaña de alfabetización fue uno de los grandes logros de la Revolución castrista).

lomas   elevaciones del terreno, montes

monerías   aquí, acciones o cosas propias de un mono. (Diego es artista, y David no aprecia su obra, que es poco convencional).

- Compara las posturas de los dos amigos acerca de la homosexualidad.

- ¿Cómo imaginas que puede continuar la relación entre los dos hombres después de esta discusión?

Si bien es cierto que el cine ha producido algunas de las imágenes y narrativas más impactantes del siglo XX, hoy en día es la televisión el medio que más influye en la conciencia pública. En Latinoamérica el género televisivo dominante es la telenovela. Muchas de ellas han conseguido tal éxito, que se han exportado a otros países y traducido a otros idiomas. A pesar de que algunos las han condenado por escapistas, conservadoras y patriarcales, recientemente han recibido una crítica más favorable. El texto que sigue, pone fin a este tema examinando las telenovelas desde un punto de vista crítico, sin olvidar las particularidades del género en cada una de las regiones que las producen.

2.15

La telenovela: el Olimpo en la pequeña pantalla

Las pasiones, los hijos ocultos, el incesto, el dinero o los caracteres desmesurados son ingredientes habituales de un género que ha tenido en la televisión su máximo exponente. [...]

La mitología griega tenía todos los aditamentos♦ del folletín: la pasión desenfrenada, las relaciones incestuosas, los hijos extramatrimoniales, el castigo y el premio del dios supremo, ingredientes que no pueden faltar en los 800 capítulos de una telenovela que se precie♦, y que forman parte de nuestro imaginario colectivo desde hace mucho tiempo.

Latinoamérica ha sido sin duda el inventor de la telenovela o culebrón, tal y como hoy la conocemos, aunque podemos buscar sus antecedentes inmediatos en el folletín, el melodrama, la fotonovela y los seriales de radio de los años 40 y 50. Por otra parte, otro antecedente de la telenovela está en las grandes historias de amor escritas por la autora de la "novela rosa" por excelencia, Corín Tellado♦, muchas de ellas llevadas al cine a través de los años. [...]

Relación entre telenovela y literatura

Como señala Xinia Molina de la Universidad de Costa Rica, la telenovela muestra una serie de relatos cuya base es el melodrama e instala una nueva estética basada más en los imaginarios populares que en la concepción artística o expresiva de sus productos.

La telenovela es un género híbrido que guarda estrecha relación con la narrativa y el teatro, y es el melodrama el elemento clave para la construcción de la telenovela clásica.

El especialista en comunicación Jesús Martín-Barbero afirma que "el género melodramático nace como una manifestación opuesta a la educación burguesa: un resultado de la revolución francesa que hizo que el pueblo tomara los escenarios, abandonando las tradicionales calles y ferias, hasta entonces sus únicos lugares de manifestación" (*De los medios a las mediaciones*, 1978).

Otro rasgo que une la telenovela y la literatura es la relación directa que conecta a muchas de ellas con cuentos y relatos de la literatura universal. Veamos, que por ejemplo, la muy conocida telenovela colombiana y exportada

mundialmente, *Betty la Fea*, es un reflejo del cuento de Perrault: *La Cenicienta*.

En Latinoamérica la telenovela está ligada a la tradición oral de los pueblos en los llamados lectores de tabaquería. Éstos eran personas cuya función consistía en leer en voz alta obras literarias, incluidas las historias más románticas de la época, mientras los trabajadores (los torcedores) liaban las hojas de tabaco. Siempre se tenía en cuenta la opinión y comentarios de los oyentes, lo que generó un gusto y una preferencia por la narrativa y las historias de amor, que luego tuvieron su desarrollo en el radioteatro, antecedente, como hemos señalado, del drama televisado.

La telenovela en Latinoamérica

Para Boris Izaguirre, guionista venezolano, y desde no hace mucho tiempo también español, de exitosas telenovelas como *Rubí* o *La Dama de Rosa*, la telenovela es el auténtico producto cultural latinoamericano: "Para mí, la telenovela es en realidad el auténtico producto cultural latinoamericano; se ha gestado y formado acá. Ha tomado prestados aspectos del folletín de finales del siglo XIX, así como del cine mexicano; por eso me molesta que ahora se considere que el cine de Alfonso Cuarón, Alejandro González Iñárritu y Guillermo del Toro es una influencia primeriza" tal y como refleja en sus declaraciones del diario mexicano La Jornada.

La verdad es que en América Latina, la telenovela existe desde el origen mismo de la televisión y, en la actualidad son los productos audiovisuales de mayor repercusión y circulación internacional.

Brasil, México y Venezuela son los más

altos exponentes de la producción latinoamericana. Sin embargo es Colombia con su *Betty la Fea*, la más exportada y con mayor audiencia del mundo. Esta historia ha sido tan popular que hasta se ha transmitido más de una vez en el mismo país, y ha dado lugar a más de 50 versiones en todo el mundo. [...]

Los países productores marcan ciertos estilos en las telenovelas, a pesar de la estandarización que se ve en los últimos años. Citaremos a la especialista en el tema Nora Mazziotti a la hora de definir cada uno de ellos.

Modelo mexicano

Es el modelo clásico del melodrama, en el que el peso de la moral católica se hace patente y los personajes sensuales son los malvados. Como dice Mazziotti, "de alguna manera se acercan al teatro alegórico de la Edad Media, donde los personajes eran abstracciones que encarnaban◆ valores morales: Virtud, Bondad, Justicia, Vicio, Esperanza".

Modelo brasileño

Cuida mucho lo visual, el ritmo y desde la cabecera se hace patente la agilidad y la frescura. Hay en sus producciones un fuerte componente erótico y una gran permisividad sexual. Brasil fue el primer país en incluir desnudos y sexo gráfico en sus telenovelas, cuyos personajes expresan sus emociones de una forma más natural que los del modelo mexicano.

Esclava Isaura, es la telenovela histórica que según el Libro de Records Guinness, ha sido la más vista en el mundo.

Modelo colombiano

Combina elementos modernos con los tradicionales, y en una evolución constante de exploración y búsqueda. Para Mazziotti es el modelo que se presenta más abierto de todos.

Argentina

Con sus altibajos, hasta la década del 90 era posible hablar de un estilo argentino, al que Mazziotti se ha referido en diversos trabajos, que se caracterizaba por una relación con el teatro y el cine costumbrista◆ de décadas anteriores. En Argentina la producción ha sido muy desigual, pues se ha visto interrumpida por los vaivenes políticos y económicos. [...]

Venezuela

En la década de los años 80 y 90 Venezuela creó una potente industria de telenovelas, siendo los pioneros en su exportación. Las telenovelas venezolanas han batido récords de audiencia en Hispanoamérica, entre la población hispana de Estados Unidos y en Europa. Una de las más famosas es *Cristal*, que trastornó los horarios de seis países vecinos en América. En España fue un éxito sin precedente al que siguió *La Dama de Rosa*.

La telenovela ¿portadora de ideología?

Podríamos distinguir entre las telenovelas clásicas y las actuales y veríamos diferencias entre los modelos sociales que nos ofrecen, que en el caso de algunas producciones dirigidas al sector adolescente, son muy distintas, pero no difieren mucho en el mensaje.

Para Florence Toussaint, la relevancia de la telenovela como portadora de ideología no reside en los elementos que contiene como en aquellos de los que carece. La telenovela privilegia los problemas sentimentales y los hechos de la casualidad para ocultar los problemas laborales, económicos, políticos y sociales que sufren los individuos en una sociedad concreta e histórica, no en un espacio indeterminado y sin fecha. Cabe preguntarse ¿por qué? Porque el ocultamiento de lo real es el primer paso hacia la negación de la libertad. (*La telenovela: ensayo aproximativo*)

(Cajal Santos, N. (2009) www.casamerica.es/telenovela) [último acceso 26.4.10]

- De acuerdo con el punto de vista que se expresa en el texto, ¿tiene la telenovela valor artístico?

- En el artículo se describen las diferencias de género entre las telenovelas procedentes de distintos países. ¿A qué se deben estas particularidades?

- ¿En qué sentido se oculta tras la telenovela una "ideología"?

Vocabulario

aditamentos   complementos. Aquí, ingredientes

que se precie   que merezca ese nombre

Corín Tellado   escritora española de novelas rosas, la más prolífica y popular de todos los tiempos. La Unesco la proclamó segundo autor en castellano más leído en el mundo, solo tras Cervantes

encarnar   personificar, representar una idea

costumbrista   se dice de lo relacionado con el costumbrismo, un estilo literario caracterizado por prestar atención a la descripción detallada de las costumbres típicas de un país o región

Actividad de lectura

En esta sesión vas a leer tres poemas de una autora española contemporánea, Maite Pérez Larumbe (Pamplona, 1962).

Muchas personas piensan que la poesía, especialmente en una lengua extranjera, es difícil de leer.

1 ¿Cuáles de los siguientes puntos te resultan difíciles cuando lees poesía?

- la inversión de estructuras gramaticales puede dificultar el análisis y la comprensión de las frases;

- las metáforas, personificaciones, etc. propias del lenguaje literario pueden ser difíciles de comprender;

- a veces hay elementos que no suelen asociarse los unos con los otros en la vida real;

- a veces se dicen las cosas solo a medias, o se omiten, y hay que "adivinarlas";

- las referencias culturales pueden ser difíciles de entender.

Aunque es cierto que los aspectos anteriores pueden dificultar la comprensión, también es verdad que muchos de ellos están presentes también en la prosa.

Quizás te parezca que leer poesía es especialmente difícil, pero es importante que intentes familiarizarte con este tipo de texto ya que:

- la poesía forma parte del patrimonio cultural hispano y, como el resto de las artes, es una de las claves para comprender la cultura;

- leer poesía es una manera de ampliar tu vocabulario;

- leer poesía te ayudará a desarrollar un sentido casi instintivo de los ritmos y las melodías de una lengua;

- memorizar poemas y recitarlos es un excelente ejercicio de pronunciación.

Post-it

Ocho treinta entregar informe
Preparar clase tarde
Buscar plano casa tomada / 15 fotocopias
Pedir hora dentista
Comprar fruta y pescado
Contestar correos
Comprar amigo invisible
Pantys marrones
Reunión a las siete

Detrás de un gran hombre

Detrás de un gran hombre puede haber cualquier cosa.

Una pared, un paisaje, un terapeuta, ¿qué más da?

Lo que importa es lo que tiene debajo.

Suelo es la única opción correcta.

La frontera

La vida en la frontera

no es más difícil que cualquier otra vida.

Cierta incomodidad es innegable y nunca somos muchos

pero tiene el encanto de lo nuevo y una adquiere

su propia dimensión frente a la verja

(que no es tan alta como nos contaron

y algunas alimañas◆ ya han excavado túneles).

Una tarde avistamos◆ un grupo en la distancia,

sus costumbres apenas difieren de las
nuestras.

No estamos solos.

Cuando hace calor,

esperamos la brisa de la noche y recordamos

los nombres de los monstruos, los peligros,

todos los abismos, todas las amenazas

que nos dijeron que había en la frontera.

Vencido su poder, mueven a risa♦.

(http://www.navarra.es) [último acceso
17.5.10]

Vocabulario

alimañas   animal que resulta perjudicial
generalmente para la ganadería, como por
ejemplo los zorros

avistamos   vimos

mueven a risa   hacen reír

2   Los tres poemas son de un libro de
poesías de la autora titulado *Precariedad y
persistencia*. ¿Qué te sugiere el título? ¿Crees
que el título del libro te ayuda a interpretar
los poemas?

3   ¿Por qué no intentas ahora escribir un
poema siguiendo el modelo de "Post-it"?

Actividad de escritura

Como ya sabes, esta actividad está dedicada
específicamente a desarrollar tus destrezas de
escritura. En esta sesión analizarás la estructura y
el lenguaje de los cuentos y luego escribirás uno.

Observa y aprende

En esta sección leerás un cuento y analizarás
tus primeras impresiones. Luego analizarás las
diferencias generales entre la novela y el cuento
y te fijarás en el significado del título del cuento
que vas a leer.

1   Los siguientes términos se usan para hablar
de literatura. Asegúrate de que los entiendes
buscando su significado en un diccionario si
es necesario.

> entorno • personajes • tema central •
> trama

2   Antes de leer el cuento, reflexiona acerca de
las diferencias generales entre una novela
y un cuento; y marca la casilla adecuada al
lado de cada característica.

Característica	Novela	Cuento
(a) tema complejo con varios subtemas		
(b) tema conciso		
(c) trama directa, sucinta		
(d) trama complicada con subtramas		
(e) caracterización de personajes detallada		
(f) caracterización de personajes solo revela lo esencial		
(g) uno o dos entornos, poco movimiento		
(h) varios entornos, movimiento		

3   Antes de leer el cuento *Apocalipsis,* reflexiona sobre el título:

(a)   ¿Qué te sugiere el título?

(b)   ¿Cuál crees que va a ser el tema central?

Fíjate

El título de un texto, ya sea un cuento, un poema, un artículo periodístico o un ensayo, es muy importante ya que es lo primero que se lee. Es importante que el título cree interés y dé una clave, más o menos explícita, sobre el tema del que trata el texto.

A continuación podrás dar tus primeras impresiones sobre el cuento *Apocalipsis* y analizarás en detalle lo que pasó, dónde y cuándo; también podrás descubrir desde qué punto de vista se narra el cuento.

4   Lee el cuento *Apocalipsis* (p.73) del argentino Marco Denevi una vez solamente. Anota tus primeras impresiones completando los siguientes apuntes:

El título *Apocalipsis* es apropiado porque…

El tema central del cuento es…

Me ha gustado / no me ha gustado el cuento porque…

5   Ahora contesta a las siguientes preguntas.

(a)   ¿Cuándo ocurrirá la extinción de la raza humana según el cuento?

(b)   ¿Por qué no necesitarán hacer nada los seres humanos?

(c)   ¿Qué tipo de cosas desaparecerán gradualmente?

(d)   ¿Qué pasará con los seres humanos? ¿Y con las máquinas?

(e)   ¿Por qué no serán eliminadas las máquinas?

6   Lee el principio y el final del cuento concentrándote en el narrador, y di si las siguientes afirmaciones son verdaderas o falsas. Corrige también las afirmaciones falsas.

Verdadero   Falso

(a)   Al principio el cuento está escrito en tercera persona del singular.   ☐   ☐

(b)   Al final cambia a primera persona del plural.   ☐   ☐

(c)   El cuento está narrado desde el punto de vista de los hombres.   ☐   ☐

7   Lee el cuento otra vez por encima y fíjate en el entorno, el tiempo y el espacio. Escoge la respuesta correcta.

(a)   El entorno es:

(i)   el planeta Tierra.

(ii)   una nave espacial.

(iii) otro planeta.

(b)   El cuento está localizado en:

(i)   el siglo veintidós.

(ii)   la actualidad.

(iii) el siglo treinta y dos.

(c)   El espacio es:

(i)   el universo entero.

(ii)   el mundo.

(iii) Argentina, el país del escritor.

"APOCALIPSIS"

De Marco Denevi

La extinción de la raza de los hombres se sitúa aproximadamente a fines del siglo XXXII. La cosa ocurrió así: las máquinas habían alcanzado tal perfección que los hombres ya no necesitaban comer ni dormir ni hablar ni leer ni escribir ni pensar ni hacer nada.

Les bastaba apretar un botón y las máquinas lo hacían todo por ellos. Gradualmente fueron desapareciendo las mesas, las sillas, las rosas, los discos con las nueve sinfonías de Beethoven, las tiendas de antigüedades, los vinos de Burdeos, las golondrinas, los tapices flamencos, todo Verdi, el ajedrez, los telescopios, las catedrales góticas, los estadios de fútbol, la Piedad de Miguel Ángel, los mapas, las ruinas del Foro Trajano, los automóviles, el arroz, las sequoias gigantes, el Partenón. Sólo había máquinas.

Después los hombres empezaron a notar que ellos mismos iban desapareciendo paulatinamente y que en cambio las máquinas se multiplicaban. Bastó poco tiempo para que el número de los hombres quedase reducido a la mitad y el de las máquinas se duplicase. Las máquinas terminaron por ocupar todos los sitios disponibles. No se podía dar un paso ni hacer un ademán sin tropezarse con una de ellas. Finalmente, los hombres fueron eliminados. Como el último se olvidó de desconectar las máquinas, desde entonces seguimos funcionando.

(Valette, R. M. y Renjilian-Burgy, J. (1993) *Album,* Segunda edición, D.C. Heath & Co., EE.UU.)

Antes de escribir un cuento o cualquier otro texto narrativo es importante no solo planificar la trama, sino también pensar en quién va a narrar la historia y tomar decisiones acerca del entorno, el tiempo y el espacio.

Ahora podrás aprender nuevo vocabulario relacionado con el tono de un cuento y también identificarás el tono de *Apocalipsis*.

8   Pensando un poco en el tono de un cuento, lee la siguiente lista de palabras y da un antónimo (una palabra con el significado opuesto) a cada una de ellas siguiendo el ejemplo:

Tono	Antónimo
triste	*alegre*
misterioso	
cínico	
serio	
superficial	
satírico	
pesimista	
sentimental	
lúgubre	
fantástico	

9   Utilizando la tabla que acabas de completar en el paso anterior, marca los adjetivos que describen el tono de *Apocalipsis*; léelo otra vez si hace falta.

A continuación examinarás detalladamente los personajes y la intención del escritor.

10 Vuelve a leer el cuento detenidamente prestando atención a los personajes y rellena la tabla que aparece a continuación comparando las alusiones a la raza humana con las de las máquinas. Busca frases en el texto para justificar tus afirmaciones.

La raza humana	Las máquinas
• extinta, la extinción, fueron eliminados	• abundantes, todos los sitios disponibles
• ...	• ...

11 Ahora imagínate un mundo en donde las máquinas hayan remplazado completamente a los humanos y haz una descripción del mundo de las máquinas, su apariencia, sus actividades y las relaciones entre sí mismas. Utiliza algunas de las palabras que caracterizan a las máquinas en *Apocalipsis* y escribe unas 100 palabras. Si quieres, puede empezar así:

> El mundo de las máquinas es un mundo lleno de bullicio y perpetua actividad...

Ahora vas a prestar atención al estilo del escritor.

12 Busca en un diccionario monolingüe las definiciones de las siguientes figuras literarias.

hipérbole: ...

hipérbaton: ...

enumeración: ...

ironía: ...

13 Ahora identifica cuáles dos predominan en *Apocalipsis* y da ejemplos concretos citando frases textuales del cuento.

14 Finalmente, vas a juzgar la intención del escritor y su mensaje. Explica el efecto que tienen las figuras retóricas utilizadas en el cuento.

15 Contesta las siguientes preguntas.

(a) ¿Te parece que el escritor les tiene fobia a las máquinas?

(b) ¿Crees que el escritor tiene razón al sugerir que en la actualidad los seres humanos están abusando de la tecnología?

(c) ¿Qué implicaciones podría tener el abuso de la tecnología?

(d) ¿Le recomendarías este cuento a otras personas?

> Recuerda siempre que al escribir cualquier tipo de texto es importante utilizar un vocabulario variado, y hacer uso de recursos estilísticos apropiados al género para transmitir el mensaje deseado (tales como el uso de la enumeración para enfatizar).

Ahora tú

En la primera parte de esta actividad has estudiado los elementos que componen un cuento. En esta sesión tendrás la oportunidad de escribir uno tú mismo.

Primera fase: preparación de las ideas

Esta sección te ayudará a empezar a pensar en tu cuento.

16 Para empezar vas a observar un cuadro, lo que te ayudará con el ambiente y el vocabulario de tu cuento.

El retrato de Émile Zola por Manet, Musée d'Orsay, París

Mira detalladamente el cuadro *El retrato de Émile Zola* del pintor francés Manet y escribe dos listas: una lista de sustantivos de todo lo que ves en la pintura y otra de adjetivos que se te ocurran para describir esos sustantivos.

Sustantivo	Adjetivo
libro	abierto
...	...

Segunda fase: elaboración del texto

17 Tu cuento debe empezar con la escena que ves en el cuadro.

Escribe la introducción de tu cuento en unas 100 palabras, inspirándote en lo que ves en el cuadro.

Utiliza la lista de sustantivos y adjetivos del paso anterior e incluye detalles sobre:

- la descripción física del personaje;
- el estado emocional del personaje;
- el ambiente que rodea al personaje dentro del salón;
- lo que puede ver a través de sus ventanas;
- el tipo de libro que está leyendo;
- su actitud hacia el libro.

18 Ahora lee tu introducción y analiza:

- el tono de tu descripción;
- el punto de vista de tu narración (¿primera o tercera persona?);
- las características físicas y psicológicas de tu personaje principal.

19 Continúa desarrollando tu cuento. Escribe 100–150 palabras incluyendo todas las palabras siguientes. Si es necesario, cambia el tono o el narrador de tu relato.

> la cabaña del monte • la mujer • el amante • el puñal • destruir • separarse

20 Vuelve a leer lo que has escrito en el paso anterior y considera los siguientes puntos:

- ¿Has caracterizado suficientemente a los nuevos personajes (la mujer y el amante)?
- ¿Has utilizado algunas de las figuras retóricas que has estudiado en la sección anterior (hipérbole, enumeración, etc.)? Si no lo has hecho, repasa tu cuento para introducirlas ahora.

A continuación vas a poner fin a tu cuento.

21 Lee la introducción y el desarrollo de tu cuento, decide qué tipo de final le quieres dar (trágico, feliz, misterioso, fantástico...) y escribe tu conclusión (50 –100 palabras), que deberá incluir de nuevo al personaje principal.

22 Para finalizar, ponle un título a tu cuento.

Tercera fase: autoevaluación

23 Ahora vas a evaluar tu trabajo. Lee todo tu cuento y haz una revisión minuciosa con la siguiente lista de ideas:

- ¿Es interesante la introducción y motiva al lector o a la lectora a seguir leyendo el cuento?

- ¿Están bien caracterizados los personajes? Es decir, ¿hay suficiente detalle para dar al lector o a la lectora una imagen clara de sus características físicas y/o psicológicas?

- ¿Se utilizan figuras retóricas de forma apropiada para marcar el estilo de la narración?

- ¿Cuál es el punto de vista de la narración, y qué propósito sirve? ¿Cambia el punto de vista de la narración durante el transcurso del cuento? ¿Con qué fin?

- ¿Concluye el cuento de forma imaginativa o sorprendente? ¿El final es interesante, o es obvio y predecible?

24 Por último, vas a leer el cuento original que contiene las palabras que has utilizado para escribir tu cuento. Es un cuento del escritor argentino Julio Cortázar.

Continuidad de los parques

Había empezado a leer la novela unos días antes. La abandonó por negocios urgentes, volvió a abrirla cuando regresaba en tren a la finca; se dejaba interesar lentamente por la trama, por el dibujo de los personajes. Esa tarde, después de escribir una carta a su apoderado♦ y discutir con el mayordomo una cuestión de aparcerías♦ volvió al libro en la tranquilidad del estudio que miraba hacia el parque de los robles. Arrellanado en su sillón favorito de espaldas a la puerta que lo hubiera molestado como una irritante posibilidad de intrusiones, dejó que su mano izquierda acariciara una y otra vez el terciopelo verde y se puso a leer los últimos capítulos. Su memoria retenía sin esfuerzo los nombres y las imágenes de los protagonistas; la ilusión novelesca lo ganó casi en seguida. Gozaba del placer casi perverso de irse desgajando♦ línea a línea de lo que lo rodeaba y sentir a la vez que su cabeza descansaba cómodamente en el terciopelo del alto respaldo, que los cigarrillos seguían al alcance de la mano, que más allá de los ventanales danzaba el aire del atardecer bajo los robles. Palabra a palabra, absorbido por la sórdida disyuntiva de los héroes, dejándose ir hacia las imágenes que se concertaban y adquirían color y movimiento, fue testigo del último encuentro en la cabaña del monte. Primero entraba la mujer, recelosa; ahora llegaba el amante, lastimada la cara por el chicotazo♦ de una rama. Admirablemente restañaba♦ ella la sangre con sus besos, pero él rechazaba las caricias, no había venido para repetir las ceremonias de una pasión secreta, protegida por un mundo de hojas secas y senderos furtivos. El puñal se entibiaba contra su pecho, y debajo latía la libertad agazapada. Un diálogo anhelante corría por las páginas como un arroyo de serpientes y se sentía que todo estaba decidido desde siempre. Hasta esas caricias que enredaban el cuerpo del amante como queriendo retenerlo y disuadirlo, dibujaban abominablemente la figura de otro cuerpo que era necesario destruir. Nada había sido olvidado: coartadas◆, azares, posibles errores. A partir de esa hora cada instante tenía su empleo minuciosamente atribuido. El doble repaso despiadado se interrumpía apenas para que una mano acariciara una mejilla. Empezaba a anochecer.

Sin mirarse ya, atados rígidamente a la tarea que los esperaba, se separaron en la puerta de la cabaña. Ella debía seguir por la senda que iba al norte. Desde la senda opuesta él se volvió un instante para verla correr con el pelo suelto. Corrió a su vez, parapetándose en los árboles y los setos, hasta distinguir en la bruma malva del crepúsculo la alameda que llevaba a la casa. Los perros no debían ladrar, y no ladraron. El mayordomo no estaría a esa hora, y no estaba. Subió los tres peldaños del porche y entró. Desde la sangre galopando en sus oídos le llegaban las palabras de la mujer: primero una sala azul, después una galería, una escalera alfombrada. En lo alto, dos puertas. Nadie en la primera habitación, nadie en la segunda. La puerta del salón, y entonces el puñal en la mano. La luz de los ventanales, el alto respaldo de un sillón de terciopelo verde, la cabeza del hombre en el sillón leyendo una novela.

(Cortázar, J. (1956) de *Final de Juego*)

Vocabulario

apoderado   dicho de una persona: que tiene poderes de otra para representarla

aparcerías   contrato por el que el propietario de una finca, fábrica o negocio cede su explotación a otra persona a cambio de una proporción de los beneficios

desgajando   separando

chicotazo   latigazo, golpe dado con un látigo

restañaba la sangre   paraba el curso de la sangre

coartada   prueba con la que un acusado demuestra que no ha estado presente en el lugar del delito porque otra persona afirma que estaba en otro lugar

25   Compara tu cuento con el de Cortázar.

   (a)   ¿Qué características comparte?

   (b)   ¿Qué diferencias hay entre los dos cuentos?

   (c)   Resume el cuento *Continuidad de los parques* en unas 30 palabras.

   (d)   ¿Qué te ha parecido, y por qué?

26   Si quieres desarrollar tu talento literario, elige un cuadro y utilízalo como estímulo para escribir otro cuento.

Lenguas

El mundo hispánico no es, en ningún caso, una estructura monolingüe y uniforme. El español es un idioma hablado en un territorio muy extenso, y con una historia compleja. Su pasado colonizador la convirtió en la lengua hegemónica de Latinoamérica, donde desplazó a las lenguas indígenas; y, si bien muchas de ellas cuentan aún con un gran número de hablantes, siguen necesitando apoyo para recuperar su prestigio social y garantizar su supervivencia.

En la Península Ibérica, el español convive también con otras lenguas, las cuales, con la llegada de la democracia, fueron reconocidas como lenguas cooficiales. El multilingüismo es sin duda un indicador de la riqueza cultural de un país; ahora bien, cuando una de las lenguas es percibida como "mayoritaria" y otra como "minoritaria", esta convivencia puede resultar problemática. Tanto en el caso de España como en Latinoamérica, la protección de los idiomas autóctonos se encuentra con frecuencia asociada a reivindicaciones políticas, lo que nos recuerda, una vez más, que lengua y poder están estrechamente relacionados.

Si los movimientos colonizadores de antaño convirtieron el español en la primera lengua de Latinoamérica, los flujos migratorios de la actualidad la han situado como segunda lengua en los Estados Unidos. Este español latino que ha conquistado el país norteamericano ha acabado mezclándose con el inglés hasta dar lugar a una lengua mestiza que suscita todo tipo de opiniones: el spanglish.

El fenómeno de la hibridación lingüística demuestra de nuevo la versatilidad del idioma, que inevitablemente se adapta a la sociedad a la que sirve. El papel de los medios de comunicación es decisivo en este sentido, ya que estos reflejan las transformaciones y diversificaciones de la lengua, llegando muchas veces a contribuir a su evolución, "creando" y "extendiendo" el lenguaje. Un ejemplo de ello es el habla juvenil, permanentemente cambiante, influida por los medios de comunicación y por las nuevas tecnologías. Y si hay un medio de comunicación poderoso en la actualidad, se trata por supuesto de la Red. Los idiomas que están presentes en el mundo virtual tienen más probabilidades de sobrevivir y extenderse; es por eso que internet puede ser una baza decisiva que salve a muchas lenguas en peligro de extinción.

Las lenguas minoritarias y el poder político, las lenguas híbridas y las lenguas en evolución serán por tanto los ejes temáticos de esta unidad, que esperamos te ofrezca una amplia perspectiva de la riqueza lingüística de las sociedades hispanohablantes.

Tema 9 Las lenguas de España

Además del español o castellano, en España se hablan otras lenguas, como el catalán, el vasco y el gallego. Todas estas lenguas y sus variedades dialectales están contempladas en la Constitución Española de 1978 y en los Estatutos de Autonomía, las leyes por las que se rigen las Comunidades Autónomas. A continuación encontrarás dos textos con información sobre el origen de estas lenguas (3.1), así como sobre la historia y particularidades sobre tres de las más importantes (3.2).

3.1

Origen de la diversidad de lenguas en España

En el año 218 a.C. los romanos desembarcaron en Ampurias◆, iniciando así la romanización de la Península Ibérica. Roma, de la mano de sus legionarios, colonos, funcionarios y comerciantes, impuso a los antiguos pobladores de Hispania su forma de vivir, de pensar y de hablar. De las lenguas que se hablaban en la Península antes de que llegaran los romanos, sólo se conservó el vasco, que no tiene parientes conocidos. En el resto de la Península el latín se convirtió en la lengua general.

A partir del siglo V, las invasiones de los pueblos germánicos fragmentaron el Imperio Romano, propiciando la diversificación del latín en las distintas lenguas románicas. Más tarde, la invasión musulmana de principios del siglo VIII dio lugar a la formación de diversos núcleos políticamente aislados entre sí. En cada uno de estos núcleos se desarrollaron diversas variedades lingüísticas romances, entre las que se incluye la propia de los hispanovisigodos que permanecieron en territorios conquistados: el mozárabe.

Al terminar la Reconquista◆ en el siglo XV, eran seis las variedades idiomáticas que había en la Península: una de origen no románico – el vasco – y cinco de origen románico – el gallego, el leonés, el castellano, el aragonés y el catalán.

("Las lenguas peninsulares", *Lengua y literatura (Secundaria 2000)* (1998) Madrid, Grupo Santillana de Ediciones, p.187)

Vocabulario

Ampurias uno de los puertos del Mediterráneo más importantes durante la época romana en la Península

Reconquista periodo de la historia medieval española que abarca desde la llegada de los árabes en 711 hasta la toma de Granada en 1492, durante el cual el objetivo de los cristianos fue la expulsión de los musulmanes de la Península

- Escribe unos apuntes sobre la situación lingüística de España, y luego compárala con la de tu propio país.

- El artículo 3 de la constitución española afirma que "La riqueza de las modalidades lingüísticas de España es un patrimonio cultural que será objeto de especial respeto y protección". ¿De qué modo piensas puede protegerse la riqueza cultural que representa una lengua?

La diversidad lingüística en España

El vasco

Extensión: Desde el punto de vista geográfico, el vasco o euskera está presente a uno y otro lado de la frontera francoespañola. En Francia se habla en un pequeño rincón al suroeste del departamento de los Bajos Pirineos; y en España se extiende por Guipúzcoa, una buena parte de Vizcaya, el valle de Aramayona, situado al norte de Álava, y la zona noroccidental de Navarra. En la actualidad, lo habla y tiene como lengua principal cerca del 20% de la población [de la zona].

Historia: El vasco no es una lengua románica: a diferencia de otras regiones en las que las lenguas prerromanas sucumbieron ante el empuje del latín, la región vasca conservó su lengua; por eso, el vasco se diferencia tanto del resto de las lenguas peninsulares en aspectos como el vocabulario o la sintaxis. Por ejemplo, el orden de las palabras en vasco es distinto: se dice *neska bat naiz*, cuya traducción literal sería "chica una soy". No obstante, el vasco ha incorporado a su léxico numerosos préstamos procedentes del latín, del castellano y de otras lenguas peninsulares.

El vasco no se usó como lengua escrita hasta el siglo XVI, pues hasta entonces los documentos se redactaban en latín o en romance. La literatura vasca surgió en este siglo, con textos escritos de carácter eclesiástico y moral.

La lengua vasca ha tenido graves problemas para sobrevivir, pues su empleo ha sido fundamentalmente coloquial, estaba fragmentada en diversos dialectos con fuertes diferencias entre sí y ha carecido hasta hace poco tiempo de una norma común para su utilización culta y escrita en las actividades públicas y en la enseñanza. Esa norma común que actualmente existe es el *euskara batua*, es decir, "vasco unificado" (*bat* significa en vasco "uno').

El catalán

Extensión: El catalán y las variedades que han nacido a partir de él – el balear, el valenciano – se extienden por Cataluña, parte de la Comunidad Valenciana, las islas Baleares, el departamento francés de los Pirineos Orientales, el Principado de Andorra y la ciudad de Alguer, situada en la isla de Cerdeña (Italia). En total son unos seis millones de hablantes, prácticamente todos bilingües.

Historia: Desde el punto de vista histórico, el catalán – como lengua románica que es – resultó de la evolución del latín en el nordeste de la Península. Durante la Reconquista se produjo su expansión hacia el sur y, por el Mediterráneo, hacia oriente. En el siglo XV comenzó una época de decadencia para el catalán, que fue quedando reducido a ámbitos familiares o locales, mientras el castellano se convertía en la lengua de uso en situaciones formales.

A principios del siglo XX, el catalán dispuso ya de una norma ortográfica, gramatical y léxica, lo cual facilitó su enseñanza y

Islas Canarias

su cultivo literario. La consideración de lengua cooficial en Cataluña y en Baleares, reconocida por los respectivos Estatutos de Autonomía, ha permitido difundir su uso.

En la Comunidad Valenciana, el Estatuto de Autonomía reconoce como lenguas oficiales el castellano y el valenciano. Originado a raíz de la expansión del catalán hacia el sur, el valenciano ha ido adquiriendo a lo largo del tiempo rasgos lingüísticos particulares, tanto en la pronunciación como en el vocabulario.

El gallego

Extensión: La lengua gallega se habla en Galicia, en la parte de Asturias situada entre los ríos Eo y Navia, y en tierras de León – entre el río Cea y el Sil – y de Zamora – occidente de Sanabria –. No es fácil hacer una estimación del número de gallegohablantes, pues durante mucho tiempo el gallego estuvo reducido a los ámbitos familiares y preferentemente a zonas rurales. La Constitución Española de 1978 y el Estatuto de Galicia han favorecido su enseñanza y normalización♦, de manera que en la actualidad el porcentaje de hablantes bilingües de gallego y castellano ha aumentado hasta casi el 85% de la población, una gran parte de la cual entiende el gallego y más de la mitad lo habla.

Historia: El gallego y el portugués tuvieron su origen común y compartieron su proceso de formación a partir del latín durante la Edad Media. En aquella época, el gallego se consideraba lengua especialmente apta para la poesía; Alfonso X, por ejemplo, utilizaba el castellano para la prosa y reservaba el gallego para la poesía. Pero pronto el gallego quedó restringido a usos familiares y rurales, y se abandonó como lengua literaria.

La recuperación de la literatura en gallego comenzó a finales del siglo XIX con autores como Rosalía de Castro y Manuel Curros Enríquez. En los últimos años, la producción literaria en gallego ha aumentado considerablemente.

("Las lenguas peninsulares", *Lengua y literatura (Secundaria 2000)* (1998) Madrid, Grupo Santillana de Ediciones, pp.187–8)

Vocabulario

normalización (lingüística) estandarización de una lengua, en cuanto a su uso, alfabeto, ortografía y gramática

- Sitúa las distintas lenguas y sus variedades en el mapa que acompaña al texto.

- ¿Qué tienen en común todas estas lenguas?

- ¿Qué problemas han tenido estas lenguas para sobrevivir?

El período de la dictadura franquista (1939–1975), de ideología centralista y uniformadora, tuvo una clara repercusión sobre las lenguas minoritarias, que estaban prohibidas. Posteriormente, la democracia y la "España de las Autonomías" otorgó a esas lenguas el estatus de "cooficialidad", en un intento de recuperar el multilingüismo del país. No obstante, la protección de las lenguas locales no es ajena a la controversia, y se usa con frecuencia en términos políticos. Como verás por las distintas opiniones que aparecen a continuación, se trata éste de un tema muy complejo y delicado donde se entrelazan cuestiones afectivas, económicas y políticas.

3.3

POLÍTICA LINGÜÍSTICA

LA CARA...

EL PAÍS 09/04/2008

Touriño: "La lengua gallega necesita apoyos que no necesita el castellano"

El presidente de Galicia recuerda que el idioma sufrió años de abandono y marginación

"Todos somos conscientes de que muchos años de abandono y marginación hicieron del gallego una lengua muy vulnerable", admitió, "que sólo inició su recuperación legal y de institucionalización con la restauración de la democracia y del autogobierno".

EL MUNDO, 22/04/2008

EN DEFENSA DEL CATALÁN Y LA ROTULACIÓN DE LAS EMPRESAS

Artur Mas, presidente del Partido Catalán Convergència i Unió, apoya las multas a quienes no rotulen◆ en catalán. Según ha declarado, "la diferencia es muy grande: no ir contra el castellano, sino a favor del catalán. Creo que esto lo puede compartir mucha gente, incluso castellanohablantes. A ningún pueblo del mundo se le puede pedir que no defienda su lengua y su cultura".

DiarioVasco.com 23/01/2008

ES NECESARIO SALVAR EL EUSKERA

Los jóvenes vascos hablan castellano o un euskera muy influido por otras lenguas, según informa un estudio reciente de la Universidad de Deusto. Estas investigaciones refuerzan la idea de que es necesario aplicar una política lingüística más estricta que garantice la supervivencia de lenguas que han sido víctimas tradicionales de opresión y discriminación.

EL PAÍS 25/03/2008

La organización pro-gallego "A Mesa" denuncia que "no se puede vivir en gallego en Galicia"

Colectivos que exigen una aplicación más estricta de la normalización lingüística◆ han convocado una manifestación para el próximo día 18. Según afirma su presidente: "[Exigimos] que los poderes públicos cumplan la legislación en la enseñanza y en la administración; la existencia de garantías para poder vivir en gallego en todos los ámbitos y el recordatorio de que el gallego es el único idioma natural de Galicia".

EL PAÍS 19/02/08

40 denuncias en dos años por acoso lingüístico

Alrededor de 40 trabajadores de sectores muy diversos, desde la hostelería a los seguros, han sufrido en los dos últimos años discriminación en su centro laboral por hablar gallego. En algunos casos llegó al despido, según hicieron público ayer [colectivos que apoyan la] Normalización Lingüística◆. [...]

El último caso, hecho público ayer en A Coruña, fue el de una empleada del hipermercado Carrefour [...] a la que, hace unos diez días, un jefe de sección increpó: "¡Burra, no hables lenguas menores!". El centro de la misma multinacional en Pontevedra rechazó también hace un mes el escrito de reclamación de una clienta por estar escrito en gallego y le solicitó que lo redactase de nuevo en castellano.

…Y LA CRUZ

El Mundo 13/03/08

El Gobierno Gallego prepara una ley de comercio para multar a quienes rotulen en castellano

La Razón 05/03/08

El empeño por el euskera se estrella contra la realidad

El castellano sigue como lengua más usada en el País Vasco pese a los esfuerzos por imponer la otra lengua cooficial.

Libertad Digital 29/04/08

El Gobierno vasco impone por decreto la enseñanza del euskera en las escuelas

ABC 1/05/2008

Inquisición vasca: *El Wall Street Journal* denuncia la imposición del idioma vasco

El diario neoyorkino *The Wall Street Journal* ha dedicado este martes un artículo sobre España titulado "Inquisición vasca" y que se refiere a la imposición del euskera desde las instituciones regionales. El vasco es un idioma "poco acorde con la vida contemporánea", incide. Mientras que tiene 10 términos para "pastor", tiene que crear neologismos para términos como "ciencia" o "democracia". El artículo muestra su sorpresa porque se apueste por un idioma "sin relación alguna con otra lengua europea" frente al español, hablado por 450 millones de personas.

La Razón 09/04/08

El Gobierno balear impone el catalán en la vida pública y arrincona◆ al castellano

Todos los funcionarios tendrán la obligación de dirigirse a los ciudadanos en catalán. Las publicaciones y campañas, excepto para turistas, también sufrirán esta imposición. Por su parte, todas las empresas que mantengan vínculos con la Administración "olvidarán" al castellano en sus gestiones.

(Distintas ediciones de *El País*, *La Razón*, *El Mundo*, *Libertad Digital* y *Diario Vasco*, todas publicadas durante primer semestre de 2008)

Vocabulario

rotular   escribir el letrero de un comercio para que el público pueda identificarlo. Por ejemplo "Panadería Gómez"

normalización lingüística   estandarización de una lengua, en cuanto a su uso, alfabeto, ortografía y gramática

arrinconar   dejar de lado, marginar

- Como has visto, son distintas las estrategias que se utilizan para el fomento de las lenguas minoritarias, y muchas las opiniones que suscitan. ¿Qué piensas de la medida de la que se habla en uno de los textos, "multar a los que rotulen en castellano"?

Tema 10 Las lenguas de Hispanoamérica

El mapa lingüístico de Hispanoamérica es muy variado, ya que en muchos países el español convive con las lenguas amerindias. El período colonial estableció el castellano como lengua de comunicación, relegando a las lenguas indígenas a ámbitos familiares. El resultado es la actual situación de diglosia, en la que una lengua predomina sobre otra, despojándola de de su prestigio social.

A continuación encontrarás información sobre los orígenes y la situación de las principales lenguas de Hispanoamérica (3.4) así como un ensayo sobre su situación social (3.5).

Por su parte, los textos 3.6 y 3.7 explican los retos a los que se enfrentan el quechua, una lengua indígena con una gran cantidad de hablantes, pero muy diversificada en sus diferentes variantes; y el guaraní, el cual, a pesar de ser la lengua mayoritaria en Paraguay, sufre discriminación. En último lugar, te invitamos a que explores los antiguos sonidos del náhuatl, una de las lenguas aztecas, que en la actualidad cuenta con 1.5 millones de habitantes.

LENGUAS INDÍGENAS DE SUDAMÉRICA

Quechua

El quechua (o "queshwa") es una lengua indígena de la región andina hablada por unos 13 millones de personas en Bolivia, Perú, Ecuador, norte de Chile, Argentina y sur de Colombia. Era la lengua oficial del imperio inca.

Aymara

El aymara es un lenguaje que tiene aproximadamente dos millones de hablantes en Bolivia (80%), Perú (19%) y también en Chile (1%), es decir, alrededor del lago Titicaca.

Aunque exista mucha discusión al respecto, se puede considerar a la civilización Tiahuanaco, cuya antigüedad se remonta al año 2000 a.C., como el primer estado organizado aymara.

Existieron muchos otros estados aymaras, siendo el de los Lupakas, 1400 d.C., el último estado aymara políticamente independiente.

Guaraní

Hasta hoy se desconoce la procedencia del guaraní. No obstante se puede decir que nació entre los guaraní, quienes según una teoría proceden de Polinesia, más exactamente de contingentes australianos o mongoloides que ingresaron a América por el estrecho de Bering.

El idioma guaraní en su periodo de hegemonía, previo al descubrimiento, se extendió por América desde el Caribe al norte, el Amazonas al centro, y el Río de la Plata al sur, a través de las tribus que lo hablaban. En la actualidad se habla en el Paraguay. Este hecho se explica porque el mestizaje en Paraguay fue mayor que en otras zonas de América Latina. Es el único país en que una mayoría abrumadora habla una lengua indígena y en el que además ésta se considera lengua nacional y se habla en todos los estratos sociales. [...] Sin embargo, y aunque el guaraní es visto por los paraguayos como su lengua y tiene funciones importantes dentro de la sociedad paraguaya, ocupa una posición algo inferior a la del español.

En general el guaraní predomina en las áreas rurales, mientras que el castellano se asocia con lo urbano y hay jóvenes monolingües de clase alta, media alta, y media.

- ¿Cuál de las lenguas es la más extendida y usada?
- ¿Qué diferencias encuentras entre el guaraní y las demás lenguas mencionadas?

La situación de las lenguas indígenas en Suramérica

Las diversas circunstancias de la colonización europea siguen siendo la clave del entendimiento de la situación lingüística actual de Suramérica. La profundidad temporal variable del impacto […], las particularidades de la historia precolombina según las regiones y la diversidad extrema de la geografía americana crearon una gama de procesos muy variados que podríamos sin embargo tratar de clasificar muy aproximadamente en cuatro tipos de contextos político-lingüísticos, en función del grupo demográficamente mayoritario dentro de los Estados modernos.

Al sur tenemos regiones mayoritariamente "blancas", como Argentina, Uruguay, el sur de Brasil y Chile. Son países de clima templado, históricamente poco ocupados por indígenas americanos, fuertemente colonizados por oleadas de inmigrantes recientes (siglos XIX y XX). Aunque en los últimos años las minorías indígenas de estos Estados (sobre todo en Argentina y en Chile) están expresando reivindicaciones […], lo cierto es que las grandes mayorías son y se precian◆ de su estirpe◆ europea. […] El castellano y el portugués funcionan masivamente como lenguas de integración en una situación lingüística que tiende al monolingüismo.

Al otro extremo, tenemos regiones con una presencia india considerable que, en algunas ocasiones, rebasa la mayoría de la población. Estos son países andinos como Ecuador, Perú y Bolivia, donde el campesinado es indígena, demográficamente importante desde épocas remotas […] y se ha mantenido en tanto que masa poblacional◆ numerosa, y marginalizada, que sigue en buena parte hablando variedades del quechua y también del aymara. […] La población de origen hispánico, aunque se perciba como criolla, mantiene una lealtad lingüística fuerte al castellano y a los valores de la cultura europea. El castellano sigue conquistando posiciones pero el tamaño de los grupos lingüísticos en presencia impide anticipar claramente la configuración futura de la situación lingüística de estos países.

Paraguay representa por sí solo en el continente el caso único de un Estado con una lengua indígena, el guaraní, hablada por la casi totalidad de la población. Bien cierto es que se trata de una población cultural y genéticamente muy mezclada. La lengua también ha sufrido un proceso de hibridación considerable con el castellano. Este último se mantiene como la lengua oficial, culta y de referencia. Hay actualmente intentos importantes de estandarización y modernización. No hay que olvidar que, como los demás Estados americanos, Paraguay tiene también grupos tribales.

ESTADOS UNIDOS

MÉXICO

Yucateca

Náhuatl

BELICE

CUBA

REPÚBLICA
DOMINICANA

HAITÍ

PUERTO RICO

Quiché

HONDURAS

GUATEMALA
EL SALVADOR

NICARAGUA

PANAMÁ

COSTA RICA

VENEZUELA

GUYANA
SURINAM
GUYANA FRANCESA

COLOMBIA

ECUADOR

Quechua

PERÚ

BRASIL

Quechua

BOLIVIA

Aymará

Quechua

PARAGUAY

CHILE

Guaraní

Guaraní

ARGENTINA

URUGUAY

Al oriente y al norte del continente, Brasil, Venezuela y Colombia representan formaciones sociales intermediarias entre los dos primeros grupos mencionados. Por un lado, tuvieron una importante ocupación preibérica, aunque nunca tan numerosa como en los Andes centrales; por otro lado esa población se mestizó mucho con el inmigrante europeo. En la actualidad quedan en esos países un gran número de grupos indígenas pero poco importantes cada uno en cuanto a su tamaño demográfico. […] El castellano y la lengua portuguesa son vehículos muy universalizados […].

En el caso de Colombia, que participa al mismo tiempo del mundo andino, del mundo caribeño y del mundo de las bajas tierras amazónicas u orinoquenses, la fragmentación lingüística y la variedad de situaciones sociolingüísticas es especialmente notoria. En un Estado de 35 millones de habitantes, una población indígena que no alcanza 600.000 personas, pertenecientes a 81 identidades étnicas amerindias, está presente en 29 de los 32 departamentos que tiene el Estado. De esta población, unas 130.000 personas no hablan ninguna lengua amerindia aunque se identifican como indígenas y tienen hábitos sociales y culturales que los acreditan como tales. El resto habla 66 lenguas diferentes (algunas de ellas con variaciones dialectales importantes) reagrupables en 22 estirpes lingüísticas (12 familias lingüísticas y 10 lenguas aisladas). Las grandes familias lingüísticas suramericanas Arahuaca, Caribe, Quechua, Tupí y la gran familia centroamericana Chibcha coexisten con familias de ámbito más regional.

(Landaburu, J. (1997) "La situación de las lenguas indígenas de Colombia: prolegómenos para una política lingüística viable", *Seminario internacional sobre políticas lingüísticas*, Bilbao, Unesco Etxea, pp.301–2)

Vocabulario

se precian   se sienten orgullosos
estirpe   linaje
masa poblacional   conjunto de población

- Haz un esquema resumiendo la información sobre las lenguas de América Latina. ¿Puedes relacionar la población de cada región con las lenguas que hablan?

- ¿Qué situaciones socioeconómicas y políticas caracterizan y diferencian a las zonas prioritariamente monolingües o multilingües en Latinoamérica?

Para proteger el futuro de una lengua minoritaria, una de las primeras medidas que se suelen tomar es su normalización. Ahora bien, como demuestra el caso del quechua, la normalización de una lengua también puede plantear problemas.

3.6

Quechua: retos para la normalización

Normalizar una lengua significa la unificación de su uso idiomático, ya sea en el terreno del alfabeto, la ortografía, las normas gramaticales, la adopción de préstamos léxicos, la elaboración de diccionarios, la terminología técnico-científica, la formación de términos nuevos, etc. Significa también promover la producción literaria en dicha lengua.

Todas estas tareas aún están en ciernes◆ en lo que se refiere al quechua. […] La normalización del quechua resulta de gran importancia en el dominio de la enseñanza y educación, pues de tenerse amplios consensos sobre el alfabeto, la ortografía y la gramática se facilitarían enormemente las tareas que se traza la educación bilingüe e intercultural.

Los argumentos en favor de la estandarización son […] conocidos, al menos los tres principales: (a) la estandarización eleva el estatus de una variedad o un conjunto de variedades que de otro modo sólo habrían sido habladas y se llega a una lengua "verdadera", contribuyendo así a una mejor identidad del grupo (minoritario); (b) la estandarización es virtualmente necesaria para la implementación de programas de educación (bilingüe) formal, utilizando la lengua no sólo como contenido sino también como instrumento de instrucción; (c) la estandarización parece ayudar a la sobrevivencia de la lengua, principalmente a través de la preservación de un corpus de literatura, una vez que ésta ha sido creada.

El quechua del Perú está dividido en una multitud de posibilidades dialectales, tan divergentes que casi no llegan a ser mutuamente inteligibles. El número de dialectos depende del criterio de sus analistas; algunos […] han postulado que el número llega a centenas […]. Más moderados que éstos, algunos lingüistas juiciosos están de acuerdo en que existen al menos seis principales y muy distintas variedades peruanas. […] La pregunta frecuentemente planteada es: ¿cuál de estos dialectos sería un candidato conveniente para su adopción nacional? Hay dos candidatos principales: el dialecto del Cuzco, capital arqueológica de América del Sur y último centro del Perú incaico, […] o el dialecto de Ayacucho, hablado por la mayor parte de la población en el sur de los Andes centrales, mutuamente inteligible con los dialectos del Cuzco, Bolivia, y aun posiblemente con los del Ecuador. Aquí tenemos un caso en que el criterio de la historia se opone al de la cantidad de hablantes. ¡Qué dilema!

El éxito del proceso de estandarización del quechua dependerá, a fin de cuentas, principalmente del poder político y el compromiso de sus propios hablantes.

(Godenzzi, J. C. (1992) *El quechua en debate: ideología, normalización y enseñanza*, Cuzco, Centro de Estudios Regionales Andinos, pp.11, 189–92, 199)

Vocabulario

en ciernes   al comienzo, en fase de elaboración

- ¿Por qué es importante normalizar el quechua?

- ¿Qué problemas puede plantear la normalización del quechua?

- El quechua ha hecho una gran aportación al español, con palabras como papa, cancha, cóndor, guano, chirimoya, mate, puma y vicuña. ¿Sabes lo que significan?

Paraguay es un caso paradigmático de los problemas que en ocasiones se derivan de la coexistencia de dos lenguas, una indígena y otra colonizadora. En este país, a pesar de que la Constitución Nacional declaró el guaraní lengua cooficial junto al castellano en 1992, el uso asimétrico de ambos idiomas pone de manifiesto lo que algunos consideran una falta de voluntad del Estado por defender el guaraní, que sigue sufriendo discriminación. En el texto que aparece a continuación, tendrás oportunidad de conocer algunas de las características de esta lengua.

(3.7)

El guaraní

Paraguay destaca por ser el primer país hispanoamericano que adoptó la lengua indígena, el guaraní, como oficial junto al castellano en su Constitución de 1992. El artículo número 140 expresa lo siguiente:

El Paraguay es un país pluricultural y bilingüe. Son idiomas oficiales el castellano y el guaraní. La Ley establecerá las modalidades de utilización de uno y otro. Las lenguas indígenas, así como las de otras minorías, forman parte del patrimonio cultural de la Nación. Asimismo, en el artículo 77, se reconoce el derecho a la educación en cualquiera de ambas lenguas y el respeto a otras minoritarias: "La enseñanza en los comienzos del proceso escolar se realizará en la lengua oficial materna del educando. Se instruirá asimismo en el conocimiento y en el empleo de ambos idiomas oficiales de la República. En el caso de las minorías étnicas cuya lengua materna no sea el guaraní, se podrá elegir uno de los dos idiomas oficiales". Otra cuestión es el tiempo que cuesta la reforma educativa y la preparación de los docentes para cumplir con el mandato constitucional y de las autoridades. […]

El guaraní es lengua materna y de uso cotidiano especialmente en las zonas rurales y entre las clases populares, mientras que el castellano domina en Asunción, en la vida pública y de la empresa. Desde luego, estamos ante un país bilingüe donde conviven ambas lenguas y una tercera denominada jopará (que significa "mezcla", en guaraní) surgida del contacto, préstamos lingüísticos y contaminación, del guaraní con el castellano, a la que cabe tener en cuenta porque es el habla más extendida entre la población. Lo cierto es que el guaraní es el signo de identidad real y eficaz: la raíz de la paraguayidad, cuya oficialidad da carta de existencia al país y le diferencia de sus vecinos. Se habla en otros países, pero sólo es oficial, signo cultural y de pertenencia a una raza singular en Paraguay. Por esta razón diferencial, el guaraní fue uno de los elementos de reivindicación nacionalista de las dictaduras del siglo XX, pero sin tratarlo como lengua de cultura. Las clases patricias preferían hablar en castellano y eludir la educación en guaraní incluso al final del siglo XX. Así, el bilingüismo paraguayo ofrece características peculiares, al entremezclarse la vertiente lingüística con la social. La diglosia no es solamente un hecho lingüístico perceptible, sino un fenómeno de jerarquización social: el guaraní suelen hablarlo las clases populares o de zonas rurales, mientras que el castellano se impone en el mundo de los negocios, el comercio, entre las clases altas y también en el mundo cultural. Aunque empieza a ser así considerada, faltan muchas décadas para el abandono de la connotación folklorista y el paso de algunas generaciones para sentirse realmente como lengua de cultura.

(Sociedad y cultura en el Paraguay actual, *Debats 83*, Invierno 2003/200, *QUADERN*, www.alfonselmagnanim.com) [último acceso 26.4.10]

- En el artículo de dice que el guaraní es un "signo de identidad real y eficaz" ¿Por qué crees que las lenguas son un signo de identidad tan importante para sus hablantes?

El título del siguiente poema anónimo significa "Cantar triste" en lengua náhuatl. El poema es del siglo XVI y en él se describe en tono elegiaco el drama que la Conquista supuso para el pueblo nahua.

Icnocuicatl

Nichoca, yehua, nicnotlamati
zan nic-elnamiqui ticcauhtehuazque
yectli ya xochitl, yectli ya cuicatl.
In ma oc tonahuican, ma oc toncuicacan:
cen tiyahui, tipolihui yehua oahuaya.

Ach tle on ayuhquimati, in tocnihuan i,
cocoya no yollo, cualano, yeehuaya,
ayoppan tlacatihua, ayoppan piltihua
i yece ye quixhuan tlalticpac. Ohuaya.

Ma oc achitzinca i tetloc yenican,
tenahuac, ayahue. Aic yez, aic nahuiaz,
aic nihuelamatiz! Ohuaya.

In canon nemian noyollo, yeehuaya?
tenahuac, ayahue. Aic yez, aic nahuiaz,
aic nihuelamatiz! Ohuaya.

Timotolinia, noyolo, yeehuaya,
ma xic nentlamati tlalticpac yenican.
O anca yuhqui notonal, ahuaye,
quimati, ahuaye, huixahue,
canon nicmacehuia in mach yuhcan nitlacat

in tlalticpac ixama ihuiya ehuaya,
ic yectli ya huelihui ahcampa nemoa,
zan quitoa noyol. A ohuaya.

Quen quitoa: aya nellon tinemi,
aya nellon tiyahuecahuaco tlalticpac oo.
Yiao yiao ayia aayo ohuaya.

O aya nic-yacahuaz yectli ya xochitl,
aya nic-yatemohuiz quenonamican, huiya.
O anca cihui zan achic, zan tictotlanehuia
yectl on cuicatl. Ohuaya, ohuaya.

(*Cantares mexicanos*, Anónimo, Secretaría de Educación, Cultura y Recreación Tabasco e Instituto Nacional para la Educación de los Adultos, México, 1983)

Tema 11 El español en los Estados Unidos

Si bien en la parte central y meridional del continente americano el español ocupa una posición privilegiada frente a las lenguas indígenas, su situación se invierte en el norte, donde es una lengua extranjera, considerada a veces "la lengua de la inmigración". En los EE.UU., la minoría hispana acaba de alcanzar los 47 millones de personas, lo que ha convertido al español en la segunda lengua del país. El mestizaje cultural ha dado lugar a una lengua híbrida, el "spanglish", que ha suscitado todo tipo de reacciones.

En este tema tendrás la oportunidad de aprender más de la situación del español en los Estados Unidos (3.8), y de entrar en contacto con el spanglish mediante una irreverente y divertida traducción del Quijote (3.9). Por otro lado, el escritor mexicano Carlos Fuentes nos invitará a reflexionar sobre el multilingüismo en Estados Unidos (3.10), y también leeremos los consejos que los padres hispanos dan a las familias bilingües para garantizar que sus hijos conserven su lengua (3.11).

3.8

El español "invade" Estados Unidos

Estados Unidos se convirtió en el segundo país del mundo en hispanoparlantes, sólo superado por México. El castellano resistió los embates◆ de leyes que prohíben su uso en dependencias oficiales y el desafío de la fusión con el inglés. Los estadounidenses que estudian español superan a todos los que aprenden otras lenguas extranjeras sumados.

La más polémica traducción de la obra insignia del español, *El ingenioso hidalgo don Quijote de la Mancha*, comienza así: "In un placete de La Mancha of which nombre no quiero remembrearme, vivía, not so long ago, uno de esos gentlemen who always tienen una lanza in the rack, una buckler antigua, a skinny caballo y un grayhound para el chase". Es la versión en spanglish del texto cumbre de Miguel de Cervantes, y una evidencia más de la batalla silenciosa que el castellano viene librando en Estados Unidos, devenido en 2008 en el segundo país con mayor cantidad de hispanos en el mundo, sólo detrás de México.

Asociaciones, institutos de idiomas, académicos y estadistas de la principal potencia mundial han abandonado sus dudas respecto al protagonismo del español en Estados Unidos, y ahora sostienen [...], que el castellano tiene un porvenir◆ de expansión en la cultura anglosajona. Los hispanos ya son un 15% de la población norteamericana, y para 2050 se estima que al menos un cuarto de los residentes será de ese origen.

El español está derribando las barreras ideológicas y políticas que restringieron – y hasta prohibieron – su uso en el ámbito público durante gran parte del siglo pasado. Más angloparlantes lo estudian, más entidades lo utilizan y cada vez más ciudades exhiben sus carteles en ambos idiomas. "Ya no existe vergüenza entre inmigrantes o sus hijos para usarlo, se ha convertido en el símbolo de la resistencia y de la reafirmación cultural", sostuvo a este diario el escritor español Eduardo Lago, director del Instituto Cervantes de Nueva York.

La institución, con sede en España, acaba de lanzar una enciclopedia sobre el tema, con más de 50 artículos y 1.200 páginas donde se describe el avance en Estados Unidos de nuestro idioma en ámbitos clave como el gobierno, escuelas, vida privada, medios de comunicación y otras manifestaciones culturales, bajo la premisa: ¿se está forjando◆ una nueva nacionalidad hispano-norteamericana?

Desde Madrid, la directora del Instituto Cervantes, Carmen Caffarel, consideró que el español "no es una lengua extranjera en Estados Unidos, sino la segunda lengua del país". Para justificar su tesis, cita la Oficina del Censo norteamericana: 132 millones de personas serán de origen hispano en 2050, "será por tanto el primer país hispanohablante" del mundo. Una tesis aún más aguda es sostenida por Lago: "El español es lengua extranjera y lengua madre a la vez, fíjese tan solo en los nombres de las ciudades: Los Angeles, San Diego, Sacramento…".

[…]

Spanglish, retrato de una fusión

La traducción al spanglish de *El ingenioso hidalgo don Quijote de la Mancha* avivó aún más el furor◆ por la nueva forma de comunicarse entre latinos y anglosajones en Estados Unidos, y según los académicos reafirma la aparición de una cultura hispano-norteamericana.

"El spanglish es el matrimonio – o el divorcio – no sólo de dos lenguas sino de dos civilizaciones. Es un mestizaje lingüístico que, en sí mismo, demuestra un mestizaje más amplio: el del mundo anglosajón con el hispánico", consideró ante *Perfil* Ilan Stavans, lingüista del Amherst College, en Massachusetts, y autor de la traducción de la obra de Miguel de Cervantes.

Si bien no puede ser considerado aún un idioma, "ya existen proyectos de codificación sintáctica", dice Stavans, y advierte que "hay una curiosidad imparable" por el spanglish y el castellano: "En las universidades hay casi más estudiantes de español que de todas las otras lenguas extranjeras juntas".

La directora del Instituto Cervantes, Carmen Caffarel, sostiene en cambio que no cree en que haya un "avance" del spanglish, más bien lo contrario: "Es un fenómeno puramente pasajero que afecta a hispanohablantes que intentan expresarse en inglés sin dominar la lengua. La tendencia es a hablar las dos de forma correcta, porque ello supone más oportunidades en el mundo de la economía y el mercado laboral".

Explica, por ejemplo, que los hispanos bilingües de Miami ganan un promedio de 7 mil dólares más al año que aquellas personas que sólo dominan el inglés.

(Ylarri, P., diario *Perfil*, 1.2.09, año III, no. 0335, Buenos Aires, Argentina)

Vocabulario

embate golpe, ataque

porvenir futuro

forjarse adquirir forma, generarse

furor entusiasmo, intensidad de una moda

- En este artículo aparecen distintas opiniones sobre el futuro del español en EE.UU. y sobre el spanglish. Desde tu punto de vista, ¿el spanglish contribuye a la difusión del español, o a su desintegración?

El Quijote en spanglish: ¿genialidad o insulto?

"In un placete de La Mancha of which nombre no quiero remembrearme, vivía, not so long ago, uno de esos gentlemen who always tienen una lanza in the rack, una buckler antigua, a skinny caballo y un grayhound para el chase.

A cazuela with más beef than mutón, carne choppeada para la dinner, un omelet pa' los Sábados, lentil pa' los viernes, y algún pigeon como delicacy especial pa' los Domingos, consumían tres cuarers de su income.

El resto lo employaba en una coat de broadcloth y en soketes de velvetín pa' los holidays, with sus slippers pa' combinar, while los otros días de la semana él cut a figura de los más finos cloths.

Livin with él eran una housekeeper en sus forties, una sobrina not yet twenty y un ladino del field y la marketa que le saddleaba el caballo al gentleman y wieldeaba un hookete pa' podear.

El gentleman andaba por allí por los fifty. Era de complexión robusta pero un poco fresco en los bones y una cara leaneada y gaunteada. La gente sabía that él era un early riser y que gustaba mucho huntear.

La gente say que su apellido was Quijada or Quesada – hay diferencia de opinión entre aquellos que han escrito sobre el sujeto – but acordando with las muchas conjecturas se entiende que era really Quejada.

But all this no tiene mucha importancia pa' nuestro cuento, providiendo que al cuentarlo no nos separemos pa' nada de las verdá."

(de Cervantes, M., Traducción al spanglish de Ilan Stavans, 2002. BBC Mundo, Miami, 13.11.04)

Versión original

En un lugar de la Mancha, de cuyo nombre no quiero acordarme, no ha mucho tiempo que vivía un hidalgo de los de lanza en astillero, adarga antigua, rocín flaco y galgo corredor. Una olla de algo más vaca que carnero, salpicón las más noches, duelos y quebrantos los sábados, lantejas los viernes, algún palomino de añadidura los domingos, consumían las tres partes de su hacienda. El resto della concluían sayo de velarte, calzas de velludo para las fiestas, con sus pantuflos de lo mesmo, y los días de entresemana se honraba con su vellorí de lo más fino. Tenía en su casa una ama que pasaba de los cuarenta y una sobrina que no llegaba a los veinte, y un mozo de campo y plaza que así ensillaba el rocín como tomaba la podadera. Frisaba la edad de nuestro hidalgo con los cincuenta años. Era de complexión recia, seco de carnes, enjuto de rostro, gran madrugador y amigo de la caza. Quieren decir que tenía el sobrenombre de "Quijada", o "Quesada", que en esto hay alguna diferencia en los autores que deste caso escriben, aunque por conjeturas verisímiles se deja entender que se llamaba "Quijana". Pero esto importa poco a nuestro cuento: basta que en la narración dél no se salga un punto de la verdad.

(de Cervantes, M. (1605) Primera parte de *El ingenioso hidalgo don Quijote de la Mancha*)

- El título de este texto es: "El Quijote en spanglish: ¿genialidad o insulto?" ¿Por qué crees tú que puede considerarse una genialidad? ¿Y un insulto?

- ¿Qué te parece esa versión del Quijote? ¿Es, en realidad, una traducción en el sentido estricto de la palabra? ¿Es, para ti, literatura? Razona tu respuesta.

En 1998 el Estado de California aprobó la Proposición 227, que acabó con los programas de educación bilingüe para niños hispanos. Aunque el objetivo era el de asegurar que no se marginara a estos niños por no hablar inglés, la Proposición 227 ha preocupado a muchos activistas que defienden el derecho de los niños hispanos a ser educados en un sistema bilingüe que respete su lengua materna. El autor mexicano Carlos Fuentes trató sobre este espinoso tema en el artículo que aparece a continuación.

3.10

LOS ESTADOS UNIDOS POR DOS LENGUAS

Carlos Fuentes

"El monolingüismo es una enfermedad curable". Una vez vi este grafito en un muro de San Antonio, Texas, y lo recordé la semana pasada cuando el electorado de California, el Estado más rico y más poblado de la Unión Americana, votó a favor de la Proposición 227, que pone fin a la experiencia bilingüe en la educación.

Yo entiendo a los padres y madres inmigrantes de lengua española. Desean que sus hijos asciendan escolarmente y se incorporen a las corrientes centrales de la vida en los Estados Unidos. ¿Cómo se logra esto mejor? ¿Sumergiendo al escolar, de inmediato, en cursos sólo en lengua inglesa? ¿O combinando la enseñanza en inglés con la enseñanza en castellano? California ha votado en contra de la segunda idea, aliándose a la primera. Este hecho no deroga◆ otro mucho más importante y de consecuencias infinitamente más duraderas: los Estados Unidos tienen 270 millones de habitantes, y 28 millones entre ellos hablan español. A mediados del siglo que viene, casi la mitad de la población norteamericana será hispanoparlante. Éste es el hecho central, imparable, y ninguna ley va a domar realidad tan numerosa y bravía◆.

Hay en la Proposición 227 la comprensible preocupación de los padres latinos por el futuro de sus hijos. Pero también hay una agenda angloparlante que quisiera someter al bronco◆ idioma de Don Quijote a los parámetros de lo que Bernard Shaw llamaba "el idioma de Shakespeare, Milton y la Biblia".

El español es la lengua rival del inglés en los Estados Unidos. Éste es el hecho escueto y elocuente. Es esta rivalidad la que encontramos detrás de la lucha por el español en Puerto Rico. En la isla borinqueña♦ es donde más claramente se diseña la rivalidad anglo-hispana. Los puertorriqueños quieren conservar su lengua española. Pero este apego les veda el acceso a la "estadidad", es decir, a convertirse en Estado de la Unión. […]

Hace 150 años, los Estado Unidos entraron a México y ocuparon la mitad de nuestro territorio. Hoy, México entra de regreso a los Estados Unidos pacíficamente y crea centros hispanófonos no sólo en los territorios de Texas a California, sino hasta los Grandes Lagos en Chicago y hasta el Atlántico en Nueva York. ¿Cambiarán los hispanos a los Estados Unidos? Sí.

¿Cambiarán los Estados Unidos a los hispanos? Sí.

[…]

La lengua española, en última instancia, se habla desde hace cuatro siglos en el sureste de los Estados Unidos. Su presencia y sus derechos son anteriores a los de la lengua inglesa. Pero, en el siglo por venir, nada se ganará con oponer el castellano y el inglés en los Estados Unidos. Como parte y cabeza de una economía global, los Estados Unidos deberían renunciar a su actual condición, oscilante entre la estupidez y la arrogancia, de ser el idiota monolingüe del universo. Ni los europeos ni los asiáticos, al cabo, van a tolerar la pretensión norteamericana del inglés como lengua universal y única.

¿Por qué, en vez de proposiciones tan estériles como la 227, los Estados Unidos no establecen un bilingüismo real, es decir, la obligación para el inmigrante hispano de aprender inglés, junto con la obligación del ciudadano angloparlante de aprender español?

Ello facilitaría no sólo las tensas relaciones entre la Hispanidad y Angloamérica, sino la propia posición norteamericana en sus relaciones con la Comunidad Europea, y sobre todo, con la Comunidad del Pacífico. El multilingüismo es el anuncio de un mundo multicultural del cual la ciudad de Los Ángeles, ese Bizancio moderno que habla inglés, español, coreano, vietnamita, chino y japonés, es el principal ejemplo mundial.

Hablar más de una lengua no daña a nadie. Proclamar el inglés lengua única de los Estados Unidos es una prueba de miedo y de soberbia inútiles. Y una lengua sólo se considera a sí misma "oficial" cuando, en efecto, ha dejado de serlo. En materia cultural, las lenguas bífidas son propias de serpientes, pero emplumadas[1].

---

1 Las lenguas bífidas, es decir literalmente las lenguas partidas en dos, como las de las serpientes, representan aquí a los hablantes bilingües. Fuentes los relaciona con otra serpiente, la emplumada, que representa a Quetzalcóatl, uno de los dioses más importantes del antiguo México, símbolo de la identidad mexicana.

(El País, 22–28 de junio de 1998, p.9)

Vocabulario

deroga   invalida

bravía   difícil de someter

bronco   de sonido grave y desagradable

borinqueña   de Puerto Rico

- ¿Cuál es la actitud de Carlos Fuentes hacia el monolingüismo de los angloparlantes en Estados Unidos?

- ¿Cómo reaccionas tú ante la pretensión estadounidense de considerar el inglés como "lengua universal y única"?

- ¿Compartes la actitud de los padres de niños hispanos hacia el aprendizaje del inglés? ¿Por qué? ¿Harías lo mismo en su situación?

Desafíos al educar niños bilingües

Muchos padres se preguntan cómo lograr que sus niños sean realmente bilingües

Conservar el español, al mismo tiempo que aprenden el inglés, es el reto de la mayor parte de las familias hispanas en los Estados Unidos.

Cuando los niños nacen y crecen en este país, muchos nuevos padres se preguntan si deben o no hablarles en español a sus hijos o si esto los confundirá cuando comiencen la escuela y hará que no puedan comunicarse con su profesora y compañeros.

El hecho de estar inmersos en una cultura angloparlante, hace que los niños estén expuestos al inglés a través de la televisión, el parque de juegos, y las actividades de su vida diaria, como ir al supermercado, al restaurante, o las visitas al pediatra, etc. Tan pronto como los niños comienzan el jardín maternal◆, el preescolar o la escuela, se verán enfrentados◆ a la necesidad de entender y expresarse en inglés.

En los Estados Unidos hay alrededor de 40 millones de personas que hablan español en sus casas, las posibilidades de que en la escuela haya profesoras o compañeritos que hablen español es bastante alta. Estas personas serán importantes para ayudar a nuestros niños en sus primeros días en la escuela. En 2 ó 3 meses ellos estarán en capacidad de entender casi todas las instrucciones básicas y antes de 6 meses ya estarán hablando con acento, pero podrán defenderse con seguridad.

Lo importante es no desesperarse, ellos aprenden rápido y si la profesora no tiene experiencia con niños bilingües, será nuestra tarea reforzarla a ella, y en unos pocos meses, todos podremos sorprendernos al ver a nuestros niños comunicándose sin problemas.

Muchos niños crecen en hogares en los que uno de los padres habla español y el otro padre habla inglés o una lengua diferente; lo que expone al niño desde la cuna a dos o más idiomas. Aprender a hablar es un proceso complejo y el bebé puede aprender más de un idioma en el hogar, siempre y cuando estos no se mezclen y él pueda identificar claramente cada una de las lenguas con una persona o una situación específica.

Al principio es posible que su niño mezcle palabras u oraciones o utilice palabras de un idioma en el otro cambiándoles el acento. A medida que crece si sus padres perseveran en la disciplina de no mezclar las lenguas, él niño alcanzará la destreza de dominar los 2 ó 3 idiomas a los que ha sido expuesto.

El reto a largo plazo es lograr que los niños conserven nuestra lengua materna, no que hablen inglés, esto lo harán forzados por el medio. El problema más difícil es que quieran hablar en español y esto sólo se logra con mucha paciencia y disciplina. El español es una parte muy importante de nuestra identidad cultural y crecer sin poder hablarlo será un contrasentido◆ en la vida futura de nuestros hijos. Su familia, sus raíces, su cultura están atadas a la lengua, y por su bienestar futuro debemos conservársela.

(http://padreshispanos.com. 16.6.07) [último acceso 30.4.10]

Vocabulario

jardín maternal   guardería infantil, lugar donde se cuida y atiende a los niños de corta edad

verse enfrentado (a algo)   afrontar, hacer frente (a algo)

contrasentido   incoherencia, disparate

Tema 12   Lenguas vivas

Tanto el español como las lenguas indígenas de Latinoamérica son idiomas muy antiguos, pero se mantienen vivos y en constante transformación. Todos los idiomas son reflejo de la realidad de sus hablantes; y como organismos vivos que son, deben adaptarse y actualizarse para sobrevivir. Los medios de comunicación son un factor clave en este sentido, en cuanto que reflejan cambios; y, en ocasiones, los producen.

En el siguiente tema podrás leer las opiniones de algunos lingüistas y escritores sobre la manera de expresarse de los jóvenes en la actualidad (3.12). Así mismo, te ofrecemos dos distintas perspectivas (3.13 y 3.14) sobre el uso del llamado "español neutro" o "internacional", una variante del español usada por los medios estadounidenses para llegar al mayor número de hispanohablantes posible.

Al final de este tema encontrarás una entrevista (3.15) con la lingüista cubana Nuria Gregori Torada sobre su visión del idioma español.

3.12

El español de los jóvenes

El monasterio de Yuso, situado en el municipio de San Millán de la Cogolla (La Rioja, España), ha sido, una vez más, un importante foro de debate de la comunidad hispanohablante en el que un grupo de reconocidos profesionales de España y América se reunieron para hablar sobre el lenguaje de los jóvenes.

[…]

Los expertos reflexionaron acerca de la influencia que las nuevas tecnologías tienen en el desarrollo de su escritura y sobre cómo los adultos, cuando quieren atraer su atención – como en las series juveniles y la publicidad – tratan de simular esta jerga particular, que unos tratan de creativa y muy expresiva, mientras que otros hablan de un claro empobrecimiento de la lengua y de su posible repercusión en el español del futuro.

[…]

Víctor García de la Concha [director de la Real Academia Española] animó a los asistentes a estudiar los códigos que la juventud utiliza en sus conversaciones y se hacen patentes en los *chats*, en las series de televisión o en los mensajes a móviles. El director de la RAE defendió el papel de la Academia, no como creadora del idioma, sino como reguladora de las normas que reflejan el lenguaje de los hispanohablantes. No obstante, destacó el empobrecimiento de la capacidad de expresión de un amplio grupo de jóvenes, causado por la cultura audiovisual en la que estamos inmersos.

[…] Finalmente, el escritor José Ángel Mañas, […] se mostró favorable a permitir que los jóvenes experimenten con el lenguaje y de que lo modelen, de manera que la lengua se adapte a los nuevos tiempos.

En "El rostro bárbaro del mañana", título que dio a su conferencia, Mañas planteó la siguiente reflexión: "¿Hemos recibido un legado tan perfecto, tan puro, tan inamovible? Nos dan miedo los anglicismos. Pero el idioma que hemos heredado está plagado de helenismos, latinismos, arabismos, italianismos, americanismos, galicismos y no sé qué más *ismos*. Nos da miedo el laísmo♦ pero llevamos ya un buen puñado de generaciones conviviendo con el leísmo. Nos da miedo la ortografía de los SMS, pero ya ni comprendemos la ortografía del siglo XV y para editar los textos pretéritos♦ nos vemos obligados a modernizarlos".

Conclusiones

A pesar de que el origen de la jerga juvenil no está muy definido, existen razones para la creación de ese lenguaje, como el interés de los jóvenes por crear un código diferente al del adulto que marque el límite de edad; elaborar un lenguaje con el que identificarse y la intención de manifestarse de una forma lúdica con la diversión que ello conlleva.

Podemos definir esta nueva jerga juvenil como una especie de *collage* debido a la variedad de procedimientos lingüísticos de los que se vale para su creación: préstamos, cambios semánticos, asociaciones fonéticas, creaciones morfológicas… Esta naturaleza heterogénea es la que realmente imprime el carácter de jerga♦ lingüística.

En cuanto a cambios semánticos, se trata de emplear palabras con significados diferente al original mediante la utilización de recursos como la metáfora o la ironía: *operación gamba* (abordar a un hombre o una mujer feos pero con buen cuerpo y de ahí que se pueda aprovechar todo menos la cabeza, que es lo primero que se les quita a las gambas), *salir de cacería* (a ligar), *estar colgado* (referido al amor o al vicio). También se recurre a la concatenación de imágenes, como en la relación amor-droga del tipo *cuelgue* (estado que provoca la droga pero también el amor) o *muermo*, una enfermad del caballo que pasa a significar "aburrido".

[…]

Pero si hay algo que define esta lengua son los procedimientos morfológicos como: creación de sufijos en -ata, -eta, -ote (*porreta, segurata, curreta, sociata, buseto, careto*…); derivados propios: *piños, hostia, fostiar, truño, pasar, cantar, dar el cante*; acortamientos: *depre, piti, tranqui, bakalas, tuto* (instituto); deformaciones lúdicas: *jambre, travelos, sinsen* (*Sanse*), *gilipón, joplás, ¿qué paisa?, ¿a que joribia?, cumpletacos*, etc.

El lenguaje juvenil se alimenta del léxico procedente de otras jergas como las del mundo de la drogadicción: *pavo, mono, pollo*…; del gitano: *churumbel, parné, molar, piltra*…; del militar: *fusil* (novia del soldado), *quinto*…; del cheli: *vasca, peña, tronco, to' dios*…; del homosexual: *bolliscouts* (lesbianas que salen a ligar), *maricómetro, hacer un finger*…

Asimismo los jóvenes acuden a los extranjerismos, es decir, al léxico de otras lenguas, especialmente al inglés: *family, money, luk, glamur, supermanes*, etc., y a creaciones a partir de sufijos de otros idiomas con terminaciones del tipo -ation, -ing, -eitor: *comunication, edredoning, nomineitor*, etc.

[…]

El lenguaje de los adolescentes está directamente relacionado con las nuevas tecnologías de la comunicación – *chats*, SMS, correos electrónicos… –, que les ofrecen un contacto permanente con sus iguales, y con otras formas de arte como la ropa, la música o la publicidad. […]

Respecto a si el lenguaje de los jóvenes empobrece o enriquece la lengua común encontramos diferentes opiniones.

Para algunos enriquece pero parcialmente puesto que no todos los términos acaban asentándose en la lengua común […]. Además, si el usuario, es decir, el joven sabe emplear esta jerga de edad en el contexto adecuado, el lenguaje juvenil en sí sería intrínsecamente enriquecedor pues se trataría de un nuevo código de comunicación reservado para ciertas situaciones comunicativas. En este caso no constituye un mal que haya que atajar sino un bien que debe fomentarse y hacerse conocer entre los no tan jóvenes si no para su empleo, sí para su comprensión.

Para otros, el lenguaje juvenil es pobre e incorrecto y exponen que las causas no solo hay que buscarlas en las nuevas tecnologías, *chats* o SMS, sino también en el nuevo sistema educativo, en el que se han reducido las horas de lengua y literatura y permite pasar a los estudiantes de curso pese a que suspendan asignaturas, lo que nos lleva a la triste realidad de licenciados que cometen faltas de ortografía. Esta pobreza, sobre todo léxica, también se debe a que "el exceso de información provoca desinformación". Los jóvenes tratan de acortar información y al final no están tan informados como se pretende.

El seminario internacional "El español de los jóvenes" ha resaltado la necesidad que tienen los jóvenes de comunicarse, especialmente en la era de la información y de las tecnologías cibernéticas, en la que "nos comunicamos y escribimos más que nunca".

(Herrera, C. *et al* (2008) "El español de los jóvenes", www.fundeu.es) [último acceso 27.4.10]

Vocabulario

laísmo   empleo incorrecto de las formas "la" y "las" del pronombre "ella" para el complemento indirecto (en lugar de "le")

pretérito   antiguo

jerga   lenguaje especial y familiar que usan los miembros de un colectivo

- ¿Cuáles son los dos puntos de vista sobre el lenguaje de los jóvenes que se plantearon en el congreso del que habla el texto? ¿Con cuál de los dos te sientes más identificado/a?

- En tu idioma materno, ¿emplean los jóvenes mecanismos lingüísticos similares para crear un modo propio de hablar?

El llamado "español neutro" o "español internacional" es una variante artificial del español usada por los medios de comunicación en EE.UU. Sus expresiones, vocabulario y pronunciación no corresponden a los de ninguna región hispanohablante concreta, sino que pretenden incluir rasgos generales o "neutros". De todos modos, sus características se asemejan en mayor medida al español hablado en México, dado que éste era el país donde en una época se doblaba una gran parte de las producciones estadounidenses destinadas a la exportación al mundo hispanohablante. El uso del "español internacional" tiene, como verás a continuación, sus defensores y detractores.

3.13

En defensa del "español neutro"

¿CÓMO SE DICE, BANQUETA, VEREDA O ACERA♦?

El idioma español en los medios de Estados Unidos

¿Cómo se dice, camión, guagua o colectivo? Tal vez autobús. ¿Me entenderán mejor si digo banqueta, vereda o acera? En realidad no sé si estoy "hecho bolas", "trocao" o "hecho un lío"♦, pero mi vecino Pepe no entiende lo que digo, ni yo entiendo bien a mi jefe Manuel.

Estas son expresiones comunes en el seno de la comunidad latina de Estados Unidos, un país que se ha convertido en una especie de laboratorio del uso del idioma español.

No es para menos. En Estados Unidos hay más de 40 millones de hispanos de 20 nacionalidades diferentes. Todos – o casi todos – hablan español, pero no todos lo hablan igual.

Los medios de comunicación social, enlaces indispensables con la comunidad, se han esforzado por encontrar un lenguaje neutro y abierto que les permita cumplir su función principal, que es comunicarse con todos para poder informar. Comunicarse con todos significa no sólo comunicarse con las diferentes nacionalidades, sino también con los diferentes niveles de educación inclusive dentro de una misma nacionalidad.

Esto lo hacen principalmente los grandes diarios, las revistas de alto vuelo y los noticieros nacionales de televisión, que tienen recursos económicos suficientes para emprender la aventura de la comunicación. Si esa aventura no resulta efectiva, los niveles de audiencia se desploman y los anunciantes comerciales se van con la competencia.

Las agencias de publicidad y de relaciones públicas que envían mensajes comerciales y comunitarios en representación de sus clientes, también se esfuerzan para que esos mensajes sean entendidos por todos.

Es muy difícil no entender los anuncios comerciales de productos para bebés o de la industria automotriz, que vemos a diario por televisión. Las agencias que los diseñan saben que comunicarse con todos es esencial para ayudar a su cliente a vender sus productos y servicios.

(Herández Cuellar, J., *Contacto Magazine*, 9.3.06. www.fundeu.es) [último acceso 27.4.10]

Vocabulario

banqueta, vereda o acera   en distintas variedades del español, lado de la calle por el que caminan los peatones

hecho bolas, "trocao", hecho un lío   en distintas variedades del español, confuso, desconcertado

3.14

En contra del "español neutro"

Traductora afirma que los criterios comerciales afectan la evolución del español

La sociedad de consumo y los criterios comerciales, más encaminados a vender un producto que a potenciar la corrección de su idioma, tienen mucha influencia en la evolución del español, dijo la traductora técnica española Lucía Rodríguez Corral.

[...]

Según la traductora, "lo más enriquecedor" al trasladar un texto desde otro idioma al español es conservar las variedades que la lengua ha desarrollado a una y otra orilla del Atlántico porque "somos capaces de entendernos".

Sin embargo, y teniendo en cuenta que "quien paga manda", las empresas imponen a los traductores ciertas normas que hacen que "el español del traductor dependa de un montón de factores que nos son ajenos" y, especialmente, de criterios comerciales que, con el objetivo de llegar más rápido a los consumidores, "privan◆ también de la posibilidad de que éstos mejoren su español".

La traductora llamó la atención sobre el hecho de que se ponen "más reparos"♦ a que las traducciones contengan palabras cultas en español a que contengan anglicismos.

También criticó que en los textos para hispanohablantes se utilice un español neutro, "que se supone que está hecho para que todos lo entendamos, pero que lo único que consigue es un idioma que disgusta a todos por igual porque resulta artificial" y que, en el caso del cine, acaba en un producto "soso"♦ que pierde con respecto al original.

Lucía Rodríguez también lamentó que "empresas de grandísima influencia", desde medios de comunicación a multinacionales informáticas, se hayan convertido en los últimos años en lo que denominó "academias privadas de la lengua" con más poder, incluso para difundir sus criterios lingüísticos, que la Real Academia Española.

Así, libros de estilo de algunos periódicos o programas correctores informáticos, se convierten en una referencia, en algunos casos "hasta peligrosa", para los usuarios del español.

Rodríguez consideró que en los organismos internacionales se da más peso al español peninsular del que le correspondería por número de hablantes y animó a los traductores a "resistir las tendencias del mercado que no benefician al lenguaje".

(Fundación BBVA, 20.7.05. www.fundeu.es)
[último acceso 27.4.10]

Vocabulario

privar   quitar a alguien algo que poseía

reparo   objeción, impedimento

soso   sin sal. (Coloquial:) que no tiene gracia ni vitalidad

- En los textos 3.13 y 3.14 se esgrimen argumentos a favor y en contra del uso de un "español neutro". ¿Puedes identificarlos? ¿Con cuál de los dos puntos de vista estás de acuerdo?

- La traductora del texto 3.14 habla del poder de las agencias comerciales respecto a la evolución de la lengua. A juzgar por el artículo, ¿piensas que es algo negativo o positivo?

- ¿Crees que la Academia de la Lengua debería pronunciarse respecto a este tema?

En esta entrevista la lingüista y subdirectora de la Academia Cubana de la Lengua, Nuria Gregori Torada, habla del futuro del español, de las academias de la lengua, y de la unidad y la diversidad del español.

3.15

"Cada país aporta para que el idioma español crezca"

La lingüista cubana Nuria Gregori Torada considera al español un lenguaje diverso, pero no cree que este sea fragmentado.

Carlos Rojas. Corresponsal en Bogotá

En Cartagena◆ se dijo que el futuro del idioma está en su unidad en la diversidad. ¿Tan fragmentado está el español?

No, el idioma español no es un idioma fragmentado, y sostengo que ni de lejos corre el peligro de fragmentarse a nivel universal.

Pero el español que se habla en México es difícil de entender en Cuba o Ecuador...

Es posible que algunas palabras que se hablan en México no se entiendan, pero son momentos muy breves los que transcurren hasta llegar a descifrarlas. Las telenovelas mexicanas, venezolanas o cubanas viajan de un lado al otro. Las palabras que se dicen en esas producciones son asumidas rápidamente por los dialectos locales.

¿Por qué concebir al español como un idioma diverso?

Para que este represente a la identidad de cada pueblo. La Real Academia de la Lengua existe desde 1713 en España. Un siglo después se creó la colombiana y así sucesivamente en el resto de países latinoamericanos hasta llegar, hace poco, a la estadounidense.

¿En qué benefició la proliferación de las academias?

A pesar de la antigüedad de esas academias, hasta los años 80 no nos tenían en cuenta al momento de tratar de elaborar el diccionario y la gramática del español. Se asumían nuestras formas de hablar como dialectismos. Eso era peyorativo. Ventajosamente, esto ha cambiado bastante, gracias a los aportes de la lingüística, que obligó a la Real Academia Española a consensuar con sus pares de Latinoamérica.

¿Cuál era la visión de España hace 20 años?

Que el español que se hablaba en España era el único válido.

¿Y qué pasaba con el español que se habla en los países de este lado del mundo?

No tenían peso, porque España decía que el idioma nació en su país, por lo tanto, como se hablaba allí se hablaba bien... Era como pensar que el español fue nuestra lengua madrastra y no materna.

También se sostenía que en unos países se habla mejor español que en otros...

Ahora se entiende a la lengua como un hecho social y cultural, mas◆ no geográfico. El mejor español ecuatoriano se habla en Ecuador y el mejor español colombiano, en Colombia. Así como el mejor español madrileño está en Madrid. Lo que sí es posible es que un boliviano, por razones culturales y de preparación académica, hable mejor que otro boliviano.

¿Conservar con tanto celo las formas locales del español le impide a un escritor traspasar fronteras ?

No necesariamente. Siempre escribirá en español: no hay una lengua colombiana o peruana. Para derribar fronteras, vamos a elaborar un buen diccionario académico de americanismos.

¿No hay esa obra didáctica?

Se han hecho algunos diccionarios de americanismos, pero esta vez las academias de la lengua de los 22 países hispanohablantes unificarán todo este trabajo.

¿Hasta dónde se pretende llegar con el diccionario unificado de hispanohablantes?

A presentar el "corpus" del español en América, donde estén incluidos todos sus léxicos. La ciencia del lenguaje nos permite ver, de diferente forma, a nuestro idioma materno, porque el español, si bien tiene una unidad idiomática, jamás será homogéneo. La homogeneidad no es posible dentro de los miembros de una misma familia, peor entre los pueblos.

Hay tanta diversidad de dialectos en otros idiomas, ¿lo mismo pasa con el español?

La característica del español es que tiene mayor unidad que el resto de las lenguas de gran extensión como el inglés o el francés.

Sin embargo, el español no ha tenido el poder de otros idiomas a escala mundial…

Nuestra lengua se habla en 22 países, 500 millones de personas usan nuestro idioma en el orbe.

Sí, pero en el Congreso de la Lengua se habló de que el español sea un idioma más influyente en el mundo…

Se ha debatido mucho sobre la necesidad de que el español tenga más espacio en la ciencia y la tecnología, porque la mayoría de los textos se hacen en inglés. Pero para que la ciencia se escriba en español necesitamos que nuestros países hagan ciencia. Y para eso hay que educar a los pueblos.

Bajo este argumento, ¿el camino por recorrer es largo?

Tampoco estamos tan atrasados. La integración como comunidad hispanohablante se ha dado también gracias a la literatura.

¿Las academias de la lengua de cada país deben ser más dinámicas?

Como dijo, en 1993, el maestro Rafael Lapsa, han dejado de ser tertulias para tomar el café. Ahora se han vuelto centros de trabajo.

(www.elcomercio.com)

Vocabulario

Cartagena, Colombia   donde se celebró el IV Congreso Internacional de la Lengua Española en marzo de 2007

mas   pero

- En el Congreso de Cartagena se dijo que "el futuro del idioma está en su unidad en la diversidad." ¿Qué crees que significa esta frase?

- ¿Cómo reacciona Nuria Gregori Torada al comentario de que antes "se sostenía que en unos países se habla mejor español que en otros…"? ¿Estás de acuerdo con ella? Razona tu respuesta.

Actividad de lectura

En esta sesión aprenderás las características del texto expositivo.

El objetivo del texto expositivo es ofrecer un tema cualquiera de forma clara y ordenada. Este tipo de texto se encuentra en obras de divulgación, en manuales, en textos científicos especializados y en artículos periodísticos. Según el tipo de público al que va dirigido – más o menos especializado y conocedor del tema – se pueden distinguir dos modalidades: el texto expositivo divulgativo (en que el receptor es el público general, más o menos culto) y el texto expositivo especializado (para un público más informado). Sin embargo, ambas comparten las principales características del texto expositivo.

1   Lee las **características del texto expositivo** a continuación:

- El autor o la autora entra directamente en materia.

- La estructura: el texto sigue una estructura clara. Hay una ordenación lógica de los contenidos: se parte de una idea central y se demuestra o amplía con pruebas o ejemplos.

- Se persigue la claridad: se huye de los términos ambiguos; se usa un lenguaje no connotativo; se aclara en el mismo texto el significado de un término o idea que pudiera considerarse confuso.

- Se persigue la precisión: se usa terminología específica al tema (el grado de especialización dependerá de la audiencia); se precisa en el mismo texto el significado de un término o idea que pudiera prestarse a ambigüedad.

- Se persigue la objetividad: cita de datos probados, ausencia de opiniones personales, uso de estructuras impersonales.

- Características sintácticas: oraciones de carácter explicativo y aclaratorias, enumeraciones, elementos ordenadores del discurso.

2   Lee por encima nuevamente *La situación de las lenguas indígenas en Suramérica* (texto 3.5) para situar el tema y hacerte con las ideas principales del texto.

¡Fíjate!

Como ya sabes, la lectura de un texto puede hacerse a diferentes niveles de profundidad, dependiendo de los objetivos que se persiguen. Una buena técnica para encontrar rápidamente las ideas principales del texto es buscar la idea principal de cada uno de los párrafos que lo componen. Cada párrafo desarrolla normalmente una sola idea y todos los párrafos contribuyen al total del texto, de modo que encontrar el tema del párrafo es un método seguro para hacerse con el tema y la línea de argumentación del autor o de la autora. Es decir, te dará información sobre la estructura del texto al mismo tiempo que sobre el tema.

3   Fíjate ahora en el lenguaje y el manejo del vocabulario del texto. Subraya todas las palabras que consideres que son especializadas (en relación al tema tal y como está definido en el título del artículo). Subraya con una línea las frases o palabras de lingüística (por ejemplo, "situación lingüística"), y con dos líneas las frases o palabras específicas para hablar de grupos poblacionales (por ejemplo, "indígenas americanos").

4   Lee de nuevo el texto y comprueba que cumple las características del texto expositivo.

Actividad de escritura

En primer lugar estudiarás con detenimiento el contenido y la estructura de la reseña de un libro mediante las actividades de la sección "Observa y aprende". En la siguiente sección "Ahora tú" redactarás tu propia reseña.

Observa y aprende

En este apartado estudiarás los aspectos más globales de las reseñas, cómo son los temas tratados y su organización.

1 Para empezar te vas a familiarizar con los elementos esenciales de las reseñas. Lee la siguiente reseña sobre el libro *Ángeles caídos* aparecida en una revista para la comunidad hispana.

Reseña: *Ángeles caídos*

Un vendedor de donas◆ muerto a disparos por la policía, dos niñas reescriben los Diez Mandamientos y maldicen el nombre del cura en la casa de Dios, un joven olvida sus raíces y como el dicho, se convierte en un nopal en la frente◆. Estos son algunos de los personajes que cobran vida en el libro *Ángeles caídos, cuentos y poemas*, de Olga García Echeverría; son diapositivas de la vida diaria de los latinos en el barrio de Los Ángeles. […]

El formato de *Ángeles caídos* es en tarjetas reversibles; en un lado se muestran historias y del otro lado poesía. De acuerdo con el título del libro, hay cuatro poemas llamados "Vuelo" y muchos de los restantes se concentran en la idea de volar y sobre los problemas diarios de la clase trabajadora, como por ejemplo las cucarachas.

Echeverría le da vida a Los Ángeles con cuentos de gente diferente que traen a nuestra atención diferentes problemas, por ejemplo, Turo, el vendedor de donas en el cuento "Asalto con una dona mortal". La policía lo mata a disparos al confundir una dona en su mano con un arma. La inspiración de esta historia surgió de la "pobre gente de color que es percibida como amenaza por la gente con poder que tiene armas, como dijo Echeverría a El Tecolote en inglés. "Hay pequeñas semillas [en el libro] que son… biográficas".

Echeverría escribió el libro cuando estudiaba el postgrado en escritura creativa en la Universidad de Texas El Paso, lo que le dio, como dijo ella, tiempo para "sentarse a escribir y jugar", y también espacio para reflexionar sobre la ciudad en donde ella creció.

Su mezcla de ingenio y humor es inteligente e imaginativa, y tiene la habilidad para mezclar el español de barrio con inglés (spanglish), lo cual refleja la realidad lingüística de muchos chicanos. Aunque este tipo de lenguaje ha sido también parte de su vida, no incorporó el spanglish al escribir hasta que hizo sus estudios universitarios en la Universidad de California en Santa Cruz. Ahí tomó clases de Literatura Afro-Americana, y se inspiró al leer los trabajos de Zora Neal Hurston quien utilizaba el inglés de los afro-americanos sureños. "Para mí fue muy liberador como lectora", dijo Echeverría. "Yo crecí en medio de dos idiomas, los cuales intercambio todo el tiempo. Al ver otra gente de color hacerlo al escribir es más auténtico de donde vengo".

Más que una lectura graciosa, este libro es un tour hacia el corazón interno de Los Ángeles, el cual explora los temas de tristeza, la familia y la injusticia. Aunque uno no sea angelino, seguramente encontrará una gema en esta historia con la cual sentirá empatía.

(González, M., *El Tecolote*, Revista para la comunidad hispana de la Bahía de San Francisco, 31 de octubre de 2008)

Vocabulario

dona   en spanglish, procedente del inglés doughnut

tener un nopal en la frente   expresión despectiva usada en spanglish para referirse a aquellos mexicanos que se avergüenzan de su origen.

2   Ahora contesta las siguientes preguntas.

- ¿Qué se nos dice sobre...

   ... la autora?

   ... el argumento?

- ¿Dónde y cuándo tiene lugar la acción?

- ¿Quiénes son los protagonistas?

- ¿Cuál es el tema principal?

- ¿Qué otros elementos temáticos aparecen?

- ¿Cómo es...

   ... la estructura del libro?

   ... el modo de narrar?

   ... la valoración general?

A continuación vas a examinar las características del contenido y el lenguaje que se utiliza para escribir una reseña. Las reseñas suelen seguir una misma estructura. Una vez que se determinan cuáles son los bloques principales de información, la fórmula se puede aplicar repetidas veces.

3   Ahora te vas a concentrar en la estructura de las reseñas. No basta con saber de qué hay que hablar: es necesario tener un plan claro de cómo hacerlo. Si bien no hay una única fórmula válida, la reseña de *Ángeles caídos* es uno de los muchos modelos posibles. Enlaza la descripción de cada párrafo con el número del párrafo en el que aparece en la reseña de *Ángeles caídos*.

Párrafo 1:	Análisis del formato/ estrategias narrativas
Párrafo 2:	Información más detallada sobre la autora
Párrafo 3:	Relación de la autora con el contenido
Párrafo 4:	Comentario sobre el estilo literario
Párrafo 5:	Presentación del contenido
Párrafo 6:	Conclusión y valoración

¡Fíjate!

Si te fijas en el paso anterior podrás observar que la estructura de una reseña está dividida en tres partes bien diferenciadas: presentación, cuerpo central y conclusión.

En la presentación se hace un breve resumen del argumento evitando revelar el desenlace y suele redactarse en presente. En el cuerpo de la crítica se va de lo más general y externo a lo más concreto.

El párrafo final contiene la valoración del libro.

Es muy importante que las ideas aparezcan relacionadas entre sí en cada párrafo y a lo largo de todo el escrito.

4   Ahora vas a fijarte en el registro utilizado en las reseñas. Al redactar una reseña hay que expresarse de un modo distinto a cómo se haría charlando en un café con un amigo, es decir, hay que utilizar un registro escrito adecuado.

Pedro y Ernesto acaban de leer el libro *La maravillosa vida breve de Oscar Wao* (2008), del escritor dominicano-estadounidense Junot Díaz. Transforma el siguiente diálogo sustituyendo las fórmulas coloquiales en negrita por las expresiones más formales del recuadro, según corresponda.

Junot Díaz, ganador del Premio Pulitzer de novela 2008

---

pasajes o diálogos muy cómicos • son excelentes • sabor amargo, trágico • provoca la carcajada • no resulta tedioso • mantiene el interés del lector

Pedro: Es que, de verdad, el libro a veces tiene **golpes buenísimos**.

Ernesto: Sí, sí, **y no se hace pesado en ningún momento**, la historia **te engancha totalmente**.

Pedro: Bueno, eso por no hablar de los protagonistas: **están que se salen**, ¿no? Lola, Óscar, Ybón...: **Te partes de risa** con ellos.

Ernesto: Es verdad, aunque... A pesar de ser una novela divertida, la historia **tiene un punto triste**, no sé cómo decirte.

5   A continuación practicarás el uso de los distintos conectores que dan cohesión a la reseña.

Las expresiones siguientes sirven para dar cohesión lógica a un texto. Clasifícalas según su función en la tabla a continuación.

en consecuencia • por último • sin embargo • en primer lugar • a causa de • por tanto • por un lado • dado que • en segundo lugar • debido a • por otra parte • en definitiva • no obstante • en suma • gracias a • a diferencia de • de ahí que • en conclusión

Expresiones que organizan	en primer lugar
Expresiones para concluir	por último
Causa	a causa de
Consecuencia	en consecuencia
Contraste	sin embargo

6 Aquí tienes una breve reseña de *La maravillosa vida breve de Oscar Wao* (2008).

Rellena los espacios con los conectores del recuadro.

por otro • en suma • gracias a •
en primer lugar • por un lado •
sin embargo • por otra parte

No cabe duda: con *La maravillosa vida breve de Oscar Wao*, la novela del escritor dominicano-estadounidense Junot Díaz, estamos ante una literatura diferente.
(a) _____, llama la atención el modo comitrágico de presentar,
(b) _____, la dictadura de Trujillo en la República Dominicana; y
(c) _____, la vida de las segundas generaciones de inmigrantes en los Estados Unidos. Ambos temas se entrecruzan de manera magistral.

En gran parte (d) _____ sus giros inesperados de gran efectividad, la narración mantiene el interés del espectador durante todo el texto.
(e) _____, el estilo literario, que mezcla inglés y español con una fluidez singular, es una de las características más atractivas del libro. Tenemos que advertir,
(f) _____, que algunos pasajes no son fáciles de comprender si no se está familiarizado con el habla hispana en los EE.UU.

(g) _____, se trata de literatura de la mejor calidad, de sello muy personal. Con este libro, ganador del Premio Pulitzer 2008, Junot Díaz ha demostrado tener un dote especial para retratar el habla y las preocupaciones de la gente de la calle.

Para asegurarse de que las ideas aparecen bien planteadas y que existe una coherencia interna es importante hacer buen uso de los conectores. Cuando se describe el argumento del libro es conveniente utilizar expresiones para organizar los hechos de forma secuencial ("en primer lugar", "por un lado", "por otro"). Dentro de cada párrafo se pueden utilizar expresiones como "a causa de", "debido a" y "por tanto" para aclarar la relación entre ideas o juicios de valor. Al concluir, es conveniente hacerlo de manera clara y para ello utilizar expresiones como "en suma" y "en definitiva".

Ahora tú

En esta sesión vas a poner en práctica las destrezas de escritura aprendidas en la sección anterior redactando tu propia reseña.

Primera fase: preparación de las ideas

En esta sección te prepararás para redactar la reseña de un libro.

7 Escoge una novela que hayas leído hace poco y que recuerdes con detalle. Toma nota sobre los siguientes puntos para organizar tus ideas.

Presentación

(a) Título

(b) Año de publicación

(c) Nacionalidad del autor

(d) Escritor

Sinopsis del argumento

(a) Resumen de la trama. Personajes principales (¡sin desvelar el desenlace!).

(b) Mensaje

Comentario y valoración

(a) ¿Qué lugar ocupa este libro en la trayectoria de su autor/a?

(b) ¿Cómo están descritos los personajes?

(c) ¿Cuáles son los mayores logros del libro?

(d) ¿Y sus puntos menos convincentes?

(e) ¿Algún otro rasgo destacable (estilo literario, ambientación...)?

Conclusión

(a) En general, ¿se trata de un libro de calidad?

(b) ¿Recomendarías a otros que lo leyesen?

8 Fíjate en las siguientes expresiones para calificar una novela y piensa en cómo calificarías la que has elegido.

Puntuación	Descripción
0	pésima, de ínfima calidad
1	pesada, aburrida, tediosa
2	aceptable, pasable
3	buena, interesante
4	excelente, excepcional, espléndida, magnífica, muy hermosa, muy bella
5	una obra maestra, genial

9 Califica las siguientes novelas según la puntuación de la tabla anterior y escribe un breve comentario justificando en cada caso su juicio. Si no conoces todas las novelas, añade alguna de tu elección en los espacios vacíos al final de la tabla.

Libro	Puntuación	Comentario
El ingenioso hidalgo don Quijote de la Mancha (1605), de Miguel de Cervantes	Obra maestra: 5.	Cumbre de la literatura universal, en la que el autor español parodia las novelas de caballería mediante un personaje muy especial.
La sombra del viento (2001), de Carlos Ruíz Zafón		
El código da Vinci (2003), de Dan Brown		
Jane Eyre (1847), de Charlotte Bronte		

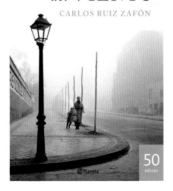

LA SOMBRA del VIENTO
CARLOS RUIZ ZAFÓN

Segunda fase: elaboración del texto

En esta sección escribirás la reseña de un libro.

10 Redacta tu propia reseña de un libro que conozcas bien (300–350 palabras).

Tercera fase: autoevaluación

En esta sección tienes la oportunidad de evaluar tu tarea de escritura.

11 Aquí tienes algunas preguntas que puedes plantearte para valorar tu reseña. (Puedes escribir tus comentarios en el margen.)

(a) Enfoque:

  • ¿Alcanza el texto el propósito que persigo (informar, recomendar...)?

  • ¿Reaccionará el lector o la lectora tal como yo espero?

(b) Ideas e información:

  • ¿Hay información suficiente para el espacio de que dispongo?

  • ¿Están las ideas bien claras?

(c) Estructura:

  • ¿Es clara para ayudar a entender el mensaje?

  • ¿Los datos están bien distribuidos?

  • ¿La información relevante ocupa un lugar destacado?

(d) Párrafos:

  • ¿Cada párrafo trata un subtema o aspecto distinto?

(e) Frases:

  • ¿Hay demasiadas frases en pasiva o subordinadas demasiado largas? (Ya sabes que la pasiva es mucho menos habitual en español que en inglés).

  • ¿Son variadas en extensión, orden, modalidad y estilo?

  • ¿Me he esforzado en utilizar las construcciones aprendidas?

(f) Vocabulario:

  • ¿Hay alguna palabra que repito demasiado?

  • ¿Trato de emplear el léxico preciso?

  • ¿He utilizado bien los marcadores textuales?

(g) Grado de formalidad:

  • ¿El tono de la reseña es adecuado para dirigirse al público?

  • ¿Hay alguna expresión o palabra muy informal o vulgar?

  • ¿Hay coherencia en el registro?

  • ¿Estás satisfecho/a con el resultado? Si todavía te quedan dudas sobre alguna palabra o expresión concreta, consulta en una gramática o en un diccionario monolingüe.

Unidad 4

Ciencia

El mundo moderno, tal y como lo conocemos hoy, no existiría de no ser por los avances científicos que le han dado forma a lo largo de la historia. Esta unidad pretende ofrecer una perspectiva del mundo científico desde diferentes puntos de vista: histórico, práctico, económico y social.

Para comenzar, recordaremos los descubrimientos de pueblos antiguos como los mayas, así como a uno de los científicos más influyentes de la historia: Darwin. Por otro lado, exploraremos los distintos modelos del universo propuestos a lo largo de la historia.

A continuación examinaremos el método científico y veremos su aplicación práctica a experimentos reales, lo que nos ayudará a reflexionar sobre la historia de la ciencia, construida a base de ensayos y errores.

Asimismo, tendremos la oportunidad de realizar nuestros propios experimentos, y veremos que la ciencia no está confinada entre las paredes de los grandes laboratorios.

El éxito de un invento o descubrimiento, como todos sabemos, está condicionado por sus aplicaciones comerciales. Más adelante examinaremos los factores que convierten un invento en un producto, y observaremos a través de diferentes invenciones, antiguas y modernas, cómo la tecnología ha estado siempre al servicio de la comodidad.

Para terminar, pasaremos revista a la situación de la ciencia en la sociedad actual, a fin de descubrir cuáles son las políticas científicas en los países hispanos. Al final de esta unidad trataremos temas como la fuga de cerebros y las últimas tendencias en educación científica.

Tema 13   La ciencia en la historia

Los desarrollos científicos y tecnológicos del último siglo han revolucionado nuestras vidas; sin embargo, las culturas de otras épocas pasadas también consiguieron importantes éxitos en el campo de las ciencias. En este artículo se describen los logros que caracterizan a una de las grandes culturas americanas, la civilización maya.

4.1

El mundo perdido de los mayas

María Dolores Albaic

La civilización maya fue precursora en el estudio del calendario, el espacio y el diseño arquitectónico.

"El tiempo de los mayas nació y tuvo nombre cuando no existía el cielo ni había despertado todavía la tierra". Dice una recopilación sobre esta cultura americana, desaparecida antes de la llegada de los españoles y sepultada hasta hace un siglo. Quizás la sofisticación que alcanzó y las desconocidas causas de su decadencia crearan este misterio en torno a esta civilización perdida que fascina a los investigadores.

[…]

Está demostrado que diseñaron un calendario muy complejo, descubrieron el cero matemático, predijeron eclipses y solsticios, conocieron la orientación cardinal y domesticaron selvas, pantanos y cuevas, pero no se sabe por qué desaparecieron. Diversas hipótesis han tratado de explicar el abandono de las ciudades mayas. Tal vez fuera el clima, las fiebres y las epidemias. Algunos creen que fue el agotamiento de la tierra. Otros no creen que estas fueran las causas, sino la rebelión de los campesinos contra el clero. También se desconoce cómo su modo de vida dominó un milenio en 250.000 millas entre ambos océanos, en tan inhóspitos y variados climas y ambientes.

La civilización maya se desarrolló en 60.000 asentamientos en Mesoamérica, el actual Sur, y el Yucatán mexicano, en todas las poblaciones de Guatemala, Honduras y El Salvador. El siglo pasado, el afán◆ naturista y antropológico darwinista alentó◆ expediciones que descubrieron esta civilización en las ruinas de las ciudades de Tikal en Guatemala, Copán en Honduras, Calakmul, Chitchen Itzá o Palenque en México.

Visiones cósmicas

Ninguna civilización hizo tan complejas simbiosis entre el movimiento astral y los fenómenos terrestres para definir sus espacios más vitales y, quizás por ello, el ceremonial llegara a ser una pesada carga. […]

En vez de un sistema matemático decimal desarrollaron uno vigesimal, quizás porque vigésimo es el mes lunar que, combinado al año de la órbita solar y al de Venus, daba un calendario más exacto que el nuestro. Todavía hoy, los billetes corrientes de Guatemala incluyen la numeración maya junto a la decimal. Sin una única lengua, su comunicación trascendía, sin embargo, por miles de kilómetros y centenares de etnias

Pop	Uo	Zip	Zotz'	Zec
Xul	Yaxkin	Mol	Ch'en	Yax
Zac	Ceh	Mac	Kankin	Muan
Pax	Kayab	Cumku	Uayeb	

Los meses del calendario maya

distintas y su historia quedó grabada en una combinación ideográfica y jeroglífica que se descifró hace sólo 30 años.

No conocían la rueda, pero su ingeniería era muy compleja. Construyeron la estructura precolombina más alta, el templo V de Tikal, de 60 metros; una calzada◆ que unió un cayo◆ de alta mar con la costa – Ambergris –; un faro que alumbró el extremo septentrional de Yucatán; un túnel en la espesa selva como por un gran topo que llevaba a Calakmul o una acrópolis como la de Copán que se eleva mil pies sobre el curso del río. No conocían la bóveda, pero desarrollaron un arco falso y envolvían sus viejas construcciones con las nuevas, dejando cámaras, pasadizos y enterramientos. No obstante, es evidente que su sofisticada ciencia no era del dominio público◆ sino de una elite monárquica y religiosa que así legitimaba su poder sobre una población rural que cultivaba de igual modo los mismos productos que ahora. Entre medio, los grupos de escribas, orfebres y militares vivían en interrelaciones y movilidad poco claras, incluido el mecanismo de sucesión, el modelo familiar o la forma de propiedad, pero está demostrado que algunos rituales incluían sacrificios humanos. Quizás esta posesión selectiva de conocimientos hizo que al colapsar, muchas claves quedaran en el misterio.

(*Cambio 16*, 5 de febrero de 1999, pp.78–80)

Vocabulario

afán   deseo intenso

alentó   dio ánimos, impulsó

calzada   camino ancho

cayo   isla lisa y arenosa, propia del mar de las Antillas y el Golfo de México

(ser) del dominio público   (ser) conocido por toda la gente

- Según el artículo, la súbita desaparición de la cultura maya hizo que hasta hace poco se desconociera casi todo de esta cultura. ¿Por qué crees que ha renacido el interés por ella?

- ¿Qué aspectos de tu propia cultura crees que se deben a las culturas antiguas?

El descubrimiento de América, un acontecimiento que tuvo repercusiones culturales, históricas y políticas inimaginables, fue posible gracias a los recursos técnicos y científicos de los que disponían los navegantes de la época. En el siguiente texto se describen las técnicas de navegación que permitieron los primeros viajes de las embarcaciones que cruzaron el Atlántico.

4.2

Navegar: entre la ciencia y la intuición

En realidad, si se está seguro de hallarse en la buena ruta, basta con dejarse llevar por el viento hasta topar◆ con una de las Antillas, grandes o pequeñas.

Lo importante en toda navegación es saber a dónde se quiere llegar y disponer de los medios para conseguirlo. Claro que si se trata de explorar costas desconocidas la cosa cambia, pues mientras unos barcos siguen caminos trillados◆ otros exploran regiones desconocidas.

Un buen descubridor debe transmitir a los demás sus hallazgos, y debe fijar las posiciones absolutas, no las posiciones relativas a la última costa o puerto de recalada◆. Para ello hay que observar el

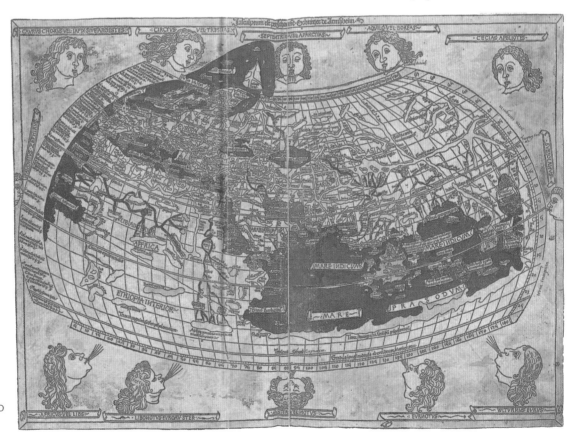

Mapa del mundo de finales del siglo XV

rumbo, y calcular bien la velocidad. En esta época de navegación astronómica se podían calcular las coordenadas – es decir, la longitud y la latitud – en alta mar, mediante la observación del sol o de las estrellas.

La latitud se podía calcular con cierta facilidad y utilizando sencillos instrumentos de cálculo, pero no así la longitud, que es la referencia al meridiano en el que se encuentra la nave. A diferencia de las expediciones de los portugueses por África, en las que sin grandes variaciones de longitud se descendían 75 grados de latitud (desde Sevilla a la extremidad meridional de África), los españoles, al cruzar el océano, eran fieles a la misma latitud: avanzaban grados de longitud, que eran difíciles de calcular.

En general, la longitud se suponía calculando la posición según la distancia recorrida, siguiendo un rumbo dado; para ello se calculaba la velocidad según la experiencia y respecto a la estela♦ que deja el navío sobre la superficie del mar, o calculándolo respecto a hierbas u otros objetos flotantes. En cada turno de guardia se anotaba la velocidad calculada en una pizarrita, dato que luego se pasaba al cuaderno de bitácora (libro en el que se anotaban todos los acontecimientos de la travesía, y que se guardaba en la bitácora, armario próximo al timón).

Con buenos vientos, esos cálculos podían resultar aproximados, pero si había vientos contrarios todo era un puro azar.

Los marineros se guiaban por su instinto. Normalmente iban en dirección norte o en dirección sur hasta alcanzar la latitud deseada. Entonces se dirigían, sin más preocupación, hacia el este o el oeste hasta tocar la primera tierra. Era una navegación en ángulos rectos.

Nos sorprende por ello con qué seguridad Cristóbal Colón hizo los cálculos del viaje de 1492. Ya el primer día de navegación, el 3 de agosto, anotaba:

"Anduvimos con fuerte virazón♦ hasta el poner el sol hacia el Sur sesenta millas que son 15 leguas".

Y el 5 de agosto:

"… anduvieron su vía entre día y noche más de cuarenta leguas…"

y así lo irá calculando día a día. Sin embargo, y al igual que todos los navegantes de esa época, se fiará más que de sus cálculos de los indicios y señales de proximidad de tierra firme: garjaos, alcatraces, rabos de junco, aves que supone que no se alejan mucho de tierra, hierbas flotantes que denomina "señales ciertas de tierra", o "una ballena, que es señal que estaban cerca de tierra".

El procedimiento clásico para orientarse en alta mar, y la guía de los marineros desde la antigüedad, era la Estrella Polar, que indica el norte. Como su altitud (es decir, al ángulo con que aparece en el horizonte) disminuye conforme se avanza hacia el sur, señala la latitud. Al navegar en dirección este u oeste podía mantenerse también un curso recto y corregir errores de brújula manteniendo la altitud polar constante.

El ángulo de la estrella en el horizonte se calculaba al principio a ojo♦, y a fines del siglo XVI con la ayuda del cuadrante, un instrumento con forma de cuarto de círculo con una escala marcada en él de 0 a 90 grados y dos salientes en uno de los dos radios perpendiculares que lo delimitan. Sujetando el cuadrante con ambas manos, se apuntaba a la Estrella Polar de modo que ambos salientes estuvieran en línea (igual que se apunta con una escopeta), y un peso o plomada que colgaba del vértice indicaba la altura en el cuarto de círculo graduado. Como se trataba de que la plomada colgara y marcara un punto exacto, el vaivén♦ del navío impedía cálculos correctos.

Los cálculos de Colón, al intentar hallar su situación en tierra firme americana, fueron tan equivocados que hay quien creyó que había falsificado los datos a propósito en su *Diario de a bordo* para impedir que otros llegaran a esas tierras. Pero la verdad es que nadie sabía hallar bien la latitud por medio de una estrella.

Más adelante se utilizará el astrolabio, disco de metal que podía suspenderse en posición perpendicular sobre el suelo para observar una estrella y relacionar su ángulo con el del horizonte, calculando su altitud mediante una alidada y leyéndola en el disco exterior. Un nuevo instrumento, el sextante, relegará al olvido el astrolabio.

Hacia 1530 existen ya relojes ligeros que pueden llevarse a bordo y permiten calcular la longitud con cierta facilidad. Si se lograba que el reloj no se parase, no adelantara ni atrasara, podía mantener la hora del puerto de donde se había salido. Y entonces todo lo que había que hacer era calcular la hora solar del punto donde se encontraba el barco y la diferencia con el puerto de salida daba la longitud. Sin embargo, sólo en el siglo XVIII se dispondrá de relojes fieles a los que no afecte el agua, el movimiento del buque o la temperatura.

Con todo, la brújula – que los marineros llaman aguja de marear♦– era el mejor instrumento de la época, debido a la dificultad de efectuar cálculos con el cuadrante. Tenía un hilo de acero que se imantaba con piedra magnética (o piedra imán), y se colocaba sobre una rosa de los vientos con treinta y dos rumbos.

Cuando los marineros crucen el Ecuador, se darán cuenta de que en el Hemisferio Sur no se halla la Polar. "Perdieron el norte"♦ y luego descubrirán otra estrella que permite calcular la posición del sur, la Cruz del Sur.

(Zaragoza, G. (1989) *Rumbo a las Indias*, Madrid, Grupo Anaya SA, pp.56–65)

Vocabulario

topar   darse, chocarse

trillados   muy conocidos

puerto de recalada   puerto en el que se para una embarcación

estela   señal que deja un barco en la superficie del agua al avanzar

virazón   cambio repentino de viento

a ojo   de forma aproximada, sin exactitud

vaivén   movimiento alternativo en un sentido y en otro

marear   navegar

perdieron el norte   la expresión "perder el norte", que significa "estar desorientado", viene de los marineros que, al llegar al Hemisferio Sur, no podían guiarse por la Estrella Polar

- ¿Cómo se calculaba la longitud en tiempos de Colón? ¿Y la latitud? ¿Eran fiables los cálculos?

- Aparte de las dificultades por falta de instrumentos adecuados, ¿por qué piensas que era tan difícil navegar antes del siglo XV?

El siguiente texto presenta un modo de investigar y entender el mundo que nos rodea, dos objetivos básicos de la ciencia. Se trata de un texto que describe las observaciones que realizó el científico británico Darwin durante su viaje en el *Beagle*, observaciones que le llevaron a elaborar su teoría de la evolución de las especies.

La evolución de los seres vivos: el viaje de Darwin

Cuando tenía veintidós años, el naturalista inglés Charles Darwin (1809–1882) embarcó en el barco *HMS Beagle*, que partía para un largo viaje de exploración del Hemisferio Sur. A pesar de su juventud, Darwin era ya un biólogo experimentado, aunque desconocido.

En su viaje de cinco años en el *Beagle*, Darwin recorrió las costas este y oeste de América del Sur y visitó las islas Galápagos, Tahití, Nueva Zelanda, isla Mauricio y la costa sur de África.

Para Darwin, el viaje fue una valiosa oportunidad para observar la inmensa variedad de seres vivos que hay en nuestro planeta. Encontró similitudes y diferencias entre las especies que habitan en diferentes lugares, y también tuvo ocasión de estudiar algunos importantes fósiles que le hicieron pensar sobre el hecho de que los seres vivos del pasado eran diferentes de los actuales.

En las islas Galápagos, Darwin estudió las pequeñas diferencias que existían entre los animales que las habitaban. Por ejemplo, observó que los picos de unos pequeños pájaros, los pinzones, eran diferentes en las distintas islas. En cada isla había especies diferentes de pinzones. Algunos tenían un pico muy grueso y fuerte, otros lo tenían pequeño y afilado.

También dedicó mucho tiempo a observar las tortugas gigantes. Descubrió que, en cada isla, vivía una especie distinta de tortuga. Todas estas especies se diferenciaban entre sí principalmente por la forma del caparazón.

Darwin pensaba que todos los pinzones de las islas descendían de un antepasado común y que, con el tiempo, se habían ido formando las especies actuales. Lo mismo debería haber sucedido con las tortugas. Las pequeñas diferencias entre unas y otras especies de tortugas y pinzones habrían aparecido muy lentamente, a lo largo de cientos o miles de años.

Muchos años después, estas y otras observaciones dieron a Darwin la clave para elaborar la teoría de la evolución que le hizo famoso.

La evolución de las especies

¿Qué es una especie?

Se llama **especie** a todo grupo de seres vivos que tienen unas características anatómicas y fisiológicas comunes y que son capaces de reproducirse y dar lugar a una descendencia fértil.

Por ejemplo, todos los seres humanos, por muy diferentes que parezcan, pertenecen a la misma especie, ya que tienen muchas características en común, se reproducen entre ellos y tienen descendencia fértil. En cambio, los caballos y los asnos pertenecen a especies distintas, ya que, a pesar de que pueden reproducirse entre ellos, de su cruce resulta un animal estéril, el mulo.

Las especies cambian

Comparando los seres vivos actuales con los fósiles se puede observar que, en algunas especies, se han producido notables cambios. Así, por ejemplo, existen diferencias entre los seres humanos que vivieron hace 200.000 años y las personas actuales.

Por otra parte, también se pueden encontrar grandes semejanzas entre algunas especies existentes en la actualidad. Por ejemplo, los zorros y los lobos son muy parecidos, aunque pertenezcan a especies distintas. Estas semejanzas hacen pensar que estos animales tuvieron unos antepasados comunes que fueron cambiando hasta producir las dos especies tal y como las conocemos en la actualidad.

La **evolución** es el conjunto de cambios que se han producido y que se producen en las características de las especies de seres vivos a lo largo del tiempo. Estos cambios son los responsables de las diferencias entre especies que provienen de un antepasado común, así como de la aparición de nuevas especies de seres vivos.

(Cerezo, J. M. (1998) *Biología y geología Curso 4*, Madrid, Grupo Santillana de Ediciones SA, pp.109–11)

• **Explica con tus propias palabras los términos "evolución" y "especie".**

A continuación se analizan las diferentes teorías que han predominado en la historia para explicar la posición y movimiento de los astros.

4.4

Los modelos del universo

El firmamento estrellado ha fascinado a las personas desde la antigüedad. Desde hace miles de años se han propuesto modelos para ordenar los planetas y las estrellas que aparecían en el firmamento y que giraban a medida que avanzaba la noche.

Estos modelos han situado a la Tierra o al Sol en el centro del universo, aunque desde hace poco más de un siglo se sabe que nuestro sistema solar se encuentra en la periferia de la galaxia.

El modelo geocéntrico

Cuando alguien contempla el recorrido del Sol en el cielo, la impresión que tiene es que el Sol es el que gira alrededor de la Tierra. Esta postura fue defendida ya por los antiguos griegos, cuyos modelos reproducían con bastante fidelidad las observaciones de estrellas y planetas.

En el siglo II d.C. Ptolomeo de Alejandría publicó el *Almagesto*. En este libro, Ptolomeo situó a la Tierra en el centro del universo y a los planetas conocidos (Mercurio, Venus, Sol, la Luna, Marte, Júpiter y Saturno) girando a su alrededor, cada uno situado en una esfera. Por último, situó la esfera de las estrellas fijas. Este modelo explicaba las observaciones, pero necesitaba que los planetas girasen describiendo unas curvas complicadas.

El modelo heliocéntrico

En la antigua Grecia también se propusieron modelos que situaban al Sol en el centro del universo. Aristarco de Samos, en el siglo III a.C., propuso un modelo en el que la Tierra y los planetas conocidos giraban en torno al Sol. Pero la oposición de muchos filósofos del mundo heleno hizo olvidar este esquema del mundo.

En el siglo XVI Nicolás Copérnico (1473–1543) publicó un libro (*Sobre las revoluciones de los cuerpos celestes*) en el que se mostraba la nueva teoría heliocéntrica. El debate que se originó tras la propuesta de Copérnico enfrentó a la Iglesia católica y a algunos científicos (Galileo). La Iglesia no aceptaba la teoría heliocéntrica, ya que, según ella, contradecía las sagradas escrituras.

El modelo actual

El modelo copernicano situaba al Sol en el centro del universo, postura que mantuvieron Johannes Kepler (1571–1630) e Isaac Newton (1642–1727). Luego, tras los estudios de Harlow Shapley (1885–1972) y Walter Baade (1893–1960), el Sol quedó desplazado hacia la periferia de la Vía Láctea.

Sin embargo, quedaba mucho por hacer. A principios del siglo XX se debatía entre los astrónomos la naturaleza de las nebulosas, como M31, la nebulosa de Andrómeda. Unos científicos opinaban que estos sistemas se encontraban formando parte de nuestra propia galaxia. Otros, en cambio, pensaban que eran sistemas extragalácticos completamente independientes del nuestro, como ya sugirió Immanuel Kant (1724–1804).

La cuestión quedó zanjada◆ definitivamente en los años veinte del siglo XX, cuando Edwin P. Hubble (1889–1953) demostró que la distancia a estas nebulosas era mucho mayor que las dimensiones de la Vía Láctea. Hubble también descubrió que casi todas las galaxias se están alejando de nosotros. Esto reavivó la cuestión de si la Vía Láctea jugaba algún papel especial en la descripción del universo. En la actualidad se sabe que el efecto observado desde nuestra galaxia sería el mismo si observáramos desde cualquier otra parte del universo. A gran escala, todas las galaxias se están alejando unas de otras.

(Cerezo, J. M. (1998) *Biología y geología Curso 4*, Madrid, Grupo Santillana de Ediciones SA, pp.16–17)

Vocabulario

zanjada   resuelta

- Resume la información del texto en un esquema cronológico.

Tema 14   El método científico

En este tema encontrarás una serie de textos que te darán una perspectiva más amplia sobre el método científico. Empezaremos con un texto que describe, paso a paso, el método científico, dando ejemplos tanto de la vida cotidiana como de famosos descubrimientos a lo largo de la historia de la ciencia.

4.5

Pasos a seguir en el método científico

Primero: Detectar la existencia de un problema, de un fenómeno de la Naturaleza para el cual queramos una explicación. Este puede ser por ejemplo, la caída de los cuerpos cuando se los suelta.

Segundo: Realizar un análisis de cuáles son los aspectos esenciales del problema para desechar aquéllos que no lo sean. El olor del objeto que cae, por ejemplo, no es esencial para el análisis del problema de su caída.

Tercero: Reunir todos los datos posibles que incidan◆ en el problema. Esto es, repitiendo el experimento bajo distintas circunstancias, ver si se modifican los resultados; en caso de que lo hagan, la circunstancia que se ha cambiado o añadido influye en el problema y será importante para su análisis. En el caso de un objeto que cae, por ejemplo, la superficie que ofrece el objeto al aire, influye. En la Antigüedad y en la Edad Media, este último paso equivalía simplemente a observar los sucesos atentamente tal y como acaecían◆; pero

a principios de los tiempos modernos empezó a implantarse la costumbre de jugar con los propios sucesos, de modo que se sometiera el mismo suceso a circunstancias diferentes para ver así cómo se modificaba su comportamiento. Cabía plantear entonces debidamente una situación en la que los objetos se comportaran de una determinada manera y suministraran datos relevantes para el problema. Uno podía por ejemplo hacer rodar una esfera a lo largo de un plano inclinado y repetir la situación variando el tamaño de las esferas, la naturaleza de su superficie, la inclinación del plano, etc. y viendo cómo se modificaba la caída bajo estos cambios. Tales situaciones deliberadamente planteadas para interrogar a la Naturaleza son lo que llamamos "experimentos".

Cuarto: Reunidos todos los datos obtenidos de la modificación de las circunstancias relevantes y la observación del cambio en las respuestas bajo estos modificaciones, se elabora una generalización provisional que describa todos estos datos (los resultados de los diversos experimentos), y que lo haga además, de la manera más simple posible, en forma de un enunciado breve o una relación matemática. Lo que obtenemos es lo que llamamos una "hipótesis": una explicación provisional de los resultados obtenidos de nuestros experimentos acerca de un problema determinado.

Quinto: La hipótesis es ahora nuestro medio de predicción del comportamiento de futuros experimentos referentes al mismo tema. Podemos ahora plantear una nueva circunstancia que no se nos había ocurrido para el fenómeno que queremos estudiar y para comprobar la validez de la hipótesis, antes de montar un experimento con esa circunstancia y ver lo que pasa, deducimos el resultado directamente de nuestra hipótesis; luego vamos al experimento y vemos si obtenemos el mismo resultado. Repetimos esto varias veces para diferentes circunstancias. Si los resultados están de acuerdo con lo que hemos ido prediciendo, nuestra hipótesis es válida por el momento y en el ámbito que estamos tratando.

Sexto: Con una interrogación constante en el ámbito tratado, si la hipótesis prevé cada vez el resultado que se observa, podemos elevar la hipótesis al estatus de "teoría" o incluso de "Ley de la Naturaleza", siempre en el ámbito tratado.

Séptimo: Pero las hipótesis han de estar continuamente sometidas a la experimentación para ver hasta dónde se puede llegar con ellas, cuáles son sus límites de aplicación, a qué ámbitos llegan y en qué ámbitos no es válida su aplicación. Por ejemplo, en el área de la Física, las Leyes de la Mecánica de Newton son perfectamente válidas si nos mantenemos en el ámbito de la Física Clásica, esto es, en situaciones en las que los potenciales gravitatorios a los que están sometidos los objetos cuyo comportamiento estudiamos, no sean muy intensos, y la velocidad de estos objetos sea muy pequeña comparada con la velocidad de la luz. Mientras nos mantengamos en este ámbito, Newton funciona: lo que predice, se encuentra. Sin embargo, en cuanto nos salimos de estos límites y empezamos a tratar situaciones en las que el campo gravitatorio involucrado

sea intenso (por ejemplo, el movimiento de un cuerpo cerca de un agujero negro), o bien objetos cuya velocidad sea del orden o cercana a la de la luz (por ejemplo, si tratamos la luz misma), estamos fuera del ámbito de aplicación de Newton, y tenemos que formular otras hipótesis que serán aplicables a ese ámbito. En concreto, recurrimos a la Teoría de la Relatividad de Einstein. Eso no significa que las Leyes de Newton no sean correctas, sino solamente que no se las puede extrapolar de su ámbito de aplicación: son válidas en su ámbito. En el campo de la Física, la idea es ir buscando cada vez una teoría más general, esto es, que incluya el ámbito anterior y otro ámbito no tratado por la teoría anterior. Así, la Teoría de la Relatividad de Einstein, incluye la de Newton: en cierto límite matemático nos encontramos con la Teoría de Newton, de modo que la de Einstein es una teoría más global que la de Newton. Y se sigue en el deseo de una integración cada vez mayor: se busca la síntesis, alguna teoría global a partir de la cual se puedan tratar correctamente todos los ámbitos de la física.

(http://mgar.net/var/descarte2.htm) [último acceso septiembre de 2009]

Vocabulario

incidir   repercutir, causar efecto (una cosa en otra)

acaecer   ocurrir, tener lugar

- ¿En qué se diferencia una "teoría" de una "hipótesis"?

A continuación leeremos como Darwin describe, en primera persona, uno de sus experimentos. En contra de lo que muchos creen, el científico británico no enunció su teoría y se cruzó de brazos sin hacer nada más. De hecho, la razón por la que tardó tanto en escribir su *Sobre el origen de las especies* (1850) fue porque no se conformaba con los indicios, por muy evidentes que fueran. Casi de forma obsesiva, se dedicó a hacer experimentos y estudios para corroborar todas sus teorías. El experimento que sigue investiga los medios de transporte natural que explican la distribución geográfica de los organismos, concretamente cómo podían viajar las plantas de unos territorios a otros.

4.6

Darwin describe uno de sus experimentos

Medios accidentales de distribución de las semillas

[…] En las obras botánicas se afirma con frecuencia que esta o aquella planta está mal adaptada para una extensa dispersión; pero puede decirse que es casi por completo desconocida la mayor o menor facilidad para su transporte de un lado a otro del mar. Hasta que hice, con ayuda de míster Berkeley, algunos experimentos, ni siquiera se conocía hasta qué punto las semillas podían resistir la acción nociva◆ del agua de mar. Con sorpresa encontré que, de 87 clases de semillas, 64 germinaron después de veintiocho días de inmersión, y algunas sobrevivieron después de ciento treinta y siete días de inmersión. Merece citarse que ciertos órdenes◆ fueron mucho más perjudicados que otros: se ensayaron nueve leguminosas◆, y, excepto una, resistieron mal el agua salada; siete especies de los órdenes afines, hidrofiláceas y polemoniáceas, quedaron muertas todas por un mes de inmersión. Por comodidad ensayé principalmente semillas pequeñas sin las cápsulas o los frutos carnosos, y como todas ellas iban al fondo al cabo de pocos días, no hubiesen podido atravesar flotando grandes espacios del mar, hubieran sido o no perjudicadas por el agua salada; después ensayé varios frutos carnosos, cápsulas, etc., grandes, y algunos flotaron durante largo tiempo. Es bien conocida la gran diferencia que existe en la flotación entre las maderas verdes y secas, y se me ocurrió que las avenidas frecuentemente tienen que arrastrar al mar plantas o ramas secas con las cápsulas o los frutos carnosos adheridos a ellas. Esto me llevó, pues, a secar los troncos y ramas de 94 plantas con fruto maduro y a colocarlos en agua de mar. La mayor parte se fueron al fondo; pero algunas que, cuando verdes, flotaban durante poquísimo tiempo, flotaron secas mucho más tiempo; por ejemplo: las avellanas tiernas se fueron a fondo inmediatamente, pero una vez secas flotaron noventa días, y plantadas después, germinaron; una esparraguera con bayas maduras flotó veintitrés días, y seca flotó ochenta y cinco días, ¡las simientes después germinaron; las simientes tiernas de Helosciadium se fueron a fondo a los dos días; secas, flotaron unos noventa días, y luego germinaron. En resumen: de 94 plantas secas, 18 flotaron más de veintiocho días, y algunas de estas 18 flotaron durante un período muchísimo mayor; de manera que, como 64/87 de las especies de simientes germinaron después de veintiocho días de inmersión, y 18/94 de las distintas especies con frutos maduros – aunque no todas eran las mismas especies que en el experimento precedente – flotaron, después de secas, más de veintiocho días, podemos sacar la conclusión – de lo que puede deducirse de este limitado volumen de datos – que las semillas de 14/100 de las especies de plantas de una región podrían ser llevadas flotando por las corrientes marinas durante veintiocho días y conservarían su poder de germinación. En el Atlas físico de Johnston, el promedio de velocidad de las diferentes corrientes del Atlántico es de 33 millas diarias – algunas corrientes llevan la velocidad de 60 millas diarias –; según este promedio, las semillas del 14/100 de las plantas de un país podrían atravesar flotando 924 millas de mar, hasta llegar a otro país, y, una vez en tierra, si fuesen llevadas hacia el interior por el viento hasta un sitio favorable, germinarían.

Después de mis experimentos, míster Martens hizo otros semejantes; pero de un modo mucho mejor, pues colocó las semillas dentro de una caja en el mismo mar, de manera que estaban alternativamente mojadas y expuestas al aire como plantas realmente flotantes. Ensayó 98 semillas, en su mayor parte diferentes de las mías, y eligió muchos frutos grandes, y también semillas de plantas que viven cerca del mar, lo cual tenía que ser favorable, tanto para el promedio de duración de la flotación como para la resistencia a la acción nociva del agua salada. Por el contrario, no hacía secar previamente las plantas o ramas con los frutos, y esto, como hemos visto, hubiera hecho que algunas de ellas hubiesen flotado mucho más tiempo. El resultado fue que 18/98 de sus semillas de diferentes clases flotaron cuarenta y dos días, y luego fueron capaces de germinar; aunque no dudo que las plantas sometidas a la acción de las olas flotarían durante menos tiempo que las protegidas contra los movimientos violentos, como ocurre en nuestros experimentos. Por consiguiente, quizá sería más seguro admitir que las semillas de 10/100 aproximadamente, de las plantas de una flora, podrían, después de haberse secado, atravesar flotando un

espacio de más de 900 millas de ancho, y germinarían luego. El hecho de que los frutos grandes muchas veces floten más tiempo que los pequeños es interesante, pues las plantas con semillas o frutas grandes, que, como ha demostrado Alph Candolle, tienen generalmente distribución geográfica limitada, difícilmente pudieron ser transportadas por otros medios.

(Adaptado de Darwin, C. (1859) *El origen de las especies*, pp.349–350. Traducción de Antonio de Zulueta, www.scribd.com/doc) [último acceso septiembre de 2009]

Vocabulario

nocivo   dañino, que causa mal o perjuicio

orden   (aquí) especie, género

leguminosas   especie de planta

- ¿A qué conclusión llegó Darwin con su experimento?
- Haz una lista con las características que, de acuerdo con el texto, debe reunir una semilla para flotar durante más tiempo.

El camino recorrido por la ciencia no está exento de teorías erróneas y famosos fracasos. El artículo que sigue recuerda aquellas hipótesis que no pasaron a la historia, ya que descubrimientos posteriores revelaron que no se correspondían con la realidad. A pesar de que algunas nos puedan parecer disparatadas desde nuestra perspectiva actual, hay que tener en cuenta que la historia de la ciencia está construida a partir de ensayos y errores.

El ensayo y el error

Continuas rectificaciones

La historia de las teorías científicas nos muestra una sucesión de fracasos y aberraciones. Muchas de las mejores teorías del pasado son consideradas ahora graves errores. Hemos dejado de creer en las esferas cristalinas que jerarquizaban los cielos de la astronomía antigua y medieval, que la combustión sea un proceso en el que los materiales exudan flogisto◆ o que el calor sea un fluido conservado llamado calórico. Si así ha ocurrido con el pasado, puede suceder lo mismo con nuestras teoriás actuales (según opina Luis Alonso en la revista *Investigación y Ciencia*, 2008).

Demostraciones contra la generación espontánea

A lo largo de muchos siglos el hombre creyó que ciertos seres vivos, como por ejemplo insectos, gusanos o incluso en ocasiones peces, aves y ratones, podrían originarse no sólo a partir de sus progenitores sino también directamente del fango, estiércol◆, y otras materias inertes, por generación espontánea. Entre las muchas recetas que existían para la obtención de seres vivos figura la que propuso Van Helmont a principios del s. XVII: "Se llena de trigo un vaso que se cierra con una camisa sucia, preferentemente de mujer. Un fermento procedente de la camisa, transformado por el olor de los granos, cambia en ratones el propio trigo. Esta metamorfosis es por otra parte más de admirar, puesto que todos los ratones que provienen del trigo y de la camisa no son pequeños, ni están en época de mamar, ni son minúsculos, ni malogrados◆ sino que están muy bien formados y pueden saltar".

Una obra botánica escrita en 1609 dice: "Hay un árbol, no común en Francia pero encontrado a menudo en Escocia, alguna de cuyas hojas caen al agua y se convierten en peces, y otras caen en la tierra y se transforman en aves".

Uno de los primeros en cuestionarse la existencia de la generación espontánea fue Francesco Redi (1626–1698) que realizó el primer estudio científico, pues no se limitó como sus predecesores a dar una explicación de los fenómenos observados, sino que elaboró una hipótesis, la comprobó con experimentos y extrajo una serie de conclusiones o tesis a partir de los resultados:

> Puse una serpiente, algunos peces, algunas anguilas del Arno, y una rodaja de ternera lechal◆ en ocho frascos grandes y de boca ancha: cuatro de ellos los dejé cerrados y precintados, dejando los otros cuatro completamente abiertos. Al cabo de poco tiempo la carne de estas diferentes vasijas se llenó de gusanos y se observó que entraban y salían moscas a voluntad, pero en los frascos cerrados yo no observé ningún gusano, aunque pasaron muchos días desde que había puesto en ellos la carne. No contento con estos experimentos, probé a hacer muchos otros en distintas estaciones, usando vasijas diferentes. Para no dejar nada sin hacer, puse incluso trozos de carne bajo tierra, pero a pesar de permanecer enterrados durante dos semanas, nunca produjeron gusanos, como sucedía siempre cuando las moscas podían posarse sobre la carne.

(Francesco Redi)

Estos experimentos empezaron a poner en tela de juicio♦ la teoría de la generación espontánea para ciertos seres vivos, pero el importante hallazgo de *animáculos* en medios tan diversos como el agua de lluvia, infusiones y estiércol, proporcionó nuevos sujetos en los que centrar la polémica. El contemporáneo de Redi, Antoni Leeuwenhoek (1632–1723) a quien puede atribuirse el descubrimiento y descripción de muchos animáculos hoy llamados microorganismos, proporcionó una nueva y ubicua imagen de los seres vivos. Esto fue posible gracias a la utilización de lupas♦ muy perfeccionadas que él mismo construía.

(http://mgar.net/var/descarte3.htm) [último acceso 9 de septiembre 2009]

Vocabulario

flogisto   principio imaginado por Stahl en el siglo XVIII, que formaba parte de todos los cuerpos y era causa de su combustión

estiércol   materia orgánica en descomposición, principalmente excrementos animales

malogrado   que no ha seguido su natural desarrollo

lechal   dicho de un animal: que está todavía en edad de mamar

poner en tela de juicio   cuestionar, poner en duda

lupa   cristal de aumento

- ¿Qué instrumento científico fue decisivo para confirmar las teorías de Redi y Leeuwenhoek?

- En tu opinión, ¿las teorías erróneas contribuyen a hacer avanzar la ciencia, o obstaculizan su avance?

Uno de los descubrimientos científicos más relevantes para la humanidad es, sin duda, la existencia del ADN y su estructura. A continuación encontrarás un texto que describe cuáles fueron los experimentos y estudios que la hicieron posible.

4.8

Un descubrimiento histórico: la estructura del ADN

¿Cómo se estableció que el ADN era la molécula de la herencia?

En 1944, Oswald Avery, Colin McLeod y Maclyn McCarty publicaron un trabajo en el que establecieron que los genes se componen de ADN, con lo que quedó identificada la base química de la herencia, sustento de las teorías de Mendel y Darwin.

Los experimentos por los que lo determinaron, realizados durante más de una década en la Universidad Rockefeller de Nueva York, consistieron en infectar ratones con neumococos, bacterias de las que se conocían dos cepas♦: una patógena, que producía neumonía, y otra que no enfermaba. Avery y sus colegas descubrieron que podían convertir las bacterias inofensivas en patógenas, y que sus descendientes también lo serían. Aislaron distintos tipos de moléculas de las cepas patógenas, para determinar cuál podía ser responsable de la transformación. Esperaban que fueran las proteínas, pero concluyeron que era el ADN, cosa que los biólogos rechazaron con dos argumentos. El primero era que, de ser así, cada especie debía tener un tipo diferente de ADN (cosa que no sucedía, porque todos parecían ser químicamente iguales). El segundo, que la composición química del ADN parecía demasiado simple para contener toda la información necesaria para la vida.

Los dos argumentos eran erróneos, como quedó establecido hacia 1950, cuando un bioquímico nacido en Austria que trabajaba en la Universidad de Columbia, Erwin Chargaff (1905–2002), encontró que la proporción relativa de las bases del ADN varía de especie en especie, pero que siempre la cantidad de A es igual a la de T, y la de C a la de G, constataciones que hoy se conocen como las reglas de Chargaff. Esto daba al ADN suficiente complejidad como para contener el código genético de los seres vivos. Faltaba ahora descifrar la estructura de esa compleja molécula.

La carrera por la estructura del ADN

Uno de los que procuraba descubrir la estructura del ADN era Linus Pauling, un químico que trabajaba en el Instituto de Tecnología de California (Caltech) en la arquitectura de las moléculas. Pauling había sugerido que el ADN tenía una estructura en forma de hélice, como muchas proteínas, y propuso (erróneamente) que la hélice tenía tres cadenas.

Del otro lado del Atlántico, un joven becario posdoctoral norteamericano, James Watson, había sido aceptado en el prestigioso laboratorio Cavendish (Cambridge, Inglaterra), sin más formalidad que una entrevista con el director, para trabajar con un físico llamado Francis Crick. Ninguno de los dos tenía asignada la tarea de trabajar con ADN. Supuestamente, Watson estaba estudiando cristalografía y Crick debía trabajar sobre la difracción◆ de los rayos X en las grandes moléculas.

Aunque todo el éxito del descubrimiento del ADN se atribuyó a estos dos científicos,

Rosalind Franklin retratada por Denise Wyllie (2006)

en realidad esto no hubiera sido posible sin el trabajo que realizaron otras dos personas en el King's College de Londres. Allí, una mujer muy tímida y retraída llamada Rosalind Franklin y un científico neocelandés, tomaron radiografías del ADN e interpretaron que la estructura del ADN podía tener la forma de una hélice gigante.

La suerte jugó a favor de Watson y Crick ya que Pauling tenía planeado un viaje a Inglaterra, pero fue detenido en la aduana y no pudo salir de Estados Unidos.

En 1953, Watson y Crick usaron las fotografías colectadas por Wilkins y Franklin más la idea propuesta por Pauling y, con piezas de metal, armaron un modelo de estructura de ADN que concordaba con los datos ya conocidos y que explicaba la función biológica del mismo. La idea de que el ADN era una cadena de doble hélice estaba claramente sustentada por las fotografías tomadas con rayos X, que jugaron un papel decisivo en el desarrollo del modelo. Dicen las malas lenguas♦ que, sin estas fotografías, Watson y Crick no hubieran podido resolver nunca el enigma del ADN. Lamentablemente, la autora de estas fotografías, Rosalind Franklin, no pudo pasar a la fama ya que murió de cáncer antes de que a los investigadores se les otorgara el Premio Nobel por este descubrimiento en 1962.

En un artículo de no más de 900 palabras, publicado en la revista *Nature* el 25 de abril de 1953, Watson y Crick describieron la estructura del ADN. Esta publicación trajo como consecuencia la expansión casi dramática de la biología molecular. Una vez finalizada la carrera por el ADN, comenzó otra carrera: la del código genético.

(http://aportes.educ.ar/biologia) [último acceso septiembre de 2009]

Vocabulario

cepa   grupo de organismos emparentados, como las bacterias, los hongos o los virus, cuya ascendencia común es conocida

difracción   desviación del rayo luminoso al rozar el borde de un cuerpo opaco

dicen las malas lenguas   se murmura, se dice de mala fe

- ¿Cuáles fueron las primeras teorías (erróneas) que se formularon sobre el ADN?

- Rosalind Franklin fue una importante biofísica y cristalografiadora inglesa que es descrita como una "mujer tímida y retraída" en el texto. ¿Cuál fue su contribución decisiva al descubrimiento de la naturaleza del ADN? Investiga con qué misterioso nombre pasó a la historia su aportación.

La experimentación no es sólo un privilegio de los científicos. Como demuestra el texto siguiente, no se necesitan instrumentos muy sofisticados para construir nuestros propios inventos o comprobar en casa teorías científicas como la de la relatividad de Einstein.

4.9

EXPERIMENTOS CASEROS

a) Termodinámica: construcción de un termómetro

Materiales

- Pajita
- Botella de plástico de las que se utilizan para bebidas con gas
- Termómetro para medir la temperatura exterior
- Colorante alimentario

Termómetro casero

Fundamento científico

En esta experiencia vamos a aprender a fabricar un termómetro muy simple. El termómetro tiene un fundamento muy sencillo. En la botella dejamos una cámara de aire que se dilata♦ al elevar la temperatura, aumentando la presión. Para poder equilibrarse con la presión atmosférica exterior, el líquido sube por la pajita. Cuando se enfría, ocurre lo contrario.

Desarrollo

1   En primer lugar, necesitas atravesar el tapón de la botella con una pajita larga (o varias pajitas unidas), de forma que, al cerrar la botella con el tapón, el extremo de la pajita quede cerca del fondo.

2   A continuación, debes rellenar la botella con agua teñida con el colorante alimentario (aproximadamente 1/4 de su capacidad) y simplemente cerrarla apretando el tapón.

3   Introduce la botella en agua con hielo y observa cómo, al disminuir la presión en el interior de la botella, comienza a entrar aire a través de la pajita (burbujea) para que se iguale con la presión atmosférica.

4   Deja que entre aire durante un rato y saca la botella del agua dejándola a temperatura ambiente. Observa cómo comienza a subir el líquido coloreado por la pajita. Déjalo hasta que se mantenga estable.

5   Para graduar el termómetro, cuando la altura del líquido en la pajita se haya estabilizado, haz una marca con un rotulador. Corresponderá a la temperatura ambiente que marque el termómetro exterior.

6   Con distintas temperaturas ambiente podrás hacer nuevas marcas y graduar el termómetro.

7   También puedes introducir la botella, junto con otro termómetro, en agua fría. Entonces el nivel del líquido en la pajita descenderá. Esperamos a que se estabilice y hacemos una marca con el rotulador anotando la temperatura que indica el termómetro externo.

8   Repetimos la operación con agua templada. Volvemos a hacer una marca y anotamos la temperatura que indica el termómetro externo. Ya tenemos tres temperaturas marcadas. Basta con que hagas marcas a intervalos regulares para terminar de graduarlo.

Este termómetro es muy sensible y basta con que acerques las manos a la botella para que suba el nivel del líquido.

b) Física: Einstein en la cocina

Materiales

- Malla elástica para fijación de apósitos♦, de las que venden en farmacias, de la mayor talla posible y cortada a lo largo

- Canica♦ ligera

- Bola de hierro

Malla elástica que simula la gravedad de una masa como deformación del espacio-tiempo a su alrededor, según indicó Einstein en su teoría general de la relatividad

Introducción

Einstein afirmó que la gravedad era consecuencia de la deformación que producía una masa a su alrededor en el espacio-tiempo. Por esa razón, los rayos de luz se desvían al pasar cerca de una masa, como se ha observado en eclipses o en fotografías de objetos lejanos en el Universo.

Desarrollo

La teoría especial de la relatividad fue enunciada por Einstein en 1905 y la teoría general de la relatividad, en 1916. En esta última describe la gravedad como resultado de la geometría del espacio-tiempo. Esto se puede representar con un modelo en dos dimensiones. Consiste en una malla que se extiende horizontalmente. Sobre ella se lanza una canica ligera, que describe una trayectoria recta. Pero si colocamos una bola pesada, la malla se deforma, y la trayectoria de la canica sufre una desviación, como ocurre con los rayos de luz. Esta teoría se comprobó en 1919, al observar el planeta Mercurio durante un eclipse de Sol: su posición, cercana al Sol, se veía desplazada de donde debería estar, debido a la desviación de los rayos de luz. Con este modelo también se pueden simular los agujeros negros, aflojando la tensión de la malla y haciendo que la pesada bola forme casi un pozo. Al tirar la canica (fotón de luz), se va al pozo y no puede salir, como ocurre con los rayos de luz en la cercanía de los agujeros negros.

(a. VII Feria Madrid por la Ciencia 2006, www. madrimasd.org) [último acceso septiembre de 2009]

(b. VI Feria Madrid por la Ciencia 2005., www. madrimasd.org) [último acceso septiembre de 2009]

Vocabulario

dilatarse   extenderse, aumentar de tamaño

apósito   remedio que se aplica sobre la piel, sujetándolo con paños, vendas, etc.

canica   pequeña bola de vidrio con la que suelen jugar los niños

- Estos dos experimentos son distintos entre sí en cuanto a sus características y objetivo. ¿En qué consiste la diferencia?

- ¿Podrías esquematizar el desarrollo de estos experimentos de acuerdo con el método científico que explica el texto 4.5?

Tema 15 Ingenios e inventos

Por supuesto, el motor de la ciencia no es solamente la curiosidad humana, sino la búsqueda de mejoras en la vida cotidiana. Son sobre todo aquellos descubrimientos e inventos que tienen aplicaciones prácticas inmediatas los que han pasado a la historia. A continuación leeremos un texto escrito por un famoso inventor sueco quien, desde su experiencia, aconseja a aquellas personas con espíritu innovador sobre cómo convertir sus ideas en una realidad.

4.10

Manual del inventor

Christer Fåhraeus

Cualquiera puede ser un inventor. Imagine una idea brillante y escriba una descripción en un trozo de papel. Ahora bien, el hecho de convertir esa idea en un producto o servicio concreto es infinitamente más difícil.

[...] Empecemos por el principio: ¿qué es exactamente un invento o una innovación? Bien, en mi opinión, es una construcción, un principio o una forma de pensar nuevos, que cumplen una función de una forma "mejor". "Mejor", en este contexto, suele significar más eficaz, más rápido, más económico o más sencillo que antes. Si Ud. inventa algo, pero no sabe para qué puede usarse, entonces no es un invento; es posible que sea un experimento o, quizá, arte. Hoy día, cuando hablamos de innovaciones, en contraste con los inventos, solemos querer decir un desarrollo que perfecciona productos ya existentes, una evolución. Sin embargo, no es nada fácil

saber dónde está el límite. El teléfono fue, sin duda, un invento; la radio, también; pero ¿el teléfono móvil?

Entonces, ¿cómo se produce un invento? Para generar inventos, hay dos estrategias principales.

Una forma consiste en investigar y desarrollar nuevos materiales, componentes o algoritmos. En el desarrollo de ese trabajo, suelen producirse efectos secundarios. Una vez desarrollado un nuevo material, Ud. se pregunta: "¿Para qué podemos utilizar esto?" Luego, puede pensar sistemáticamente en todo, desde aparatos y chismes◆ hasta procesos industriales, e investigar justamente en dónde podría usar su nuevo material de manera útil. Así es como surgen la mayoría de los inventos.

El otro método consiste básicamente en hacer el enfoque contrario: aquí, se toma como punto de partida cualquier cosa, un "objeto" o un "proceso", como una "silla" o una "compra", y se plantea la cuestión siguiente: "¿Qué función básica cumple este objeto o este proceso?" Después de un análisis de la función, que es independiente de la configuración, se estudia cómo se podría obtener la función del ítem o del proceso de que se trate, de la mejor manera posible. Al trabajar de esta forma, las probabilidades de que consiga un invento inesperado y, por consiguiente, bien único, están de su parte.

Una vez que ha concebido la idea de un invento, su realización es cuestión de financiación. Tiene que elaborar una "prueba del concepto", un prototipo, y, a largo plazo, una línea de producción y unos esfuerzos de mercadotecnia. Como es natural, los costes varían, pero parece haber una regla práctica en el sentido de que cada fase cuesta un múltiplo de 10 comparada con la anterior. Si la "prueba del concepto" le cuesta 1 millón, entonces un prototipo real a escala normal le costará alrededor de 10 millones, y, conseguir sacar al mercado un producto fabricado en serie, costará alrededor de 100 millones.

Si, como innovador, no dispone de fondos propios, normalmente hay dos vías de financiación para su proyecto: o bien obtiene préstamos de la familia y de sus amigos, o bien recurre a diversos fondos estatales de lanzamiento. Sin embargo, cuanto más pionero sea su invento, tanto más difícil puede resultar obtener un respaldo para él. Mi experiencia es que el primer dinero en efectivo, antes de tener nada concreto que mostrar, es el más difícil de conseguir.

El dinero es importante, no sólo para el proyecto, sino, como es natural, también para sus finanzas. Si el dinero no es una intensa fuerza motriz♦ para Ud., le resultará difícil atraer a inversores. No hay inversores que quieran invertir en un proyecto arriesgado como un invento, a menos que haya buenas perspectivas de hacer dinero con él. Esa es la razón de que haya que convencerles de que Ud. está poniendo en marcha el proyecto para ganar dinero, ¡y no por ninguna otra razón!

Tiene que haber también, naturalmente, un mercado para su producto. En este sentido, como innovador, es fácil acabar en una situación de círculo vicioso. ¿Cómo puede convencer al mercado de la necesidad de comprar algo que no existe y de lo que nadie ha oído hablar nunca? Y, sin la esperanza de un mercado, el proyecto perecerá de muerte natural. No es poco corriente que haya que crear un mercado, cosa que es, quizá, lo más difícil que tenga que hacer, ¡y también casi siempre lo más costoso!

¿Cómo puede saber si el invento es suficientemente bueno? Una vez hechos todos los análisis e investigados todos los mercados potenciales, yo sigo generalmente mi instinto visceral. Si es fuerte, y es compartido por otros, por lo general resulta ser correcto.

Otra cuestión que no debe subestimar, es el tiempo que lleva a un invento abrirse camino con éxito. El teléfono móvil se inventó hace 50 años. La gente ha estado hablando de HDTV♦ durante 15 años. El reproductor de mp3 es una excepción, ya que su éxito se produjo con suma rapidez, pero, al mismo tiempo, cabe preguntarse si es realmente un invento. Hemos tenido el estéreo personal portátil durante años, y la memoria USB interna difícilmente puede considerarse un invento; quizá sea más bien un producto evolutivo. En este caso, el producto consistió más en satisfacer una necesidad creada por otras tendencias durante un periodo largo de tiempo.

A pesar de todo, para llevar algo desde la fase de la idea hasta un producto terminado para el que haya demanda, no basta con ser un inventor, hay que ser también un hábil empresario. El fundador de IKEA, Ingvar Kamprad, no introdujo solamente una forma nueva de vender muebles, sino que, además, es un empresario de sumo talento. Lo mismo cabe decir de Larry

Ellison, el creador de Oracle, o de Bill Gates. Si Ud. no tiene esas cualidades, tendrá que colaborar con alguien que las tenga. Para ser un empresario hábil, hay que tener un espíritu inquisitivo, tener la habilidad de entusiasmar a otros, hacer que crean en su concepto del negocio, ser audaz, quizá tener algo de rebelde, ser una persona altamente competidora y poder afrontar reveses♦, ¡porque estos llegarán con toda seguridad!

Para llegar a innovador y empresario, no hay atajos. Es un trabajo duro y largo. Al mismo tiempo, ser capaz de realizar una idea es increíblemente estimulante y emocionante. Pues sí, crispa los nervios y, de vez en cuando, es sumamente intenso, a veces demasiado intenso, pero, [...], ¡no hay nada que le pueda entusiasmar a uno tanto!

(Título original del artículo: "De invento a producto terminado.", www2.nynas.com) [último acceso septiembre de 2009]

Nota: Christer Fåhraeus (1965–) es un inventor y empresario sueco. Fåhraeus ha patentado varios inventos en su nombre, de los que el más conocido es el C-Pen, una pluma que puede escanear texto. En el 2002, Fåhraeus fue nombrado doctor honoris causa por la Universidad Politécnica de Lund (Suecia).

Vocabulario

chisme   (aquí) objeto pequeño de dudosa utilidad

fuerza motriz   fuerza que mueve a hacer algo

HDTD   televisión de alta definición

revés   golpe de mala suerte, contratiempo

- En opinión del autor, ¿en qué se diferencia un objeto artístico de un invento?

- ¿Cuál es, según este inventor, uno de los factores decisivos a la hora de lanzar un invento al mercado?

Como todos sabemos, la innovación tecnológica no es exclusiva del último siglo: hace ya miles de años que inventores de distintas civilizaciones usaron su ingenio para resolver problemas. Uno de ellos es la temperatura. Si bien otros animales se han adaptado fisiológicamente al clima de los distintos medios en los que habitan, los humanos, manteniendo nuestra anatomía, modificamos el medio para adaptarlo a nosotros. Como descubriremos a continuación, la lucha contra el calor y el frío fue lo que motivó dos famosos inventos de la historia: la calefacción central y el aire acondicionado.

4.11

La tecnología al servicio de la comodidad

CALEFACCIÓN CENTRAL (siglo I, Roma)

En los comienzos de la era cristiana, los ingenieros romanos crearon el primer sistema de calefacción central: el hipocausto. El estadista y filósofo estoico Séneca escribió que varias residencias de patricios♦ poseían "tubos incrustados en las paredes para dirigir y distribuir por toda la casa un calor suave y regular". Los tubos eran de barro cocido y conducían el aire caliente a partir de un fuego de leña o de carbón que ardía en el sótano.

Se han descubierto restos arqueológicos de sistemas de hipocausto en diferentes lugares de Europa donde antaño floreció la cultura romana.

Las ventajas de la calefacción por radiación sólo estaban al alcance de la nobleza, y con la caída del Imperio Romano el hipocausto desapareció durante siglos. Durante los primeros siglos de la Edad Media, la gente se calentaba recurriendo a los métodos toscos que había utilizado el hombre primitivo: reuniéndose alrededor de una hoguera y envolviéndose en gruesas capas de tela o piel.

En el siglo XI, adquirieron popularidad los grandes hogares situados en el centro de las vastas salas de los castillos, castigadas por las corrientes de aire, pero dado que su construcción permitía que el ochenta por ciento del calor escapara chimenea arriba, los moradores se veían obligados a mantenerse muy cerca del fuego. Algunos hogares tenían una gran pared de arcilla y ladrillo a cierta distancia de las llamas, la cual absorbía calor y volvía a irradiarlo cuando el fuego del hogar empezaba a apagarse. Sin embargo, esta idea tan sensata apenas se puso en práctica hasta el siglo XVII.

Un dispositivo más moderno fue el empleado para caldear♦ el Louvre, en París, más de un siglo antes de que el elegante palacio junto al Sena se convirtiera en museo de arte. En 1642, ingenieros franceses instalaron en una estancia un sistema de calefacción que aspiraba aire a temperatura ambiente, a través de unas conducciones situadas alrededor de un fuego, y lo devolvía una vez calentado. Pero se formaba así un circuito cerrado que acababa por enrarecer la atmósfera. Pasarían cien años antes de que los inventores empezaran a idear maneras de aspirar aire fresco del exterior para calentarlo.

El primer cambio drástico, en materia de calefacción doméstica, del que se benefició un gran número de personas, llegó a la Europa del siglo XVIII con la Revolución Industrial.

El vapor conducido a través de tuberías calentaba escuelas, iglesias, tribunales, salas de reuniones, invernaderos y las casas de los más ricos. Las superficies calientes de las tuberías a la vista resecaban el aire, produciendo continuamente un olor a polvo requemado, pero este inconveniente quedaba más que compensado por el reconfortante calor obtenido.

En esta época, había numerosos hogares provistos de un sistema de calefacción similar al hipocausto romano. Un gran horno de carbón en el sótano enviaba aire caliente a través de una red de tuberías con aberturas en las habitaciones principales. Hacia 1880, el sistema empezó a transformarse para adaptar dispositivos de vapor. El horno de carbón se utilizaba entonces para calentar un depósito de agua, y las tuberías que antes canalizaban aire caliente pasaron a conducir vapor y agua caliente hasta unas aberturas conectadas con radiadores.

AIRE ACONDICIONADO (3000 a.C., Egipto)

Aunque los antiguos egipcios no disponían de medios para conseguir una refrigeración artificial, obtenían hielo aprovechando un fenómeno natural propio de los climas secos y templados.

Al ponerse el sol, las mujeres egipcias vertían agua en unas bandejas de arcilla poco profundas, sobre un lecho de paja. La rápida evaporación de la superficie del agua y de las húmedas paredes de la bandeja se combinaba con el descenso nocturno de la temperatura para producir hielo, aunque la temperatura ambiente jamás se aproximaba a los cero grados. A veces sólo se formaba una delgada película de hielo en la superficie del agua, pero en condiciones más favorables de sequedad y de enfriamiento de la temperatura nocturna, el agua se helaba hasta formar un sólido bloque.

La característica esencial de este fenómeno radicaba en la baja humedad del aire, que permitía la evaporación, o sudación♦, que lleva al enfriamiento. Este principio fue reconocido por varias civilizaciones primitivas, que trataron de enfriar sus casas y palacios acondicionando el aire. En 2000 a.C., por ejemplo, un rico mercader de Babilonia creó su acondicionamiento de aire (que se sepa, el primero del mundo): al ponerse el sol, sus criados regaban con agua el suelo y las paredes de su habitación, de modo que la evaporación resultante, combinada con el enfriamiento nocturno, aliviaba el calor.

También en la India antigua se utilizó extensamente el enfriamiento por evaporación. Cada noche, el cabeza de familia colgaba esteras de hierba húmedas ante las aberturas de la casa expuestas al viento. Las esteras conservaban su humedad toda la noche, ya fuese regándolas a mano o bien por medio de un recipiente agujereado colocado sobre las ventanas, y desde el cual goteaba agua. Al encontrar la brisa cálida la hierba húmeda y más fresca, se producía la evaporación, y el interior de la casa se refrescaba, adquiriendo una temperatura varios grados más baja.

Dos mil años más tarde, al hacerse realidad el teléfono y la luz eléctrica, la tecnología aún no había producido un medio simple y efectivo para mantener una temperatura agradable en un día bochornoso de verano. A finales del siglo XIX, los grandes restaurantes y otros lugares públicos no contaban con otro recurso que rodear las tuberías de renovación de aire con una mezcla de hielo y sal y hacer circular por medio de ventiladores el aire enfriado.

El problema al que se enfrentaban los ingenieros del siglo XIX no se limitaba a reducir la temperatura del aire; también era preciso eliminar la humedad del aire por refrigerar, inconveniente con el que ya tropezaron los pueblos de la Antigüedad.

La expresión "acondicionamiento de aire" ya se utilizaba años antes de que alguien creara un sistema idóneo♦. Se atribuye al físico Stuart W. Cramer, que en 1907 presentó una comunicación sobre el control de la humedad en la industria textil ante la American Cotton Manufacturers Association. El control de la humedad en las fibras textiles mediante la incorporación a la atmósfera de cantidades de vapor bien medidas, se conocía entonces como "acondicionamiento del aire", y cuando un ambicioso inventor norteamericano llamado Willis Carrier produjo sus primeros acondicionadores comerciales alrededor de 1914, se les aplicó el mismo nombre.

Carrier, habilidoso inventor, modificó un calentador convencional de vapor para que aceptara agua fría y una circulación de aire fresco mediante ventilador. El rasgo genial de esta adaptación radicaba en que Carrier calculó y además equilibró cuidadosamente la temperatura del aire y el flujo del mismo, de modo que el sistema no sólo enfriaría aire sino que también eliminara su humedad, acelerando con ello el enfriamiento. Conseguir este efecto combinado le ganó el título de "padre del moderno acondicionamiento de aire". Y una vez sentado este fundamento, el progreso fue rápido.

Carrier entró en un nuevo y provechoso mercado en 1925, cuando instaló una unidad acondicionadora en el teatro Rivoli de Nueva York. El nuevo dispositivo fue tan bien acogido por el público en verano que, en 1930, más de trescientos teatros del país anunciaban la refrigeración con letras más grandes que los títulos de sus películas y obras teatrales. Y en los días más calurosos, el público iba al cine más para gozar de su fresco ambiente que para presenciar el espectáculo.

(Panati, C. (1987) *Las cosas nuestras de cada día*, Editorial Círculo de Lectores. www.tinet.cat) [último acceso septiembre de 2009]

Vocabulario

patricio   ciudadano romano

caldear   calentar, normalmente un espacio

sudación   exudación, expulsión leve de líquido por poros o grietas

idóneo   adecuado, perfecto para un fin

- ¿Qué es exactamente un "hipocausto"? Investiga la etimología de esta palabra.

- En tu opinión, ¿son muy diferentes estas invenciones de las que usamos hoy en día?

La necesidad de transportar y conservar los alimentos fue la que dio origen a uno de los inventos más relevantes del siglo pasado: la nevera. Sin las cámaras frigoríficas, muchos alimentos no estarían disponibles en algunos países, y nuestro consumo de carne y fruta fresca se vería limitado severamente. El texto siguiente analiza la historia de este invento y sus peculiaridades técnicas.

El invento del siglo: la nevera

Con la refrigeración de alimentos se enriqueció nuestra dieta y se contribuyó a mejorar la nutrición en el mundo

Siempre se supo que el frío conservaba los alimentos; pero hasta la segunda mitad del siglo XIX no existieron pioneros del hielo artificial, a quienes acusaron de querer imitar al mismo Dios. La nevera no tiene un solo padre; desde Gorrie que inventó la refrigeración hasta Birdseye, que industrializó la comida congelada, pasando por Linde, fabricante de los primeros armarios fríos, muchos abrieron la vía de esta nueva forma de conservar.

La revolución fría

Desde hace mucho tiempo – hay datos de un almacén de hielo en la China del siglo XI a.C. – la refrigeración fue un método para conservar alimentos. Tenía la ventaja de que no alteraba sus cualidades, como sí lo hacían la salazón♦, el secado, el ahumado o las conservas envasadas. Durante la primera mitad del siglo XIX, la demanda de hielo llegó a ser tal que se cortaban bloques de ríos y lagos congelados para exportarlos a países cálidos. Los bloques de hielo se distribuían luego en trozos de tamaño manejable, que podían almacenarse entre capas de serrín o paja. Este comercio continuó hasta que se impuso el hielo artificial, en cuya fabricación fue pionero Jacob Perkins, inventor que en 1834 patentó el uso del éter como fluido refrigerante, aunque su máquina de fabricar hielo no tuviera éxito en Inglaterra porque todavía era más barato traer los bloques naturales remolcados◆ desde Noruega.

En 1844 el oficial médico americano John Gorrie puso en marcha una máquina que se basaba en el hecho de que el aire se calienta al comprimirse y se enfría en su expansión. Tenía como un bombín◆ de bicicleta, un serpentín◆ con agua salada y una bandeja con agua que iba perdiendo calor hasta congelarse. Gorrie quería suministrar hielo y aire frío al hospital donde trabajaba en Florida, para aliviar a sus enfermos de malaria, pero su idea mereció la crítica sarcástica del New York Times, que le dedicó un editorial calificándole de estúpido por pensar que podría hacer hielo "mejor que Dios Todopoderoso". La verdad es que aquella máquina, que patentó en 1851, no le proporcionó dinero alguno.

Otros, en la misma época, tendrían también sus logros, como el escocés James Harrison, el americano Alexander C. Twinning y el francés Ferdinand Carré. Con aquellas primeras máquinas se fabricaban barras de hielo, se congelaba carne o se conseguía la elaboración de cerveza en verano. Pero la aparición de neveras en los hogares hubo de esperar al nuevo siglo.

El primero en trabajar en ello fue el ingeniero bávaro Karl von Linde, que ya en 1871 había adaptado un sistema de refrigeración industrial a la cervecería Spaten de Munich, para poder fabricar cerveza *lager* en verano. El problema de no refrigerar es que, en tiempo cálido, tiene lugar una fermentación oxigenada con la levadura en la parte superior, propia de la cerveza inglesa tipo *ale*, mientras que para obtener la cerveza *lager* – que es la

preferida de los alemanes – se necesita realizar la llamada fermentación baja, que tiene lugar en el fondo y exige temperaturas entre 4 y 10 grados Celsius. Tras su éxito, Linde fabricó neveras que utilizaban éter metílico y luego amoniaco como refrigerante y por fin adaptó el sistema a un modelo doméstico pequeño, que se vendió en Alemania y Estados Unidos hasta 1892.

A comienzos de siglo empezó a haber armarios refrigerados en las industrias, y luego también en las casas muy grandes, que tenían espacio para aquellas máquinas. La primera nevera eléctrica de uso doméstico fue la Domelre (un nombre poco imaginativo, que venía de *Domestic Electric Refrigerator*), comercializada en Chicago en 1913. No obstante, el primer éxito comercial fue el de Kelvinator en 1918, al que siguió Frigidaire, empresa filial de General Motors, al año siguiente. La primera nevera europea fue la sueca Electrolux, un modelo con mueble de lujoso acabado en roble oscuro, dotada con bandejas para cubitos de hielo que se podían añadir a los *cocktails*, que estaban comenzando a causar furor. Se trataba de un aparato silencioso y funcional, cuya producción en serie empezó a realizarse en 1931.

Para las familias españolas quizás la historia de la nevera comience en junio de 1952, cuando se suprimieron las cartillas de racionamiento◆ y, guardando cola, ya podía comprarse carne congelada argentina. A los armarios nevera, en los que todos los días había que reponer el hielo en barra que traía un repartidor de la fábrica, los sustituyeron los frigoríficos. Los cambios que de entonces a hoy han tenido lugar en nuestra dieta dependen en gran medida de estas neveras eléctricas.

El protagonista es un fluido

Las neveras son aparatos que toman calor de un lugar (el interior) para desprenderlo en otro (el exterior). Lo que permite esta transferencia de calor es el fluido refrigerante, que puede ser un líquido volátil que al evaporarse absorbe calor. Desde 1930 se comenzaron a utilizar los CFC, que tenían la ventaja sobre el amoniaco o el éter de no ser tóxicos ni inflamables. Un ejemplo es el CCl2F2 o Freón-12. El descubrimiento posterior de que su presencia en la atmósfera afectaba a la capa de ozono llevó a su prohibición.

Ese fluido ha de moverse, en circuito cerrado, por los tres componentes de la nevera: el compresor, el condensador y el evaporador. Los dos primeros están en la parte exterior del mueble. El fluido entra, como gas a baja presión y temperatura ambiente, en el compresor, donde se lo reduce de volumen, y este proceso hace que se caliente. Luego pasa al condensador en forma de serpentín, donde libera calor al aire de la habitación y se licúa. Este líquido, que está a presión pero a temperatura ambiente, se hace pasar por un estrechamiento para entrar en el evaporador, que es otro tubo en serpentín en contacto con el compartimento destinado a los alimentos. Al atravesar ese estrechamiento y disminuir la presión, el fluido se evapora y expande, absorbiendo calor. El aire y los alimentos que hay en la nevera se enfrían al ceder ese calor al fluido, que luego sigue circulando para pasar al compresor y comenzar un nuevo ciclo.

El arte del congelado

La refrigeración de los alimentos tiene por objeto retardar o impedir el proceso de descomposición por microorganismos (bacterias y hongos). Existen antecedentes de haber intentado la congelación que se remontan al filósofo Francis Bacon (1626) y testimonios de haber conseguido, hacia 1861, congelar artificialmente carne en Australia, así como pescado y aves en Maine (Estados Unidos).

El francés Charles Tellier ganó en 1877 un concurso internacional por llevar carne de América a Europa en su *frigorifique*, a bordo del *Paraguay*, que era un barco de vapor y que tardó 105 días en cubrir 12.000 kilómetros entre Argentina y Francia. Llevó 10 vacas, 12 ovejas y 2 terneros refrigerados por aire seco a cero grados. Cuando surgieron los primeros síntomas de que los países europeos no serían capaces de autoabastecerse◆, en 1880, se llevó carne de Australia a Londres, utilizando refrigeración mecánica, en un barco de vapor que llegó con sus 30 toneladas de carga en perfectas condiciones; hasta la familia real probó la carne importada. En 1891 ya habían salido de Nueva Zelanda más de un millón de corderos congelados.

La venta de alimentos congelados fue idea de Clarence Birdseye, un joven que había pasado 5 años como comerciante de pieles en Labrador (Canadá), donde vio cómo el pescado se congelaba tan pronto como los nativos lo sacaban del agua, por efecto del frío y el viento gélido. También pudo comprobar que aquel pescado podía comerse meses después, y conservaba el sabor y la textura de cuando estaba fresco.

Birdseye advirtió que el secreto consistía en realizar la congelación de manera rápida, para que no se formasen grandes cristales de hielo en el interior de los alimentos, lo que hacía romper las paredes celulares. Tardó 8 años en perfeccionar el proceso antes de comercializar los productos, empresa que comenzó con guisantes, en 1924. Los envasaba en cajitas de cartón encerado, que luego se congelaban con una ligera presión entre dos superficies planas refrigeradas.

Un paquete de 6 centímetros de grosor estaba listo en 90 minutos. Aunque la técnica era conceptualmente simple, el éxito dependía de multitud de pequeños detalles, que llevaron a Clarence Birdseye a registrar hasta 168 patentes. Más adelante aprendió que el escaldado◆ de los vegetales antes de la congelación detenía la acción enzimática y mejoraba el sabor.

También hubo de persuadir a los minoristas◆ de que adquiriesen o alquilasen aparatos para almacenar sus congelados, y convencer al mercado de que aquel tipo de alimentación no era de segunda calidad. Progresó y, tras diversas vicisitudes económicas, creó una línea de comidas congeladas en 1939. Pasada la Segunda Guerra Mundial inundaron el mercado americano una serie de alimentos precocinados, como pasteles de carne, gambas rebozadas, filetes de pescado o bollería.

¿Cuándo empezó el verdadero *boom* del consumo? En todo el mundo, los congelados comenzaron a significar calidades estándar y también mayor diversidad de productos. En los decenios siguientes se multiplicaron los platos preparados, así como las mezclas de vegetales, y los congelados llegaron a las cadenas de McDonald's, Burger King y similares. Por otro lado, el horno de microondas facilitó las tareas de descongelación, las familias urbanas ya no comían juntas, y se cenaba delante del televisor, lo que impulsó los nuevos envases de porciones individuales.

Luego aparecieron los congelados bajos en calorías y los platos de cocinas exóticas, así como los supermercados del frío. Algunos precios bajaron a límites casi incomprensibles. Los alimentos congelados han proporcionado al negocio de ultramarinos◆ y a la cocina simultáneamente variedad y uniformidad: en cada lugar hay más productos distintos, aunque éstos sean iguales en todas partes.

(*Muy Interesante*, no. 206, julio de 1998, pp.89–90)

Vocabulario

salazón   acción y efecto de curar o preservar con sal los alimentos

remolcados   arrastrados por tierra o agua por un barco o vehículo

bombín   bomba pequeña de comprimir aire, para hinchar las ruedas de la bicicleta

serpentín   tubo alargado y en espiral que sirve para enfriar o calentar el vapor o el líquido que va por él

cartillas de racionamiento   cuaderno personal o familiar que, en tiempos de escasez o crisis, permite a las autoridades controlar o distribuir los productos comerciales entre la población

autoabastecerse   proporcionar lo necesario para uno mismo

escaldado   inmersión en agua hirviendo

minoristas   comerciantes que se dedican al comercio al por menor, es decir en pequeñas cantidades

negocio de ultramarinos   tienda de comestibles

- ¿Qué cambios esenciales representó el invento de la nevera para la vida diaria?

- Piensa en uno de los inventos más importantes de los últimos cien años. Explica por qué te parece tan importante, e intenta imaginar cómo sería la vida sin él.

Tema 16 Científicos de hoy y mañana

A continuación examinaremos la situación de la investigación y la formación científica en la sociedad actual, prestando especial atención al mundo hispanohablante. Para comenzar, haremos un breve repaso de las inversiones en política científica de estos países (4.13 y 4.14) y trataremos el problema de la "fuga de cerebros" (4.15); así como de un fenómeno reciente: la falta de interés de los jóvenes por las carreras de ciencias (4.16).

4.13

¿Hacia dónde va la investigación en España?

Al hacer un poco de historia sobre el devenir◆ científico de España nos topamos◆ con una gran discontinuidad: etapas de esplendor que conviven con otras de crisis. La gran etapa científica en España se produce a finales del siglo XIX y principios del XX cuya culminación es la concesión del Premio Nobel a Santiago Ramón y Cajal (en 1906), eminente científico que descubrió la conexión neuronal. Posteriormente, en los años 30, la ciencia experimenta una ralentización. Poco después se crean las más importantes instituciones científicas españolas: el CSIC (Consejo Superior de Investigaciones Científicas) y el INTA (Instituto Nacional de Tecnología Aeroespacial).

Con su adhesión a la Unión Europea en 1986, España se incorpora a los denominados programas marco de I+D.

Desde este momento y hasta la actualidad, se puede observar un aumento de la inversión en investigación que ha pasado del 0,37 por ciento del PIB (Producto Interior Bruto) en 1978 al 1,07 por ciento en 2004. Aún así, si comparamos estos datos con los de otros países, España no goza de una situación boyante◆ a nivel mundial, tanto en el número de investigadores como en el gasto en I+D. Si a ello sumamos la situación precaria en la que se encuentran algunos investigadores, sobre todo jóvenes, y sus dificultades para desarrollar una carrera, vemos como algo habitual la fuga de cerebros hacia otros países más productivos.

(Informe del Portal para Universitarios "Universia", http://investigacion.universia.es) [último acceso septiembre de 2009]

Vocabulario

devenir   cambio, transformación

toparse   encontrarse casualmente con algo

boyante   que se encuentra en una situación próspera o afortunada

4.14

La ciencia latinoamericana crece, pero con retos

México y Chile entre los países que más han apoyado el desarrollo científico y tecnológico.

América Latina es la región del mundo donde más ha crecido en los últimos años la inversión en sus áreas de ciencia y tecnología, pero todavía enfrenta grandes retos para alcanzar a los gigantes industrializados, destacó el presidente de la red Iberoamericana de Indicadores de Ciencia y Tecnología (RICYT), Mario Albornoz.

Entre los países que aumentaron considerablemente las inversiones, destacó, se encuentran México y Chile. En cambio "el único país que disminuyó sus tasas de inversión en los últimos dos años fue Argentina, eso en gran parte debido a la depreciación◆ del cambio, aunque la situación comenzó a cambiar recientemente".

"La ciencia en América Latina ha mejorado mucho… Cuando se observan los indicadores de los últimos diez años, se puede ver que fue en América Latina donde más creció la inversión en ciencia y tecnología entre todas las regiones del mundo. Claro, que cuando se comienza desde muy abajo, es más fácil crecer", declaró el argentino Albornoz.

En la región, el más destacado es Brasil, "el único país de América Latina que está destinando cerca de uno por ciento del PIB a ciencia y tecnología. Ese comportamiento acabó arrastrando a otros países y generó una mejora en la región", dijo Albornoz a la agencia Brasileña de noticias de ciencia de la Fundación Brasileña de Amparo a la Investigación (FAPESP).

Según datos de la RICYT, en 2002 los gastos en ciencia y tecnología sumaron US$ 413 millones en Argentina (contra 1.290 tan solo un año antes) y US$ 2.628 millones en México; contra 6.791 millones de España, 13.830 de Canadá y US$ 276.434 millones de Estados Unidos. Los datos de Brasil son de 1999 y alcanzan casi 7 mil millones de dólares.

Además de la inversión, "la calidad de la producción científica en América Latina y el reconocimiento de eso en otras partes del mundo creció mucho. Hasta 1994 y 1995, Estados Unidos era el país que más aumentaba su presencia científica en bases de datos (y citaciones internacionales). Hoy, América Latina ya superó esa tasa (de crecimiento)", señaló.

Reconoció, sin embargo, que aún con ese crecimiento "estamos muy distantes" de países como Estados Unidos.

Consideró que uno de los retos importantes para la región es mejorar la vinculación◆ entre los centros de investigación, empresas y organizaciones, y que haya una transferencia efectiva del conocimiento a la sociedad.

(http://axxon.com.ar) [último acceso septiembre de 2009]

Vocabulario

depreciación   pérdida de valor

vinculación   unión, conexión

- Después de haber leído los textos, ¿cuál deduces que es el país del mundo que más invierte en ciencia y tecnología?

- ¿Por qué piensa el investigador argentino que para algunos países latinoamericanos "es más fácil crecer"? ¿A qué crees que se refiere?

Fuga de cerebros en Latinoamérica

Yolanda Valery

América Latina es la región que ha experimentado el mayor incremento en el número de personas calificadas que emigraron al mundo desarrollado en los últimos años, según un informe divulgado este miércoles por el Sistema Económico Latinoamericano y del Caribe (SELA).

Entre 1990 y 2007, la cifra de quienes abandonaron suelo latinoamericano con su título universitario bajo el brazo para instalarse en alguno de los países de la Organización para la Cooperación y el Desarrollo Económico (OCDE) creció un 155%.

Los nativos de esta parte del mundo representan el 19% del total de los recursos humanos calificados en la OCDE, de acuerdo al reporte♦ dado a conocer en la capital de Venezuela, Caracas, sede del SELA.

Algunos países de América Central y el Caribe perdieron hasta el 80% de sus profesionales, quienes lo abandonaron todo en busca de "visa para un sueño", como dice la canción.

En términos globales, unos cinco millones de médicos, ingenieros, arquitectos y otros profesionales latinoamericanos se habían embarcado en viaje de ida para el año 2007. Más del 80% de ellos había escogido como destino Estados Unidos.

Sin embargo, la mayoría de los emigrantes no encuentra la realización profesional en otras fronteras. De acuerdo con la investigación del SELA, más del 60% termina trabajando en empleos que no se corresponden con su formación.

Así, se convierten en protagonistas de una paradoja: sus habilidades y conocimientos se desperdician en el país de destino y se pierden – en muchos casos para siempre – para el país de origen, que en ocasiones se ve afectado por una escasez de técnicos y especialistas en áreas clave para su desarrollo.

[…]

Más pequeños, más emigración

La "exportación" de personal calificado entre 1990 y 2007 experimentó el mayor incremento porcentual en México (270%) y en Brasil (242%). Sin embargo, países como República Dominicana y Haití aportaron casi el mismo número absoluto de profesionales que el llamado "gigante del sur": algo más de 200.000 personas.

"Uno de los patrones característicos de migración calificada contemporánea es la presencia de tasas elevadas de emigración calificadas en países pequeños o con bajo nivel de diversificación productiva"♦, señaló el SELA.

[…]

"En América Central, la mayoría de los países tiene en el exterior entre la tercera y la cuarta parte de su población calificada (…) Los países de la región andina y los suramericanos son donde el fenómeno tiene menor incidencia; no obstante, algunos países como Colombia, Ecuador y Uruguay presentan tasas de alrededor del 10%", indica el informe.

Pero en términos absolutos, México va a la cabeza con cerca de 1.400.000 emigrantes altamente calificados para el año 2007, mientras que Cuba se sitúa en segundo lugar con alrededor de 400.000 profesionales.

Otro aspecto a destacar es una tendencia al crecimiento del componente femenino. El incremento fue del 127% en los años analizados, frente a 97% en el segmento masculino.

[…]

"El fenómeno de la globalización está permitiendo que haya un mayor desplazamiento de personas calificadas, y eso está ocurriendo a gran velocidad", señaló Rivera Banuet, el secretario del SELA.

Este proceso está alentado por las condiciones menos favorables que los latinoamericanos encuentran en sus países de origen, frente a la promesa de mejores condiciones en otras latitudes.

"De entrada nadie quiere irse; se van porque hay mejores oportunidades de trabajo. Y una vez que se han ido, es muy difícil que regresen", le dijo a BBC Mundo la directora de la región andina de la Organización Internacional de Migraciones (OIM), Pilar Norza.

Eso, explicó Norza, es en parte para evitar la sensación de fracaso.

Sin embargo, el informe nota también que quedó atrás la preocupación que en los años 60 y 70 llevara a países de la región a promover políticas para evitar la fuga de cerebros.

"Hay una comodidad de algunos países que piensan que, si bien pierden ese recurso humano, se le compensa con las divisas que reciben por la vía de las remesas", explicó Norza. No obstante, y aunque no hay cifras que lo avalen, existe la percepción de que el emigrante que manda más remesas◆ no es precisamente el más calificado, añadió.

[…]

(Valery, Y., *BBC Mundo* en su edición digital. Venezuela, 18.6.09, www.bbc.co.uk/mundo/america_latina) [último acceso 27.4.10]

Vocabulario

reporte   (en Latinoamérica) informe

diversificación productiva   posibilidad de variar o multiplicar la producción

remesa   envío regular (aquí, se refiere al envío de dinero de los emigrados a sus familias)

- ¿Cuáles son las principales razones de la fuga de cerebros? Elabora un esquema por puntos.

- El texto menciona que la tasa de "cerebros fugados" femeninos es mayor. ¿A qué piensas que se debe esta situación?

Los jóvenes ya no quieren hacer ciencia

Las carreras de Física, Química y Matemáticas han perdido un 30% de alumnos desde 1997. Los expertos alertan de una caída en la vocación investigadora.

La ciencia española se está quedando sin cartera◆. Desde hace años, las facultades que enseñan Biología, Física, Química o Matemáticas están sufriendo un éxodo constante hacia otros campos: las ciencias experimentales han perdido más de un 30% de alumnos desde 1997. Las más afectadas son Química, Matemáticas y Física, que se están desangrando hasta casi desaparecer de algunas universidades. Matemáticas ha perdido casi la mitad de alumnos desde 1998. En Química sólo algunas universidades consiguen cubrir la mitad de las plazas que ofertan. Física, una de las más afectadas, ha perdido un 50% de alumnos en 20 años, explica a *Público* María Josefa Yzuel, vicepresidenta de la Real Sociedad Española de Física. "Nos preocupa enormemente la falta de alumnos", comenta.

El fenómeno se repite en la mayoría de países desarrollados. Esta escasez de vocaciones dificultará el objetivo de la Unión Europea de aumentar el personal de I+D en los próximos años. También impactará en sectores de investigación que son claves para el progreso económico. "Los avances tecnológicos se basan en el desarrollo de las ciencias básicas", advierte Joan Ángel Padró, presidente de la Conferencia de Decanos de Física.

De seguir así, se repetirá en España el modelo de EE.UU., donde la falta de interés por la ciencia entre los jóvenes se suple con un creciente número de estudiantes e investigadores extranjeros.

Las pequeñas sufren más

Mientras las universidades grandes han conservado un número aceptable de alumnos, son las más pequeñas las que están al borde del colapso. En la Facultad de Ciencias de Ourense, éste podría ser el último año en el que se imparta el primer curso de Física. Según el decanato, este año se han matriculado ocho alumnos. En 2006 sólo hubo dos nuevas matrículas. La facultad, que depende de la Universidad de Vigo, quiere crear un nuevo título de ciencias ambientales que daría cabida a alumnos de Física, Química, Matemáticas y otras disciplinas. En situación similar están las universidades de Córdoba, Murcia y Extremadura, explica Padró.

El panorama es igual de desolador en Matemáticas y Química. Según los libros blancos◆ de la Agencia Nacional de Evaluación de la Calidad y Acreditación, en 2003, último año del que hay datos, sólo tres de las 27 universidades que imparten Matemáticas consiguió cubrir su cupo◆. Otros 10 centros no cubrieron el 50% de su oferta (11 facultades no tienen límite de plazas). En Química, sólo cinco de 37 centros consiguieron cubrir todas las plazas. Otros siete no alcanzaron el 50% de ocupación (11 sin límite de plazas).

"La caída ha sido brutal", comenta Ángel Caballero, director del Departamento de Posgrado del CSIC. El experto señala que, en los últimos años, para conseguir un buen becario que quiera dedicarse a la investigación hay que "cazarlo a lazo". Indica que los jóvenes no ven rentable◆ pasar años estudiando una carrera para acabar siendo "mileurista"◆ cuando pueden ganar más dinero en otras profesiones.

Un descenso constante

Estudiantes matriculados en Ciencias Experimentales

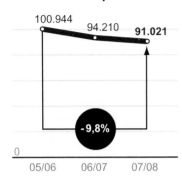

Estudiantes matriculados en Física

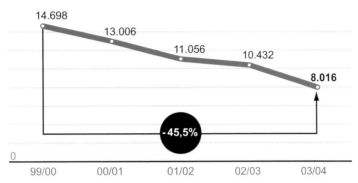

Física, Química y Matemáticas son carreras duras que requieren un gran esfuerzo. Sin embargo, muchos no ven en estas carreras una salida laboral tan clara como las ingenierías, a las que han huido muchos jóvenes que llegan a la universidad, explica Adelaida de la Calle, vicepresidenta de la Conferencia de Rectores de Universidades Españolas. Entre las ciencias experimentales, la única disciplina que mantiene el tipo es la Biología. "Es algo para preocuparse a todos los niveles", señala.

El fenómeno se repite en casi todos los países desarrollados, que desde finales de los 90 del siglo pasado, han experimentado una reducción drástica del número de alumnos en las carreras más duras. Según la OCDE, el número de estudiantes de Física y Matemáticas entre 1995 y 2003 se ha reducido a la mitad en algunos países, mientras el de las Ingenierías y la Biología se ha mantenido.

Esta falta de vocaciones "ya está impactando en la I+D", opina Joan Guinovart, presidente de la Confederación de Sociedades Científicas de España. No supondrá que haya menos investigadores

en ciertas áreas, sino que éstos vendrán de países en los que la Física, la Química y las Matemáticas siguen siendo populares, como India o China, comenta.

Una de las razones de fondo de este fenómeno es que la ciencia no se vende bien. "Los científicos hemos fracasado porque hemos dejado que se piense que la ciencia es algo aburrido y metódico", explica Guinovart. "Hemos perdido la capacidad de fascinar". La solución pasa por una amplia campaña de promoción en la que deben participar todas las autoridades, opina de la Calle. Cada vez más programas intentan popularizar la ciencia con jornadas de puertas abiertas entre los jóvenes, y una de las prioridades del Gobierno en la nueva Ley de la Ciencia es, precisamente, la modificación de la carrera investigadora, aunque la normativa aun no ha pasado de simple borrador. "Probablemente no estamos haciendo lo suficiente", concluye Reyes Jiménez, presidente de la Conferencia de Decanos de Química.

(Domínguez, N., *Público*. Madrid, 9.9.09, www.publico.es/ciencias) [último acceso septiembre de 2009]

Vocabulario

quedarse sin cartera   (coloquial) perder algo valioso

libro blanco   documento oficial publicado por un gobierno o una organización internacional, a fin de servir de informe o guía sobre algún problema y cómo enfrentarse a él

cubrir un cupo   alcanzar una cantidad predeterminada

rentable   que aporta provecho o beneficios

mileurista   joven con estudios universitarios que no cobra más de mil euros

- En opinión del autor, ¿es la tendencia española un caso aislado?

- En el texto se menciona el término "mileurista", del que hablaremos en la Unidad 5 (texto 5.1). De acuerdo con el autor, ¿por qué están relacionados el "mileurismo" y el menor interés por las ciencias?

Actividad de lectura

En esta sesión vas a estudiar las características de un tipo de texto expositivo, el libro de texto, y vas a leer algunos ejemplos de este género.

Los libros de texto tienen como función la de presentar información y explicar conceptos nuevos a los/las estudiantes. Suelen compartir las siguientes características, que también se usan en otros textos expositivos o explicativos, cuya función es la de explicar conceptos o información de manera clara y sencilla.

1   Lee las **características del libro de texto** que aparecen a continuación:

Organización: se utilizan títulos y subtítulos para dividir las diferentes partes del texto, y a veces se numeran los encabezamientos. Se usan también a menudo diagramas e ilustraciones para exponer la información de manera más clara y para motivar al/a la estudiante.

Recursos lingüísticos: este tipo de texto presenta los hechos de manera objetiva, sin ningún elemento de opinión ni valoración. También se suelen utilizar los siguientes recursos:

- numerosos conectores lógicos;

- predominio del presente o futuro del indicativo, y de las formas verbales no personales o impersonales;

- precisión léxica: el vocabulario empleado es menos técnico que el que se usa en textos especializados de la misma disciplina; cuando se introduce un nuevo término, se explica y se define.

- uso de ejemplificaciones.

Fíjate

Al leer un texto es importante entender cuál es el propósito de su autor o autora. Para ello, fíjate en los siguientes elementos del texto:

- su estructura;

- su organización (uso de distintos tipos de letra, uso de números o letras para enumerar hechos, uso de títulos y subtítulos, uso de diagramas e ilustraciones, etc.);

- los recursos lingüísticos utilizados.

La estructura de un texto depende en parte de su propósito: un texto que da instrucciones (como una receta de cocina, por ejemplo), está dividido en partes que corresponden a las distintas secuencias y que indican el desarrollo del proceso (Primero..., luego..., por fin...); un texto argumentativo, cuya función es la de demostrar o refutar una tesis, parte de una premisa, presenta una serie de argumentos, y llega a una conclusión.

El propósito del texto también influye sobre su organización: por ejemplo, en un texto que da instrucciones (como un manual técnico) es importante que la información esté claramente señalada a través de títulos y subtítulos, que los pasos se identifiquen con precisión (con números, etc.), y que se usen diagramas o ilustraciones para ayudar a la persona que utiliza el texto.

Los recursos lingüísticos de un texto dependen igualmente de la función de éste. Por ejemplo, un texto expositivo (libro de texto, enciclopedia o artículo de divulgación), cuyo objetivo es el de presentar información nueva y explicar nuevos temas, utiliza recursos lingüísticos distintos de los que se utilizarían en un texto literario.

2   Ahora mira nuevamente el texto *Los modelos del universo* (texto 4.4). Léelo muy por encima fijándote en su estructura, su organización, y los recursos lingüísticos utilizados y decide cuál es su propósito. No emplees más de 3 ó 4 minutos en leer el texto.

Actividad de escritura

En esta sesión de escritura aprenderás los rasgos que caracterizan el texto de divulgación científica. También tendrás la oportunidad de practicar cómo escribir un texto de este tipo. Para el análisis de estos textos te vas a fijar en la forma y en el contenido, en los recursos que utilizan y en la manera en que presentan la información.

Observa y aprende

En esta sección vas a estudiar las funciones y características de los textos de divulgación científica.

Para empezar, vas a reflexionar sobre las diferencias entre el texto literario y el texto científico.

1   Agrupa los siguientes recursos en las categorías propuestas según dónde creas que es más habitual encontrarlas. ¿Qué conclusiones sacas?

     Metáforas

     Enumeraciones

     ## Vocabulario especializado

     Preguntas retóricas

     Abundancia de adjetivos

     Datos bibliográficos

     Exclamaciones

     Vocabulario coloquial

     ### *Anécdotas*

Texto literario	Texto científico

2   Lee los siguientes fragmentos y adscríbelos a un determinado tipo de texto, científico especializado o de divulgación científica. Razona tu respuesta.

(a)   La prueba de que la expansión del universo es uniforme y no caótica viene dada por un fondo de radiaciones de microondas que percibimos procedentes del espacio exterior. Se puede observar realmente esta radiación sintonizando el televisor en un canal vacío. Un pequeño porcentaje de "copos" que aparecen en la pantalla se debe a microondas que llegan desde fuera del sistema solar. Es la misma clase de radiación que produce un horno de microondas, pero mucho más débil. Solo calentaría un plato a 2,7 grados, así que no le serviría para calentar la pizza que haya comprado en la tienda.

(b)   Todas las partículas elementales (pe) son objetos de masa y dimensiones extremadamente pequeñas. La mayor parte de las partículas tienen masas del orden de la del protón, igual a $1,6 \times 10^{-24}$ g. Las dimensiones del protón, pión y otros hadrones son del orden de 10^{-13} cm. Y la del electrón y el muón no se han determinado.

¡Fíjate!

El texto de divulgación científica va dirigido al público no especializado y aparece en revistas y periódicos. Este tipo de texto pretende hacer la ciencia más accesible utilizando un estilo popular y atractivo a caballo entre el texto literario y el científico. Así, es frecuente el uso de adjetivos valorativos, comparaciones, preguntas retóricas, acotaciones, citas y anécdotas para atraer la atención del lector o la lectora.

Ahora vas a analizar diversos tipos de textos de divulgación.

3   Estos son títulos de diferentes artículos: ¿qué características comunes tienen?

Así nace una galaxia

La energía de fusión no está a punto

La guerra de los microchips

La revolución fría

Microbios buenos

"¿Estamos solos en el universo?"

4   Lee por encima el texto "El invento del siglo: la nevera" (texto 4.12) y piensa en otros posibles títulos.

5   Lee ahora más detenidamente el texto y contesta las siguientes preguntas:

(a)   ¿En qué se basaba la primera máquina de refrigerar?

(b)   ¿Cuáles fueron los pasos importantes en la historia de la nevera hasta nuestros días?

(c)   ¿Cuándo se empezaron a congelar los alimentos?

6   Ahora reflexiona sobre la estructura del texto:

(a)   ¿Qué función tienen normalmente en un texto la introducción y la conclusión?

(b)   ¿Te parece que en este texto la introducción y la conclusión tienen una relevancia especial, como ocurre en los textos científicos?

Cuando escribas un texto de divulgación deberás reflexionar sobre cómo presentar la información a los lectores. Para captar la atención de los lectores es mejor escribir párrafos cortos y claros ordenando la información de lo más familiar a lo más especializado. También necesitas poner especial atención al título, que debe ser atractivo y corto.

7   A continuación analizarás el estilo del texto en detalle. En primer lugar vas a analizar el estilo de estos textos de divulgación. El texto "El invento del siglo: la nevera" fue publicado en una revista de divulgación científica. Observa que hay frases coloquiales, preguntas, comparaciones, adjetivos y opiniones. Identifica algunas de estas palabras o fragmentos en el texto y clasifícalas en las siguientes categorías.

Frases de opinión personal / anécdotas:	
Ejemplos / comparaciones:	"… hasta la familia real probó la carne importada…"
Preguntas retóricas:	
Coloquialismos:	
Acotaciones o citas no bibliográficas:	

8   Ahora contesta estas preguntas:

   (a) ¿Qué tono le dan al texto estos recursos?

   (b) ¿Son estas expresiones esenciales para comprender el texto?

   (c) ¿Qué función tienen?

9   En un texto divulgativo no se expresan las teorías de una manera categórica. La información se presenta con dudas, diferentes opiniones y controversias. Ve otra vez al texto e intenta encontrar algunas expresiones que lo muestren.

10   Anota otras expresiones que pueden encontrarse en un texto divulgativo para expresar controversia o duda.

Ejemplo

Se cree que…

> Además de utilizar recursos que hacen el texto más ameno e informal, se puede también hacer uso de verbos y expresiones impersonales para presentar datos de manera más objetiva.

11   Comprueba todo lo que has aprendido en esta sesión sobre los textos divulgativos, respondiendo al siguiente test:

   (a) ¿Cómo debe ser el título?

      (i)   corto y atractivo

      (ii)   largo y complejo

      (iii) técnicamente correcto

   (b) ¿Cómo son los párrafos?

      (i)   largos y complejos

      (ii)   cortos y claros

      (iii) largos y claros

   (c) ¿Cómo son la introducción y la conclusión?

      (i)   no tiene especial relevancia

      (ii)   bien delimitadas y con una función fundamental en el texto

      (iii) son las dos partes más importantes del texto

   (d) ¿Cuáles de estos recursos retóricos se utilizan?

      (i)   adjetivos valorativos

      (ii)   comparaciones

      (iii) enumeraciones

      (iv)   datos bibliográficos

      (v)   definiciones técnicas

      (vi)   preguntas retóricas

      (vii) estilo impersonal

      (viii) citas

   (e) ¿Cómo está distribuida la información?

      (i)   de forma casual

      (ii)   de más familiar a más especializada

      (iii) de más especializada a más familiar

Ahora tú

En esta sesión tendrás la oportunidad de poner en práctica lo que has aprendido sobre los textos divulgativos escribiendo uno sobre el descubrimiento de un planeta semejante a la Tierra.

Primera fase: preparación de las ideas

En esta sección recopilarás información para tu trabajo.

12 Observa las siguientes fotos aparecidas en una revista divulgativa. ¿Qué te sugieren?

Planeta Tierra

Planeta Edén

13 Como preparativo para tu escrito lee los datos sobre el nuevo planeta:

Localización del planeta:	cerca de la estrella 47 en la Osa Mayor
Quién lo ha localizado:	Astrónomos de la NASA
Nombre del planeta:	Edén
Otros datos:	Se han detectado signos de oxígeno en el planeta
Especulaciones sobre el descubrimiento:	¿Hay o no hay vida en el planeta? Si hay vida, ¿de qué tipo? ¿Qué puede implicar para nosotros?

14 Lee ahora la opinión de algunos científicos implicados en el proyecto y explica cómo crees que ha sido la reacción de la comunidad científica y el público en general ante el descubrimiento: ¿de alarma, sorpresa, nerviosismo, alegría, interés?

Astrónomo de ESA, Ernesto Darwin: "El oxígeno es un gas inestable que necesita reponerse constantemente. La presencia de oxígeno solo tiene una explicación plausible: vida".

Un biólogo: "Es el sueño de cualquier biólogo: otra biología para estudiar".

Un astrónomo: "Si fuera un tipo de vida avanzada ya hubiéramos tenido signos de ello".

Un astrónomo: "Es una puerta abierta a la investigación".

Segunda fase: elaboración del texto

¡Ahora te toca ponerte a escribir!

15 Redacta ahora un artículo de unas 220–250 palabras que contenga los siguientes puntos:

- Una descripción del descubrimiento (incluye las preguntas: qué, quién y cómo).

- Reacción de científicos/as y público.

- Especulaciones que se han hecho a partir del mismo.

Añade alguna cita de algún personaje científico donde lo consideres adecuado.

Añade algún ejemplo, comparación o broma.

16 Ahora, busca un título que te parezca atractivo y que despierte interés.

Tercera fase: autoevaluación

Ahora que has redactado tu artículo, lo volverás a leer con ojos críticos.

En esta actividad tienes la oportunidad de evaluar tu propio texto.

17 Lee el artículo que acabas de escribir y evalúalo utilizando los siguientes criterios.

- ¿Te parece que el texto es fácil de entender?

- ¿Son los párrafos cortos y claros?, ¿desarrolla cada uno una idea?

- ¿Has utilizado alguno de los siguientes recursos lingüísticos: comparaciones, metáforas, ejemplos, preguntas retóricas, expresiones coloquiales, citas, adjetivos calificativos?

- ¿Crees que el título despierta interés?

18 Ahora repasa la gramática:

- Asegúrate de que los tiempos verbales son los adecuados.

- Repasa la concordancia entre sustantivo y adjetivo, género y número.

Unidad 5

Mercados

157

Las tendencias económicas son un factor decisivo que no debemos dejar de lado si queremos conocer en profundidad la realidad social de un territorio. En esta unidad exploraremos la situación laboral, comercial y empresarial de España y Latinoamérica, sin olvidar las voces críticas de aquellos que proponen sistemas alternativos.

En primer lugar, descubriremos las conexiones entre costumbres laborales y tendencias demográficas, investigando la situación de los jóvenes y de la mujer trabajadora a ambos lados del Atlántico.

Más adelante pasaremos revista al mundo de la empresa, deteniéndonos en casos relevantes del mundo hispano. Asimismo, escucharemos las experiencias en primera persona de un emprendedor que decidió montar su propio negocio y que da consejos prácticos a aquellos que quieran seguir sus pasos. No todos, sin embargo, ansían una vida de éxito empresarial: existen posiciones contrarias al sistema de comercio actual, y algunas asociaciones plantean métodos de intercambio alternativos para acabar con el culto al dinero, y formas de comercio internacional alternativo como el comercio justo.

La internacionalización del comercio ha favorecido que muchos países establezcan acuerdos internacionales a fin de fomentar los intercambios. La OEA y el Mercosur son dos de las organizaciones más importantes en Latinoamérica, a cuya historia y características dedicaremos una sección. Tampoco debemos pasar por alto las relaciones económicas de estos países con España, país con el que siempre han mantenido una próspera cooperación.

Por último, leeremos opiniones diferentes sobre la globalización, prestando especial atención a Latinoamérica, y nos detendremos en el fenómeno de las multinacionales.

Tema 17 El mercado laboral

En el mercado de trabajo, la experiencia y la cualificación académica suelen ser garantía de éxito a la hora de buscar empleo. No obstante, las particularidades demográficas de la población española desmienten que esa ecuación siempre funcione. Como veremos en el texto siguiente, la juventud española vive una situación diferente a la de otros países europeos.

5.1

La generación de los mil euros

RETRATO DE UNOS JÓVENES HIPERCUALIFICADOS, QUE PASARON POR LA UNIVERSIDAD, PERO ESTÁN CONDENADOS A VIVIR CON SUELDOS PRECARIOS

ANTONIO JIMÉNEZ BARCA

Pertenecen a la generación más preparada de la historia de España. Rondan la treintena♦, son universitarios y saben idiomas. Pero los bajos sueldos, la sobreabundancia de titulados y los cambios sociales les han impedido llegar a donde pensaban llegar. Comparten piso; no tienen coche, ni casa, ni hijos y ya se han dado cuenta de que el futuro no estaba donde creían.

A mediados de agosto llegó una carta a este periódico que anunciaba la aparición de una nueva clase social. Se titulaba "Soy mileurista" y decía, entre otras cosas, lo siguiente: "El mileurista es aquel joven licenciado, con idiomas, posgrados, másters y cursillos (…) que no gana más de 1.000 euros. Gasta más de un tercio de su sueldo en alquiler, porque le gusta la ciudad. No ahorra, no tiene casa, no tiene coche, no tiene hijos, vive al día… A veces es divertido, pero ya cansa (…)". La autora, Carolina Alguacil, de 27 años, reside en el centro de Barcelona y trabaja en una agencia de publicidad. Inventó el

término – y decidió escribir la carta – después de pasar unos días en Alemania y comparar, con un sentimiento a medio camino entre la rabia y la envidia, cómo vivían sus amigos berlineses y cómo vivían ella y sus amigos españoles.

Carolina comparte su casa con otras tres chicas de 25, 29 y 29 años. Ninguna gana lo suficiente como para alquilarse un apartamento. Pagan 360 por cabeza y conforman una extraña familia unida cuyos miembros hace un año no se conocían de nada. "Toda la gente con la que voy es así", añade Carolina, "tengo una amiga que trabaja en una editorial de Madrid por 1.000 euros; mi hermano es ingeniero en Andalucía y lo mismo, mi cuñada es licenciada en Medio Ambiente y también. Todos estamos igual, y no es que vivamos mal, porque para algunos somos unos privilegiados, pero no es lo que esperábamos".

Un reciente informe de la Unión Europea, el Eurydice, le da la razón: sólo el 40% de los universitarios tiene en España un trabajo acorde con su nivel de estudios, y la tasa de paro entre los titulados de 25 y 34 años es del 11,5%, una de las más altas de Europa, que se sitúa en un 6,5%.

A pesar de esto, y de lo que piensa Carolina, no es un fenómeno exclusivo de España. El sociólogo francés y profesor de ciencias políticas Louis Chauvel aseguraba en el *Nouvel Observateur* que los pobres del siglo XIX y principios del XX

(Viñeta del humorista español Forges,
www.forges.com, 29.8.09)

(los obreros sin cualificación, los agricultores o los ancianos) pertenecen a una sociedad que desaparece. "Y los nuevos pobres de hoy en día son los jóvenes", añadía.

Los nacidos entre 1965 y 1980, esto es, los españoles que, en un extremo de la horquilla, van dejando atrás la juventud, como Carolina y sus compañeras, y en el otro comienzan a apropiarse del poder, disfrutaron de una niñez dorada, de unos padres abnegados♦ y responsables y de un país moderno y optimista que navegaba viento del desarrollismo en popa. Sortearon dos crisis económicas (la del 74 y la del 92), pero nadie dudó por entonces de que esa generación, la más preparada de la historia de España, la más numerosa, la del baby boom, no fuera a vivir mejor que la precedente, que todas las precedentes.

[…]

Belén Bañeres tiene 37 años, vive en Madrid y la sensación "de ir llegando tarde a todo". Estudió psicología y no hizo oposiciones al PIR♦ (el MIR♦ de los psicólogos) en un primer momento. Cuando quiso hacerlo, no hubo plaza. Lleva saltando de trabajo en trabajo más de 14 años. Jamás ha desempeñado un puesto acorde con los estudios que llevó a cabo. Jamás ha cobrado más de 1.000 euros brutos al mes. Sólo desde hace un año goza de un contrato indefinido como auxiliar administrativo. Desde entonces vive con su pareja (otro treintañero universitario con un sueldo de 1.000 euros) en un piso de alquiler. Ve casi imposible tener una casa propia. Ve muy difícil tener hijos. "Con la de horas que trabajamos los dos no podría cuidar ni de un perro", dice. Y después de haber resumido así su biografía, concluye: "Y también tengo la sensación de que me han robado la vida".

Un amigo de Belén que prefiere no dar su nombre, con un exclusivo máster a cuestas de informática aplicada a ciencias biológicas, trabajó durante casi un año de teleoperador en el 11888♦. "Y no era el único universitario: eso estaba lleno de gente preparadísima con carreras, idiomas y cursos de esto y de lo otro que, en un momento dado y si hacía falta, contestaba en alemán al que llamaba", cuenta.

Luis Garrido, catedrático de Sociología de la UNED♦, considera que una de las claves de este desánimo está en la sobreabundancia de universitarios. "Cuando yo, que nací en 1956, estudiaba, sólo el 10% de los jóvenes, la inmensa mayoría chicos, conseguía una licenciatura universitaria. Está claro que ese 10% copó los puestos de élite de esta generación, la del 68, que arrasó. Y que mis coetáneos vimos que estudiando en la Universidad se llegaba lejos y se lo transmitimos a nuestros hijos".

Garrido continúa: "A partir de los ochenta, el porcentaje de estudiantes universitarios se multiplicó, sobrepasando el 30% y sumando a las mujeres, que se incorporaron de forma masiva. Se produjo un vuelco educativo tremendo, incomparable a cualquier otro país europeo. Y no ha habido puestos buenos para todos. Por mucho que queramos, no hay. Y se ha creado un número indeterminado de jóvenes frustrados, con una larga trayectoria estudiantil, que no ha rendido, que no ha ganado lo suficiente…".♦

Como Belén o como su amigo el ex teleoperador, que no encontraron trabajo al salir de la Universidad. Ellos, y muchos otros, siguieron estudiando en un intento de sobresalir: un máster, un doctorado, más cursillos… y cada vez más años, más necesidades y más exigencias para un puesto de trabajo especializado y bien pagado que no aparece: un círculo vicioso que recuerda a los que trazan los ratones de laboratorio buscando desesperadamente inútiles salidas a laberintos trucados sin salida.

[…]

Los sociólogos coinciden en el carácter imprevisible de esta generación, en su marchamo◆ original, en su necesidad de ir rompiendo moldes y en la incertidumbre que les rodeará a lo largo de su vida. Tal vez porque han sido siempre muchos en un tiempo demasiado convulso. En los años sesenta y setenta nacían al año más de 650.000 niños. En 1997, sólo 366.000, según el Instituto Nacional de Estadística.

Así, cuando los ahora mileuristas estudiaron EGB◆ o BUP◆, cada aula contaba con 45 alumnos como mínimo. Cuando llegaron a la universidad, se la encontraron repleta, y muchos no pudieron estudiar lo que desearon como primera opción. Después, no ha habido trabajo cualificado para todos, y los expertos vaticinan un colapso en las pensiones a no ser que trabajen mucho más de los 65 años.

Sus padres crecieron deprisa y se cargaron de responsabilidades pronto. A la edad de Carolina, o Laura, sus padres ya habían comprado (o casi) una casa. Carolina sólo cuenta con la cama de su habitación, una mesa de estudio que duerme plegada en un rincón y un aparador rojo de diseño donde coloca sus libros.

Estos mismos padres mantuvieron una tasa de natalidad que rondaba la de tres hijos por mujer fértil. Pero precisamente estos hijos la hundieron, a finales de los noventa, hasta un 1,1, la más baja

del mundo. No porque no quieran, sino porque el reloj biológico no contiene años suficientes para alcanzar el estatus que, a su juicio, necesitan para reproducirse.

[…]

La aventura de irse de casa de los padres

El 30% de los jóvenes españoles con edades comprendidas entre los 30 y 35 años vive aún con sus padres; si la estadística se ocupa de los que tienen entre 25 y 29 años, entonces la cifra se eleva hasta el 63%. Y hasta el 95% si se trata de jóvenes entre los 18 y los 25 años. Son datos del Instituto de la Juventud e indican el escasísimo grado de emancipación de la sociedad española, impensable en países del norte de Europa o Estados Unidos.

(Jiménez Barca, A. *El País*, 23.10.05, www.elpais.com) [último acceso 27.4.10]

Vocabulario

rondar la treintena   tener alrededor de treinta años

abnegado   dispuesto a hacer sacrificios

PIR   Psicólogo Interno Residente, ver MIR

MIR   Médico Interno Residente, programa de formación para licenciados en medicina en España, previo a conseguir un título de especialista. A menudo el examen que deben pasar para conseguir una plaza es denominado examen del MIR

11888   teléfono de las páginas amarillas

UNED   Universidad Nacional de Educación a Distancia

marchamo   sello

EGB   Educación General Básica

BUP   Bachillerato Unificado Polivalente

i HAY RELOJES
MEDALLITAS
TÍTULO
UNIVERSITARIO
POR DÓ PESOÓO..!

(Viñeta del humorista argentino Erlich, www.elerlich.com, 2.7.09)

• De acuerdo con el texto, ¿qué influencia

tienen sobre el mercado de trabajo las tendencias demográficas del pasado?

- ¿Y cómo influirá la situación laboral actual, a su vez, en la demografía en el futuro?

Como hemos visto, las tendencias laborales y demográficas están estrechamente relacionadas entre sí. Esta relación puede llegar a tener implicaciones extraordinarias: a continuación examinaremos, a través de un artículo periodístico como la incorporación de la mujer al mercado de trabajo en décadas pasadas ha tenido un impacto notable sobre la natalidad, que en el caso español se encuentra entre las más bajas del mundo.

5.2

UN PAÍS DE HIJOS ÚNICOS

Luz Sánchez Mellado

LAS ESPAÑOLAS REVOLUCIONAN LA DEMOGRAFÍA CON LA NATALIDAD MÁS BAJA DEL MUNDO

Tenemos la tasa de fecundidad más baja del mundo. Cada española tiene 1,2 hijos de media. Mucho menos que los 2,1 necesarios para el relevo♦ de las generaciones. Un fenómeno inquietante cuyas consecuencias se sentirán en menos de 20 años. Éstas son sus claves.

Las españolas de entre 15 y 49 años han decidido tener 1,2 hijos cada una. Y cuanto más tarde, mejor.

[…]

En 15 años, la población española ha sufrido una convulsión inédita en la historia del país en tiempos de paz. Nunca antes habían nacido tan pocos niños y de madres tan mayores como ahora. Y nunca antes habían existido tal cantidad de viejos, en tan buenas condiciones de salud y con una expectativa de vida tan prolongada. Alrededor de 5,5 millones de españoles tienen más de 65 años. […]

El salto al vacío se produjo en la década de los 80. En nueve años (1980–89), un suspiro en el *tempo* demográfico, la fecundidad de las españolas pasó de una media de 2,2 hijos por mujer a sólo 1,37. Muy por debajo de los 2,1 vástagos♦ por mujer necesarios para garantizar el relevo de las generaciones y el mantenimiento de la población. En la ciudad de Madrid, por ejemplo, cada día mueren seis personas más de las que nacen. Las cuentas no salen, la población disminuye.

Y todo ello sin ninguna hecatombe por medio. Ni guerras, ni epidemias, ni hambrunas, tradicionales culpables de la bajada en picado♦ de la natalidad a través de la historia, han tenido nada que ver con esto. Ha sido, más bien, un asunto de mujeres.

[…] Son precisamente las chicas del *baby boom*, las que nacieron entre finales de los 50 y finales de los 60, las mismas que han decidido echar el freno y dar marcha atrás a la tasa de fecundidad nacional, quizá también por el famoso efecto péndulo o interpretación cíclica de la demografía.

Son la primera generación de españolas que ha accedido mayoritariamente a la educación media y superior. La primera que ha decidido, y podido, amortizar◆ esos estudios con una actividad laboral de largo plazo sin interrupciones definitivas para casarse y tener hijos. La primera que ha podido disponer con relativa facilidad de una batería de eficacísimos métodos anticonceptivos, desarrollados extraordinariamente hace sólo un par de décadas. […]

Marina Blancas […] está de dos meses◆. A sus 34 años, y sólo cuando ha conseguido que su contrato como administrativa de primera en una empresa de seguros tenga el marchamo◆ de indefinido, ha decidido ser madre. Un embarazo de alta precisión, calculado al milímetro para conseguir empalmar […] las 16 semanas del permiso de maternidad con el reglamentario mes de vacaciones y, a la vuelta al trabajo, con los tres meses de jornada intensiva del verano. De esta forma, Marina podrá cuidar de su hijo hasta que tenga ocho meses sin el desgarro emocional – "y económico" – de tener que dejarlo más de 10 horas diarias en una guardería◆ del barrio. Este plan, inconcebible por la generación anterior, es el que diseñan de antemano muchas de las mujeres trabajadoras que desean tener hijos. Primero, la estabilidad; luego, la descendencia. Coinciden en afirmarlo las representantes de dos sectores tradicionalmente en desacuerdo: patronal y sindicatos. […] "No se puede una plantear la maternidad antes de los 30, que es el tiempo que dedicas a los estudios, la especialización y la consolidación de tu empleo. Y no sólo por una mera cuestión económica, sino por un deseo de la mujer, nuevo y pujante, de alcanzar la promoción social", dice la responsable de los asuntos de Seguridad Social de la Confederación Española de Organizaciones Empresariales (CEOE). […]

Lo difícil no es ahora […] ser soltera y madre en la vida, sino más bien ser trabajadora y madre a la vez. Más allá del permiso remunerado por baja maternal◆ (16 semanas) y la posibilidad (aún reciente y poco explorada) de padres y madres de acogerse a la excedencia◆ para el cuidado de los hijos hasta que el niño tenga tres años, la percepción general es que un hijo significa un parón de consecuencias imprevisibles y una seria hipoteca sobre el futuro profesional de la madre. […]

Empresarios y sindicatos están de acuerdo en que la legislación laboral de la maternidad en España – 16 semanas de baja remunerada – está en un nivel medio-alto respecto a la media europea, excluidos los países nórdicos, que superan ampliamente al resto de la UE en duración y posibilidades de la baja parental. En Europa estos permisos oscilan entre las 13 semanas de Portugal y las 28 de Dinamarca. Sin embargo, mientras la responsable de Seguridad Social de la CEOE afirma que no dispone de datos que demuestren el incumplimiento o conflictos entre empresarios y empleadas embarazadas, María Jesús Vilches, de Comisiones Obreras, se atreve a afirmar que "la maternidad sigue pesando como una espada de Damocles en las mujeres trabajadoras".

[…] "Para muchos empresarios sigue funcionando el estereotipo de que un hombre con hijos será un trabajador más responsable y productivo, mientras que una mujer embarazada o con hijos va a faltar más, va a llegar tarde y no va a concentrarse en su trabajo". […]

Los expertos hablan de la "paternidad asimétrica". Mientras los hombres están educados desde siempre a priorizar su trabajo sobre el cuidado de los hijos, las mujeres no han tenido tiempo de asumir esta posibilidad, y si alguna lo intenta es a costa de arrastrar permanentemente un angustioso sentimiento de culpa.

(Sánchez Mellado, L., *El País Semanal*, 22.9.96, pp.30–8)

Vocabulario

relevo   sustitución

vástagos   hijos

bajada en picado   descenso muy rápido

amortizar   recuperar (el capital, esfuerzo, tiempo, etc., invertido)

estar de dos meses   está embarazada de dos meses

marchamo   sello

guardería   establecimiento educativo donde se cuidan niños

baja maternal   periodo en el que una mujer deja de trabajar para tener un bebé y ocuparse de él o de ella durante sus primeros meses de vida

acogerse a la excedencia   conseguir permiso para dejar el trabajo durante una temporada larga

- ¿Qué causas concretas se exponen como responsables de que las mujeres de la generación de los 60 hayan pospuesto la maternidad y reducido el número de hijos que tienen?

La situación laboral de las mujeres en las zonas rurales de Latinoamérica es radicalmente distinta. El texto siguiente explica cómo la situación económica de las comunidades indígenas de América Latina ha obligado a las mujeres a recurrir a la emigración como única solución a sus problemas de subsistencia.

MUJERES INDÍGENAS Y TRABAJO

"Huellas demográficas y de sus condiciones de vida"

Sandra Huenchuán Navarro

[...]. A nivel nacional, regional e internacional se reconoce que la situación de las mujeres indígenas y rurales es de alto riesgo. En América Latina las comunidades indígenas y sus familias enfrentadas a problemas de subsistencia han tenido que recurrir al último recurso que les permitía su sociedad: la movilidad geográfica de las mujeres indígenas del campo, que permite y avala♦ la salida de muchas de ellas de sus hogares con la obligación, por lo regular bien cumplida, de enviar su salario a la casa. Esta situación no es ajena al mundo indígena rural de la Araucanía. Al contrario, la alta migración femenina confirma la necesidad de intervenir en favor de las mujeres, puesto que de no mediar políticas dirigidas a mejorar sus condiciones de vida y posición, corren riesgos no sólo ellas sino también el bienestar de las futuras generaciones.

[...]

En Chile la población indígena alcanza al 8% del total nacional, con una distribución por sexo prácticamente similar: 49,5% mujeres y 50,5% hombres. [...] Desde un punto de vista cualitativo, en la región no existiría un único tipo humano de "mujer rural", sino que existe una gran diversidad dada por la estratificación social, sistemas productivos y grupos étnicos, en todos los cuales el aporte de las mujeres es significativo y se materializa de formas diferentes.

De acuerdo al nivel de estratificación, las mujeres de aquellos niveles más pobres participan más activamente en la satisfacción de necesidades del grupo familiar, presentándose como tendencia una mayor presencia femenina en los movimientos migratorios y un mayor porcentaje de mujeres en relación a los hombres en los centros urbanos, revelando una "expulsión de las mujeres de los sistemas agrarios" como parte de las estrategias de sobrevivencia de sus familias. En este tipo de migración se da como una característica casi permanente el que las mujeres indígenas se inserten al mercado laboral como "empleadas domésticas", debido a sus características educacionales como también a las garantías que ofrece este tipo de trabajo para sus familias.

En aquellas economías en que las mujeres representan un valor económico, por ejemplo a través de la generación de ingresos de la producción y venta de artesanía, es preferida la migración masculina. Es el caso de aquellas familias donde el varón migra temporalmente, dependen de un trabajo asalariado y donde las mujeres tienden a hacerse cargo de la producción de subsistencia como actividad secundaria.

En cuanto a los sistemas productivos en la región, aquellos categorizados como producción hortalicera, triguera, chacarera♦, ganado menor♦ y artesanía, las mujeres hacen aportes considerables, debido a su alta presencia en el cuidado y manejo de ganado menor, huerta, producción y comercialización de artesanía. También aportan en otros rubros♦, – tales como chacarería o producción triguera – inclusive en forma indirecta a través del pago de las deudas de insumos♦, semillas y otros.

A su vez en todos estos sistemas y niveles de estratificación el aporte de las mujeres es fundamental a través de su rol doméstico, función inestimada cuantificablemente, pero que ocupa más del 60% del tiempo de un día diario de las mujeres.

(http://www.xs4all.nl/~rehue/art/huen1.html) [último acceso 27.4.10]

Vocabulario

avala   garantiza

chacarera   de la chacra o chácara, pequeña granja o casa de campo

ganado menor   ovejas, cabras y otras reses pequeñas

rubros   títulos, apartados, secciones

insumos   bienes empleados en la producción de otros bienes

- ¿En qué estrato social se da mayoritariamente la emigración de las mujeres del medio rural?

- ¿Por qué son las mujeres y no los hombres las que emigran?

- ¿Cuándo se prefiere la emigración masculina a la femenina?

Tema 18 Comercio y empresa

El comercio entre países distantes entre sí y de niveles económicos diversos genera en ocasiones incoherencias entre la ganancia que obtienen los productores (a veces situados en regiones más desfavorecidas) y el precio final que paga el consumidor (del llamado Primer Mundo). Esta injusticia ha llamado la atención de algunas organizaciones, las cuales han propuesto una alternativa al comercio tradicional: el "comercio justo" que pretende fomentar la autonomía económica de los países en vías de desarrollo. El artículo que aparece a continuación explica en qué consiste esta iniciativa.

5.4

COMERCIO JUSTO, UNA VÍA CONTRA LA EXPLOTACIÓN

Conseguir la autonomía económica del Tercer Mundo y fomentar la economía local son los objetivos de esta actividad

Este tipo de comercio nació en 1959 en Holanda, cuando una Organización No Gubernamental decidió importar artesanía directamente, sin intermediarios y pagando un precio justo desde los países del Tercer Mundo. En 1964 Naciones Unidas celebró la primera Conferencia sobre Comercio y Desarrollo cuyo lema fue *Trade, not aid* (Comercio, no ayuda). Aunque el objetivo era el contrario, a los países ricos les cuesta menos destinar dinero a programas de desarrollo que abrir el mercado al Tercer Mundo para que éste llegue a una autonomía económica. Actualmente hay un gran número de tiendas por toda Europa donde no sólo se vende sino que se informa y sensibiliza sobre este problema.

Para que una transacción comercial sea considerada dentro de esta denominación tiene que cumplir varias condiciones. Los productores tienen que ser microempresas – por ejemplo, cooperativas – donde se trabaje en condiciones dignas, con sueldos justos, dentro de estructuras participativas. Además, no deben dedicarse exclusivamente a la exportación sino tender a la creación y fomento de la economía local. Por otra parte las organizaciones de comercio justo deben trabajar prioritariamente con países que atraviesen problemas, con grupos que sufran discriminación y con organizaciones involucradas en proyectos sociales pudiendo conocer el destino del beneficio de la producción. Los productos deben ser de calidad, procedentes de tecnologías blandas♦ y no perjudiciales para el medio ambiente. Todo el proceso deberá seguir una política de precios transparente. Por ello, el producto puede ser de un 10% a un 15% más caro que su equivalente convencional, pero será más justo.[…]

EL CEIBO, BOLIVIA

Según la leyenda, el ceibo es un árbol inmortal del bosque tropical. Es también una cooperativa del Alto Beni, una región de unas 250.000 hectáreas en la parte boliviana de la cuenca amazónica. La cooperativa se fundó para romper el monopolio de transporte y comercio de los intermediarios, o sea para que los productores pudieran controlar tanto la transformación como la comercialización del cacao. En poco tiempo, los socios construyeron un almacén y una instalación de secado, antes de edificar, unos años después, una sencilla fábrica de transformación del cacao. Fue la primera vez que unos productores transformaban ellos mismos su producción. En la actualidad, producen cacao en polvo, manteca de cacao y hasta su propio chocolate. En 1987, El

Ceibo empezó a convertir buena parte de su producción al cultivo orgánico y, desde 1988, vende cacao certificado orgánico. Hoy en día, más o menos el 80% de los 700 socios de 36 cooperativas producen cacao biológico.

En 1994–95, las organizaciones de comercio justo pagaron a El Ceibo un promedio de 1.850 dólares US por tonelada en lugar del precio del mercado mundial de 1.000 dólares US. ¿Qué hace El Ceibo con los beneficios?

- Subsidio para las matrículas y pensiones escolares.

- Todos los socios tienen un seguro de enfermedad y accidente.

- La compra de camiones y la inversión en la fábrica de transformación rompe la dependencia de los intermediarios.

- El Ceibo administra varias cooperativas de consumo, donde se venden todo tipo de artículos a precios justos.

- El Ceibo explota un vivero de árboles de cacao e investiga nuevos métodos de cultivo.

- El Ceibo lleva a cabo programas de diversificación para reducir su dependencia de los ingresos obtenidos de la exportación del cacao.

(www.eurosur.org/EFTA♦/sumario/htm) [último acceso 6.9.00]

Vocabulario

tecnologías blandas   tecnologías que no son industriales

EFTA   Asociación Europea de Comercio Justo (European Fair Trade Association)

- ¿Por qué las transacciones comerciales de El Ceibo cumplen los requisitos del comercio justo?

- ¿Conoces alguna iniciativa que promueva el comercio justo en tu país? Describe de qué se trata y cómo funciona.

En la siguiente entrevista, un empresario cuenta las dificultades a las que se enfrentó al montar su propia empresa, y da varios consejos a quienes deseen seguir sus pasos.

5.5

EMPRENDEDORES

Arturo Limón representa el caso típico de técnico reconvertido a emprendedor.

"Estaba cansado de soportar las arbitrariedades de jefes diversos y yo programaba muy bien. Tenía frecuentes ofertas de empresas para irme con ellas, así que pensé que si creaba la mía propia, todo el mundo me compraría. Ahí empezó el gusanillo♦; luego me fui a la mili♦, trabajé después medio año por cuenta ajena♦, luego de autónomo♦ y por fin constituí una sociedad. He de reconocer que me equivoqué en el planteamiento inicial; pero bueno, fue parte del aprendizaje".

Y una vez en marcha se dio cuenta de que llevar una empresa requiere algo más que ser un buen técnico. De hecho, no es imprescindible ser un buen técnico (aunque nada desaconsejable♦). En seguida aparecieron las dificultades:

"Principalmente con la falta de experiencia, de consejo, de fuentes de información, de una especie de FAQ♦ sobre cómo montar una empresa y sacarla adelante. Hubo que aprenderlo casi todo por ensayo y error. Las triquiñuelas♦ de los organismos públicos (Hacienda, SS, INEM, etc.), donde te informan poco y mal, y a la que te descuidas♦ te la lían♦ por varios miles de euros. La dificultad para encontrar personal cualificado y con la personalidad acorde a lo que es la empresa".

Y respecto a la planificación previa…

"Pensé que para hacer *software* y venderlo se necesitaba un ordenador y poco más. El resultado fue un importante "agujero" en el banco algún tiempo después. Realmente no se puede empezar sin dinero y esperar que se conseguirá sobre la marcha; no se lo recomiendo a nadie. En mi caso conseguí avales♦ de la familia para pedirle dinero al banco. Pero puestos a pedir, es mejor hacerlo de antemano♦ y saber lo que se hace; no pedirlo cuando las cosas han ido mal por falta de fondos iniciales; luego es mucho más lo que hace falta".

Sin embargo, había algo que le hacía creer en su proyecto y que le hacía seguir adelante a pesar de las dificultades. Entre ellas cita las tres siguientes, a cual más importante:

— La paciencia y el apoyo de su novia (hoy su mujer).

— La confianza de algunos buenos clientes.

— Una fe ciega en que algún día todo iría bien, o muy bien.

Ahora, con 10 años de perspectiva, Arturo ofrece un análisis de lo más sincero que vale la pena meditar con detenimiento.

"Una primera consideración a tener en cuenta: para trabajar de fontanero, basta con ser buen fontanero. Para trabajar de contable, basta con ser buen contable. Para trabajar de vendedor, basta con ser buen vendedor. Para trabajar de financiero, basta con saber de finanzas. ¿Vale hasta aquí? Pues bien, para montar una

fontanería hay que ser bastante bueno, en todo lo anterior. No vale con sólo ser bueno en una única cosa".

Esta es la más terrible realidad del empresario: hay que ser bastante bueno o muy bueno en muchas cosas diferentes, mientras que a un trabajador por cuenta ajena le basta con serlo en bastantes menos, generalmente le basta con una.

"Hay que ser bueno en cosas en las que no sabías que tenías que ser bueno; cosas que tal vez no te gusten en absoluto, para las que no tienes preparación o cualidades, o de las que tal vez ni siquiera habías oído hablar, o que no se enseñan en ninguna parte y sólo pueden aprenderse sobre el terreno♦ (o a palos♦). Es como hacer una carrera universitaria, pero en serio. Personalmente, y tras haber obtenido en su día un título de Ingeniero Técnico de Telecomunicaciones con nota media de notable, puedo decir que me ha costado mucho más tiempo, sudores, dinero, esfuerzo y lágrimas, sacar mi empresa adelante que sacar ese titulito tan 'mono'".

"Para tranquilidad de otros que se estén embarcando en la aventura empresarial o a punto de hacerlo, les diré que no se preocupen; las habilidades, cualidades, dones y experiencia requeridos para montar una empresa no tienen nada que ver con los requeridos para estudiar una carrera universitaria. Aún diría más; raramente coinciden ambos conjuntos de factores en la misma persona. Pero si alguien piensa montar una empresa además de haber estudiado, que no se preocupe; es posible llegar a tener éxito incluso a pesar de haber estado varios años apolillándose las neuronas♦ en la universidad. Yo mismo soy un ejemplo. Como nota añadida, la mayor parte de mis clientes, empresarios todos ellos, no tienen título universitario; y algunos, ni siquiera el bachiller".

Y para terminar Arturo nos ofrece dos consejos más:

"Nunca montes un negocio de algo en lo que no hayas comprobado tu buen hacer como vendedor. Ahorrarás muchos sufrimientos. Sufre antes trabajando para otro, arriesgando sólo tu tiempo, no tu dinero; sufrirás menos, o quién sabe, tal vez descubras que eres un fenómeno. Pero en cualquier caso, si pasan meses y ves que no vendes una escoba♦, no te desanimes; estás aprendiendo. Si material y moralmente puedes resistir, al final aprenderás cómo hacerlo".

"Haz que tus clientes se conviertan en tus vendedores (para lo cual trátales muy bien, sin que ello sea sinónimo de dejarles abusar). Generalmente no cobran ni fijo ni comisión. ¡Un chollo♦…!"

El primero es un buen consejo; el último es un pasaporte al éxito. Sin lugar a dudas, Arturo lo tiene muy claro. El objetivo para su aventura:

"Llegar a ser la mejor empresa de servicios informáticos de la región. Esto no significa necesariamente ser la más grande, pero sí la que más fama y buen nombre tenga, y la que más dinero ingrese *per capita*".

Bueno, pues también hubo quien, en su momento, no creyó en Cristóbal Colón…

(Adaptado de www.odiseaweb.com) [último acceso 6.9.00]

Vocabulario

gusanillo   deseo de hacer algo

mili   servicio militar

(trabajé) por cuenta ajena   (trabajé) para otra persona

(trabajé) de autónomo   (trabajé) para mí mismo

aunque nada desaconsejable   aunque es aconsejable, aunque puede ser útil

FAQ   en internet, lista de preguntas que se hacen con frecuencia, y sus respuestas (Frequently Asked Questions)

triquiñuelas   engaños

a la que te descuidas   si no prestas atención, si no tienes cuidado

te la lían   te causan un problema

avales   documentos por los que una persona se compromete a responder por una obligación financiera de otra

de antemano   con antelación, antes

sobre el terreno   durante la realización de algo

a palos   a través de una experiencia negativa

apolillarse las neuronas   no hacer ninguna actividad que estimule el cerebro

no vender ni una escoba   no vender nada, no tener éxito

chollo   cosa provechosa que se consigue con un mínimo de esfuerzo o gasto

- Según Arturo Limón, ¿qué requisitos son necesarios para montar una empresa?

- ¿Qué concepto de las carreras universitarias se extrae de las palabras del señor Limón? ¿Compartes su idea sobre los estudios universitarios? Ejemplifica tu respuesta con algún caso real.

En el mundo de los negocios, tener dinero es tener poder. Sin embargo, un número creciente de organizaciones tanto en las grandes ciudades como en las pequeñas comunidades de España y Latinoamérica, está intentando sustituir el clásico sistema económico-comercial basado en el dinero por otro más ancestral, el de trueque. El siguiente artículo explica cómo funciona este sistema de comercio alternativo.

5.6

Alérgicos al dinero

BEGOÑA AGUIRRE

Vuelve el trueque. Aquí y ahora, los clubes de intercambio demuestran que es posible comprar saberes, bienes y servicios sin gastar un duro.

[…] En sus bolsillos hay euros. Pero en sus cuentas también utilizan otras unidades de intercambio llamadas nodines, iris, fondones, vareares, bies o foros que no brillan y que tampoco pueden invertirse en Bolsa. En sus agrupaciones, casi todas de pequeña dimensión […], no hace falta tener la faltriquera♦ llena para conseguir una amplia gama de servicios que pueden ir desde una consulta jurídica o psicológica hasta el cuidado de un niño, trámites burocráticos o la elaboración de una cena. Vale con ofrecer a cambio algo que el interesado sepa hacer.

El primer paso es crear un boletín donde los socios expliquen qué bienes o saberes están dispuestos a intercambiar. Una especie de catálogo. De esa manera, cada uno sabe a quién puede recurrir cuando necesita algo. No se fijan precios, el coste de cada servicio se acuerda entre quien lo oferta y quien lo precisa, y su valor no se evalúa en euros, sino en la unidad de medición que haya decidido cada grupo: nodines, fondones, iris… Los intercambios no son bilaterales, como en el trueque tradicional. No se trata de aquello de: yo te doy un queso y tú me das trigo. Cada vez que un socio requiere un servicio, la deuda no la contrae con quien se lo presta, sino con todos los socios de la agrupación.

[…]

¿Qué diferencia hay entre este sistema y el habitual de pago en euros? Eduardo Troncoso, un acupuntor y criminólogo argentino de 53 años, promotor del club de trueque de Zarautz (Guipúzcoa), con medio centenar de socios, lo tiene claro♦: "El trueque permite que personas en paro que no tienen dinero puedan satisfacer sus necesidades utilizando sus propias capacidades, que a veces el mercado laboral no valora. Hay muchas personas sin trabajo que saben hacer muchas cosas, pero no tienen titulación y no encuentran empleo; de esta manera pueden acceder a aquello que necesitan y reforzar de paso♦ su autoestima".

[…]

El Grupo Experimental de Trueque Alternativo (GETA) de Segovia nació de un grupo que trabaja con ex toxicómanos y ex reclusos. Lo integran una treintena de personas que reconocen hacer verdaderos esfuerzos para desterrar♦ los conceptos de deuda♦, pago y acreedor♦. Marisa Meras, abogada, 50 años, es uno de sus miembros. "Sabemos que estamos en una utopía, pero es una forma de aportar nuestro grano de arena para que no todo lo maneje el dinero".

[…] "Una de las cuestiones que suscita más debate es cómo aumentar los intercambios sin llegar al absurdo de incluir en el trueque cosas que antes hacías gratis", afirma Barbadillo, un publicista de 42 años miembro del grupo de trueque mallorquín *Taula de Canvis*. En casi todos los grupos surge la misma duda: ¿debo contabilizar como trueque cualquier ayuda a otro miembro del grupo? Por un lado, incluirlo supone enriquecer la red de intercambios, pero, por otro, puede ser contraproducente por lo que conlleva cuantificar lo que antes se hacía como favor. A Barbadillo le gustaría que el trueque le sirviera para reorganizar su vida. "Mi deseo sería trabajar la mitad que ahora en la economía monetarizada y satisfacer el resto de mis necesidades con el trueque; por ejemplo, conseguir alimentos de unos campesinos ofreciéndoles a cambio ayuda burocrática".

Hay más cuestiones polémicas. Por ejemplo, la de la diferente valoración de los servicios según su especialización. Barbadillo relata que en su grupo un psiquiatra planteó que no veía justo intercambiar una hora de sesión suya, con muchas de preparación detrás, por la hora de un pintor que iba a retocarle la casa. "Como no lo vio claro decidió que intercambiaba otras tareas, pero no su trabajo profesional. Una nueva realidad no se inventa de un día para otro, y no nos podemos enmarañar◆ en debates que nos paralicen", apostilla◆.

Cembranos, de El Foro, no tiene inconveniente en incluir sus terapias como objeto de trueque. "Es verdad que detrás del trabajo de un especialista hay muchas horas de formación, pero también hay muchas horas de trabajo detrás de la actividad profesional de cualquier obrero; los que hemos podido estudiar somos unos privilegiados", explica. Meras, del GETA, cree que tampoco hay que sacralizar◆ los años que, por ejemplo, ella ha dedicado a formarse como letrada◆. "Es trabajoso, sí, pero quizá a mí me hubiera resultado más sacrificado permanecer todo ese tiempo cuidando de un anciano enfermo".

Una madeja de lana, *una troca* en catalán, es el símbolo del grupo de trueque creado hace dos años en la localidad barcelonesa de Vilafranca del Penedés. Lo forman una veintena de personas, desde jóvenes ecologistas hasta amas de casa y jubilados. Crear una red de ayuda mutua es su principal objetivo, según explica uno de sus miembros, Pere Subirana, de 37 años, dedicado a impartir cursos sobre consumo responsable. En ella intercambian masajes, labores domésticas, productos de huerta o servicios de acompañamiento y cuidado de niños y ancianos. "En general, no somos gente necesitada, simplemente estamos en esto porque creemos que nos enriquece la vida, porque mejora nuestras relaciones humanas".

(Adaptado de Aguirre B., *El País semanal*, 6.12.98, pp.139–42)

(Viñeta del humorista argentino Erlich, www.elerlich.com) [último acceso 7.10.08]

Vocabulario

faltriquera   pequeña bolsa que cuelga de la cintura, por debajo de la ropa, utilizada para guardar el dinero

lo tiene claro   no tiene dudas

de paso   al mismo tiempo

desterrar   echar de un país; aquí, sacarse de la mente, olvidar

deuda   obligación de pagar lo que se debe

acreedor que tiene derecho a exigir el pago de una deuda

enmarañar complicar, enredar

apostilla comenta, aclara

sacralizar dar a algo carácter sagrado, considerar muy importante

letrada abogada

- ¿Cuál es la filosofía de fondo del sistema de trueque?

- ¿Crees que este sistema podría llegar a implantarse como alternativa al sistema actual de intercambio económico? Razona tu respuesta.

Tema 19   Globalización: ¿prosperidad o pobreza?

Según un dicho popular, la unión hace la fuerza. Los artículos que siguen (5.7 y 5.8) describen los antecedentes y objetivos de dos organizaciones latinoamericanas que agrupan países con intereses similares.

5.7

La Organización de los Estados Americanos (OEA)

Desde las épocas de las luchas de la independencia, los países latinoamericanos buscaron estrechar sus relaciones; primero por necesidad de su defensa y, luego, para la cooperación mutua en el logro de sus fines. La creación de la OEA en Bogotá en 1948 constituyó un paso más hacia la realización de ese sueño de integración latinoamericana. Los fines de la OEA contenidos en su "Carta" son:

- lograr un orden de paz y justicia;
- solucionar pacíficamente las controversias entre los Estados miembros;
- intervenir en forma solidaria en caso de agresión;
- procurar la solución de los problemas políticos y económicos.

Durante sus primeros años, la OEA tuvo que enfrentar una diversidad de problemas económicos, inmediatos y estructurales, que afectaban adversamente el desarrollo americano. Para los latinoamericanos, una de las principales expectativas de la nueva OEA era un "Plan Marshall"◆ para las Américas, que proporcionaría financiamiento público para la infraestructura física y el desarrollo industrial. Para fines de la primera década, los dirigentes latinoamericanos estaban insistiendo en un esfuerzo amplio destinado a lograr un desarrollo más equilibrado en toda la región.

En 1958 el presidente brasileño Juscelino Kubitschek, con el apoyo del presidente colombiano Alberto Lleras Camargo, ex secretario general de la OEA, propuso un plan masivo, la Operación Panamericana, para la cooperación económica interamericana. La meta◆ era respaldar a los Estados en sus esfuerzos por crear, mediante la inversión pública, las condiciones económicas y sociales que atraerían a la empresa privada a América Latina con el fin de estimular el desarrollo industrial de la región. Este plan fue propuesto como el programa fundamental de desarrollo de la OEA.

Las propuestas de la Operación Panamericana se convirtieron en realidad dos años después con la Alianza para el Progreso. Creada por el Presidente John F. Kennedy en mayo de 1961, la Alianza fue un esfuerzo singular de parte de los Estados Unidos, conjuntamente con los países latinoamericanos, para llevar a cabo programas destinados a acelerar el desarrollo económico y social en el hemisferio.

La Alianza fue un esfuerzo masivo, sin precedente histórico en las relaciones interamericanas. Entre 1958 y 1970 generó entre 15.000 y 16.000 millones de dólares en asistencia externa para la región. [...]

"Todo país tiene algo que enseñar y algo que aprender; así todos los latinoamericanos tenemos que intervenir en este reto del destino. Por ello la financiación del desarrollo es responsabilidad conjunta del hemisferio".

Desde los años 90, las prioridades de la OEA se han concentrado en cuatro áreas y en la formulación de convenciones y acuerdos que orientarán el futuro de la Organización. Tres de las áreas ya existían antes del mandato del Secretario General César Gaviria: (a) la Comisión Interamericana de Derechos Humanos, que extiende su labor a las poblaciones indígenas y los derechos culturales; (b) la Comisión Interamericana para el Control del Abuso de Drogas, que se concentra en la reducción de la demanda, así como en otros problemas relacionados (como por ejemplo los niños de la calle♦, el lavado de dinero♦ y el tráfico de armas), y (c) la Unidad para la Promoción de la Democracia, que si bien inicialmente se concentró en la observación de elecciones y la asistencia técnica, ha participado en actividades de desminado♦ en América Central y en el fortalecimiento de las instituciones democráticas y la resolución de conflictos en América Latina y el Caribe. La cuarta área, la recientemente creada Unidad de Comercio, en pocos años ha ofrecido apoyo técnico, secretarial, de información y de investigación al movimiento hemisférico hacia una zona de libre comercio en las Américas.

Cuando se creó la OEA en 1948, los 21 países de la Unión Panamericana se convirtieron en los Estados miembros de la Organización. A partir de la ratificación de la Carta por el Gobierno de Trinidad y Tobago en 1967, el número de miembros se expandió gradualmente hasta incluir a todos los países del Caribe. Cuando los Gobiernos de Belice y Guyana ratificaron la Carta en 1991, la Organización se convirtió en un organismo verdaderamente hemisférico; los 35 países independientes de las Américas son ahora miembros de la OEA. La incorporación de 13 países caribeños al sistema interamericano enriqueció y diversificó la Organización, incluyendo en sus asuntos una tradición de amplia participación política, así como el modelo de Gobierno Westminster. Al mismo tiempo, desde 1972 se ha conferido la calidad de miembros observadores a los países interesados en asociarse con la OEA que no pertenecen al Hemisferio Occidental, y en la actualidad 38 Estados, la Santa Sede♦ y la Unión Europea son miembros observadores de la institución. Estos países han participado en diversas formas, desde la asistencia en observaciones electorales hasta la provisión de recursos destinados a programas para los niños de la calle y la rehabilitación de drogadictos. El potencial de cooperación aún no se ha agotado.

Las reformas a la estructura y el tamaño de la secretaría general, iniciadas a fines de los años 80, llegaron a su conclusión lógica cinco años después, transformando a la OEA en una organización más pequeña, compacta y sensible. Al modificarse los mandatos políticos e incrementarse las convenciones internacionales y las responsabilidades de la Organización – incluyendo el tráfico de armas, el desminado, las actividades antiterroristas, la corrupción gubernamental, el medio ambiente y las telecomunicaciones – fue cambiando la forma y la orientación de la OEA. Lo que no ha cambiado son las metas que ayudaron a crear el sistema interamericano y que están consagradas en la Carta: la integración regional, la democracia representativa, los derechos del individuo y el respeto por la soberanía de las naciones.

(Revista *Américas*, abril de 1998, pp.221–222)

Vocabulario

Plan Marshall   programa de ayuda económica a Europa que Estados Unidos llevó a cabo después de la Segunda Guerra Mundial, desde 1948 a 1952

meta   objetivo

niños de la calle   niños que viven solos en la calle, sin casa ni familia

lavado de dinero   operación por la cual el "dinero negro" aparece como dinero declarado

desminado   acción de quitar minas

la Santa Sede   el Vaticano

5.8

EL MERCOSUR Y SU ORIGEN

El Mercado Común del Sur (Mercosur) es un ambicioso proyecto de integración económica, en el cual se encuentran comprometidos Argentina, Brasil, Paraguay y Uruguay. Tiene como principal objetivo aumentar el grado de eficiencia y competitividad de las economías involucradas ampliando las actuales dimensiones de sus mercados y acelerando su desarrollo económico mediante el aprovechamiento eficaz de los recursos disponibles, la preservación del medio ambiente, el mejoramiento de las comunicaciones, la coordinación de las políticas macroeconómicas y la complementación de los diferentes sectores de sus economías.

La conformación de un Mercado Común es una respuesta adecuada a la consolidación de grandes espacios económicos en el mundo y a la necesidad de lograr una adecuada inserción internacional.

Los inicios del proceso de integración del Mercosur

En la década del 70 Uruguay profundizó su relación comercial con Brasil a través del Protocolo de Expansión Comercial (PEC), y con Argentina a través del Convenio Argentino-Uruguayo de Cooperación Económica (CAUCE).

Entre los años 1984 y 1989 Argentina y Brasil suscribieron 24 protocolos bilaterales, en los que se regulaban diversas áreas.

Se puede decir que los antecedentes más inmediatos datan del año 1985 con la Declaración de Foz de Iguazú, por la que se crea una Comisión Mixta de Alto Nivel para la integración entre Argentina y Brasil.

En 1990, Argentina y Brasil suscribieron y registraron en ALADI◆ un Acuerdo de Complementación Económica, en el que sistematizaron y profundizaron los acuerdos comerciales bilaterales preexistentes.

En ese mismo año, representantes de ambos países se reunieron con autoridades de Uruguay y Paraguay, ocasión en la cual estos últimos expresaron la firme disposición de sus países de incorporarse al proceso bilateral en curso. Se convino entonces que era necesario suscribir un acuerdo creando un mercado común cuatripartito◆.

El 26 de marzo de 1991 se firma el Tratado de Asunción entre los cuatro países, que no debe considerarse como un tratado final constitutivo del Mercosur, sino como el instrumento de carácter internacional destinado a hacer posible su concreción◆ Es un acuerdo con vocación regional, pues queda abierto a la adhesión de los demás Estados miembros de la ALADI. Es, también, un acuerdo de integración económica, estableciéndose un programa de liberación comercial, la coordinación de políticas macroeconómicas y un arancel◆ externo común, así como otros instrumentos de la regulación del comercio.

(Portal de la Real Academia Uruguaya, www. rau.edu.uy/mercosur) [último acceso 6.9.00]

Vocabulario

ALADI   Asociación Latinoamericana de Integración

cuatripartito   que tiene cuatro partes

concreción   realización

arancel   impuesto oficial que hay que pagar, especialmente por pasar una aduana

- ¿Cuáles son los objetivos de la OEA? ¿Y los de Mercosur?

- ¿Cuáles crees que son, en general, las ventajas y los inconvenientes de la creación de organizaciones de cooperación internacional como éstas?

Además de los intercambios comerciales que los países latinoamericanos mantienen entre sí, es de destacar la relación especial existente entre España e Hispanoamérica. En la siguiente entrevista, un experto de las Cámaras de Comercio analiza la situación actual de las relaciones comerciales entre España y algunos países americanos, sobre todo Cuba, desde un punto de vista tanto económico como político.

5.9

Entrevista: el comercio entre España y Latinoamérica

Entrevista con Fernando Puerto, Director de Relaciones Internacionales del Consejo Superior de las Cámaras de Comercio

Este alicantino con alma de conciliador◆ ha hablado para Americaeconomica.com sobre las relaciones comerciales entre España y Latinoamérica, apostando fuertemente por el incremento de las exportaciones hacia la región. Desde el mes de marzo de 1996, Fernando Puerto ocupa el cargo de director de Relaciones Internacionales del Consejo Superior de Cámaras, y su especial relación con América Latina le ha convertido en uno de los "indispensables" para la reanudación de la cooperación entre ambos lados del Atlántico, [...].

—**Señor Puerto, los expertos aseguran que las relaciones comerciales entre España y América Latina parecen estar estancadas◆…**

—La gran apuesta de la presencia española en Latinoamérica es la inversión. En la década de los 90 se produjo el *boom* y es cierto que el comercio nunca ha estado a la altura◆ de la inversión, ni siquiera en aquellos años. La fortaleza del euro también perjudica las ventas de las empresas españolas hacia el continente americano. […].

[…]

—Entonces, ¿el futuro de las empresas españolas en Latinoamérica está asegurado?

—Las empresas españolas van a seguir apostando fuertemente por la inversión en Latinoamérica, tal y como se demostró en el Comité Bilateral que finalizó el pasado 29 de septiembre en Cuba. Hay que seguir luchando por estas empresas, llegando a acuerdos para que se realice un mayor número de inversiones en mantenimiento. Lo que sí puedo asegurar es que las compañías se mantienen en permanente contacto con los gobiernos de cada región, y ellos deben respetar las normas empresariales que todos manejamos. Además, volviendo al tema de los populismos, si una entidad se siente más insegura en cierto país, lo prevé en sus balances a la hora de ser más prudente. Lo que no cabe poner en duda es que las empresas españolas están y van a seguir ahí. Además, los datos macroeconómicos están resultando estupendos en todos los países latinoamericanos. Hay crecimiento, se genera cada vez más empleo y la inflación está controlada, salvo el caso de México, que registra un 5,6%.

—Los analistas advierten del papel que China está jugando en las relaciones comerciales de América Latina…

—Así es. Pero este es el juego de la globalización, todos debemos aceptar las mismas normas y competencias. China tiene problemas con las materias primas, y eso beneficia a Latinoamérica, ya que un tercio de sus exportaciones son del sector *commodities*, por lo que el gigante asiático ha comprado mucho en los últimos años.

—¿Alguna crítica?

—Simplemente podemos exigir que se respeten las mismas normas que nosotros respetamos. China debería hacer algo con las constantes violaciones a los derechos laborales, y su moneda debería cotizarse◆ en el mercado mundial, por lo menos para ejercer una competencia leal en los intercambios comerciales.

—Volviendo a asuntos más amables. El pasado 29 de septiembre terminó el Comité Bilateral entre Cuba y España, donde se firmó de manera oficial el restablecimiento de las relaciones en cooperación. Imagino que el ambiente fue estupendo…

—La situación de Cuba es muy particular, ya que el país rompió la cooperación con el Gobierno anterior y [tuvo que lidiar con] las fuertes medidas de presión de la Unión Europea. Cuba renunció a la cooperación española, pero no a la relación con las empresas. Recuerdo (*con risas*) a uno de los invitados que durante el Comité se subió al estrado◆ y dijo con total contundencia: "Podemos prescindir de los gobiernos, pero nunca de España". Ahora es un buen momento para la región y nosotros siempre estaremos allí. Durante estas últimas reuniones se han llegado a numerosos acuerdos en el ámbito empresarial, con la proyección de nuevos proyectos de infraestructuras, que hacen mucha falta, y en materia de turismo. Nuestro trabajo consiste en observar las necesidades, facilitar las reuniones entre las empresas, ayudar a las compañías a conseguir contratos…

—¿Cómo es la relación de las Cámaras con la isla◆?

—Siempre consultamos nuestros proyectos con ambos gobiernos, y desde el principio se deja muy clara la diferencia entre política y empresas. Ahora es el momento de apostar por la Isla, ya que, aunque España es el primer inversor y el primer socio comercial, Venezuela empieza a ganar terreno, y EE.UU.

también está vendiendo mucho. No entiendo por qué ese afán de hacer ver como algo "catastrófico" las relaciones entre la isla y la primera economía mundial, ellos comercian cada vez más con Cuba. En 2006, España alcanzó una cifra récord de exportaciones y en la actualidad, nosotros vendemos unos 500 millones de euros, mientras ellos nos venden alrededor de 150 millones de euros. […]

—Entonces, ¿qué es lo que echan de menos las empresas en Cuba?

—Simplemente la normalidad. Una empresa para negociar necesita "normalidad". Psicológicamente, el mero hecho de que se vean ministros que van y vienen, con visitas de distintos organismos a la isla… eso es la normalidad y lo que más beneficia a las relaciones comerciales entre ambos países. […]

(Adaptado de: Alba, C., *América Económica*, editado por Asesores de Publicaciones S.L., año IX, Madrid, 5/10/2007. www.americaeconomica.com) [último acceso 27.4.10]

Vocabulario

conciliador   propenso a ajustar los ánimos de aquellos que tienen opiniones contrarias

estancado   que no avanza ni evoluciona

estar a la altura   estar al mismo nivel

cotizar   fijar un precio en la Bolsa

estrado   lugar en una sala de ceremonias donde se coloca la persona que va a hablar

la isla   aquí se refiere a Cuba

- ¿Cuál es la trayectoria que ha seguido el comercio entre España y Cuba en los últimos años?

- ¿A qué crees que se refiere el entrevistado cuando habla de "normalidad"?

Tema 20 La aldea global

La globalización parece ya un fenómeno imparable en todos los ámbitos: económico, cultural y tecnológico. Los textos que aparecen a continuación analizan sus efectos desde dos puntos de vista diferentes. El primero, 5.10, examina las repercusiones de la globalización en Latinoamérica, prestando especial atención a las implicaciones negativas para los países en vías de desarrollo. El artículo 5.11, por el contrario, es una crítica al movimiento anti-globalización, que con frecuencia pasa por alto los aspectos positivos de la internacionalización del comercio y la cultura.

5.10

Implicaciones de la globalización en la economía latinoamericana

Alejandro Jáuregui Gómez

Vivimos en un mundo cambiante en donde existe un nuevo juego, hay nuevas reglas y se deben aplicar nuevas estrategias. El triunfo del capitalismo sobre el comunismo, y la consiguiente globalización mundial, bajo las reglas de libertad económica, propiedad privada y en general los pilares de dicho sistema social, nos exige cambiar y ser más eficientes, competitivos y dinámicos, para insertarnos exitosamente en un mundo unipolar.

Lester Thurow[1] afirma que hoy el mundo se encuentra en un período de equilibrio interrumpido, y que dicho equilibrio está causado por cinco tendencias que están marcando el juego económico mundial: vivimos en un mundo sin comunismo, en donde el cambio tecnológico hace que las industrias se basen en la capacidad intelectual, con índices demográficos nunca antes vistos, bajo un proceso de globalización acelerado y en donde parece no existir un poder político o militar dominante que maneje al mundo sin algún tipo de resistencia económica.

[...]

La población mundial está en crecimiento, se desplaza y se envejece. La explosión demográfica aumenta la miseria en muchas regiones del mundo; y el desempleo crece cuando la mano de obra no cualificada no es necesaria en un mundo industrial desarrollado.

Alain Touraine[2], al darnos una noción sobre globalización, afirma: [...] "hay que ver en la idea de globalización una relación que enmascara◆ el mantenimiento de las relaciones de dominación económica al introducir la imagen de un conjunto económico mundial autorregulado o fuera del alcance de la intervención de los centros de decisión política... no puede aceptarse en modo alguno como la descripción de un tipo social nuevo y perdurable◆". La globalización se ha olvidado del individuo, de sus diferencias y de su identidad, imponiendo una dinámica en las sociedades modernas que afecta a las minorías, a las pequeñas étnicas y a las sociedades pequeñas. El triunfo del sistema capitalista, y sobre todo del capital financiero, se ha olvidado de los patrones culturales, de las tradiciones, y nos ha impuesto un ritmo de vida diferente al que estábamos acostumbrados anteriormente.

El proceso de globalización también puede asociarse con la expansión de la actividad económica sin que las fronteras nacionales constituyan obstáculos de relieve, asociándose el fenómeno con el libre cambio de mercancías. [...]

[...]

Los efectos para los países latinoamericanos son ampliamente debatidos, pero parece haber consenso en afirmar que los procesos de globalización están incrementando la brecha◆ entre los países desarrollados y el mundo subdesarrollado. Se sabe, por ejemplo, que el 80 por ciento del comercio mundial ocurre entre Estados Unidos, Japón y la Unión Europea, y que los mercados de la periferia como Colombia no son interesantes para las grandes corporaciones multinacionales, dada su baja capacidad de consumo.

La realidad nos indica que lo que era productivo y competitivo el día de ayer no lo es más hoy. Es decir, lo que era competitivo en un mercado regional o nacional no está resultando serlo en el nuevo mercado globalizado. Esto implica la destrucción masiva de las capacidades productivas que se encuentran en manos de la gran mayoría de los productores y trabajadores de los países periféricos. [...]

En resumen, la actual etapa de globalización se caracteriza por la ampliación de la globalización comercial, de forma simultánea a la importante globalización financiera, junto a las tendencias de regionalización de los mercados de bienes y servicios, de progreso tecnológico vertiginoso◆ y de generalización de los sistemas flexibles de producción.

Características en los países de la periferia:

- Fuerte caída de los niveles del ahorro nacional, de las remuneraciones a los trabajadores y del consumo per cápita [...]

- Pérdida de autonomía e incremento de la influencia externa, especialmente de los denominados "países del centro".

- Acelerada internacionalización de los procesos económicos; la consolidación del sistema financiero internacional y sus consecuencias sobre economías financieramente limitadas como la de Colombia; uso de nuevas tecnologías de información sin aprensión del conocimiento, y diferentes formas de intervención del Estado, con la conversión de la cultura en un producto y en un factor de producción.

[...]

1 Thurow, L. C. (1997) *El Futuro del Capitalismo*, Javier Vergara.

2 Touraine, A. (1997) *¿Podremos vivir juntos? La discusión pendiente: El destino del hombre en la Aldea Global*, FCE, Buenos Aires.

(Jáuregui Gómez, A., Economía pública, 01 / 2001) [último acceso 17.8.2010])

Vocabulario

enmascarar   ocultar, esconder

perdurable   que puede mantenerse en el tiempo

brecha   diferencia. En otros contextos: rotura, herida

vertiginoso   que tiene lugar a gran velocidad

- De acuerdo con el autor, ¿la globalización tiene algún aspecto positivo? Si es así, identifica cuál.

- ¿Estás de acuerdo con su punto de vista? Justifica tu respuesta.

La globalización, ventajas e inconvenientes

El triunfo internacional del sistema de libre comercio está generando una reacción crítica que se aglutina♦ como movimiento anti-globalización. Los críticos de la globalización consideran que, aunque este fenómeno esté resultando favorable para la prosperidad económica, es definitivamente contrario a los objetivos de equidad♦ social.

La protesta que se manifiesta en enfrentamientos contra los organismos internacionales, FMI♦, OMC♦ y otros, es de hecho una reacción contra el excesivo triunfalismo del liberalismo económico que debe ser tenida muy en cuenta. La voz de las ONG♦ y otros participantes del movimiento anti-globalización está teniendo un eco♦ en el interior de estos organismos internacionales que cada vez están mostrando una mayor conciencia de la necesidad de afrontar los problemas sociales globales a la vez y con el mismo interés que los financieros.

Para juzgar las ventajas y los inconvenientes de la globalización es necesario distinguir entre las diversas formas que adopta ésta. Algunas formas pueden conducir a resultados positivos y otras a resultados negativos. El fenómeno de la globalización engloba al libre comercio internacional, al movimiento de capitales a corto plazo, a la inversión extranjera directa, a los fenómenos migratorios, al desarrollo de las tecnologías de la comunicación y a su efecto cultural.

Por ejemplo, la liberalización de los movimientos de capital a corto plazo sin que haya mecanismos compensatorios que prevengan y corrijan las presiones especulativas, ha provocado ya graves crisis en diversas regiones de desarrollo medio: sudeste asiático, México, Turquía, Argentina... Estas crisis han generado una gran hostilidad a la globalización en las zonas afectadas. Sin embargo sería absurdo renegar de los flujos internacionales del capital que son imprescindibles para el desarrollo.

En general [...], el comercio internacional es positivo para el progreso económico de todos y para los objetivos sociales de eliminación de la pobreza y la marginación social. Sin embargo, la liberalización comercial, aunque beneficiosa para el conjunto del país afectado, provoca crisis en algunos sectores que requiere la intervención del estado. Si se quiere que los avances de la globalización [se produzcan] sin que disminuya el bienestar de nadie, es necesaria la intervención de los gobiernos y los organismos internacionales redistribuyendo los beneficios y compensando a los perjudicados.

En cualquier caso, aunque el progreso global facilite la consecución♦ a largo plazo de objetivos sociales, la especial gravedad de algunos problemas requiere una actuación decidida, sin esperas.

[...]

Una crítica que suele plantearse en los países avanzados es que la globalización reduce los salarios reales y provoca la pérdida de puestos de trabajo. Los críticos sostienen que la oleada de productos que requieren mucha mano de obra generados en países en desarrollo de salarios bajos destruye el empleo en los países industriales. Este argumento se suele utilizar para restringir las importaciones de los países en desarrollo. En realidad el tema es bastante más complejo. En las últimas décadas, primero un grupo de países y luego otro han comenzado a abrir su economía y a beneficiarse del comercio. A medida que estos países prosperan, sus salarios reales aumentan, y dejan de ser competitivos en una producción que requiere un uso intensivo de mano de obra. No sólo dejan de ser una amenaza para los trabajadores de los países industriales sino que además se convierten ellos mismos en importadores de bienes que requieren mucha mano de obra. Este proceso se observó en Japón en los años setenta, Asia oriental en los ochenta y China en los noventa.

Los beneficios de la globalización casi siempre superan a los perjuicios, pero hay perjuicios y, para contrarrestarlos, se necesitan instituciones adecuadas. Cuando las empresas de capital extranjero causan contaminación en los países en desarrollo, la solución no es impedir la inversión extranjera o cerrar esas empresas, sino diseñar soluciones puntuales y sobre todo organizar la sociedad, con ministerios, normas medioambientales y un aparato judicial eficaz que las imponga.

[...]

(EumedNet, *Enciclopedia y Biblioteca Virtual de las Ciencias Sociales, Económicas y Jurídicas*. Universidad de Málaga. 2007, www.eumed. net) [último acceso 28.4.10]

Vocabulario

aglutinarse   toma forma

equidad   igualdad

FMI   Fondo Monetario Internacional

OMC   Organización Mundial del Comercio

ONG   organización no gubernamental

tener eco   repercutir, tener efecto

consecución   [del verbo "conseguir"] obtención, logro

• Sintetiza en un esquema las ventajas e inconvenientes de la globalización, de acuerdo con el texto.

Una de las consecuencias de la globalización económica es la expansión de las empresas multinacionales. A continuación encontrarás un texto que examina este tipo de empresa, sus orígenes, sus estrategias y su situación actual.

5.12

Las 200 multinacionales más poderosas dictan la política mundial

Según Clairmont y Cavanagh♦, la cifra de negocio anual de las 200 mayores multinacionales supone, aproximadamente, la cuarta parte (26,3%) de la producción mundial. Entre esas empresas transnacionales están: Shell, General Motors, Ford, Exxon, IBM, Mitsubishi, Toyota, Philip Morris, General Electric.

Así, las sedes♦ de estas 200 empresas se hallan en tan solo 17 países. Más de una tercera parte (74) son estadounidenses. Después de Estados Unidos, destaca Japón, seguido por Reino Unido, Francia, Alemania, Canadá e Italia, por lo que el Grupo de los Siete (el G-7) aglutina el 80% de las multinacionales. Fuera de este grupo, solo Suiza, Corea del Sur, Suecia, Australia y Países Bajos pasan de la docena.

Origen y evolución de las multinacionales

Las empresas multinacionales son sociedades industriales, comerciales o financieras que están presentes en distintos países del mundo. Las multinacionales modernas surgieron con las inversiones directas de Estados Unidos en Europa en los años cincuenta y sesenta del siglo XX. Este fenómeno se hizo mundial cuando se sumaron a él las empresas europeas y japonesas. En la actualidad, en países emergentes como China, India, México, Brasil y los del sudeste asiático también han surgido distintas multinacionales.

[…] Para evitar competencias molestas, controlar los mercados e imponer los precios a su conveniencia, las grandes multinacionales potencian todo lo que pueden el proceso de concentración y acumulación de empresas diversas. Así unas pocas firmas, ya sea directamente o a través de sus filiales♦, han conseguido dominar la producción a escala mundial en algunos sectores formando auténticos oligopolios♦.

La localización de las multinacionales

La mayoría de las multinacionales pertenecen a países aliados, donde cuentan con un número importante [de] filiales y concentran la mayor parte de las inversiones.

Sin embargo, en los últimos años han crecido vertiginosamente sus inversiones en los países menos desarrollados, atraídas por una mano de obra abundante y barata, un trato fiscal♦ muy favorable y una legislación permisiva o inexistente en materia de salud y seguridad o protección del medio ambiente.

Los países menos desarrollados donde se instalan las multinacionales se benefician de sus inversiones y del empleo que crean. En estos espacios, sus trabajadores perciben unos salarios más bajos que los que cobrarían si desempeñaran esa misma tarea en un país desarrollado, pero más elevados que los de las empresas de la zona. Por estos motivos, estos países a menudo compiten entre ellos para ser los que acojan las fábricas de estas empresas, ofreciéndoles fundamentalmente ventajas fiscales.

[…]

El poder de las multinacionales

Desde los años 80 del siglo XX, el crecimiento de estas empresas ha sido el mayor de su historia. En la actualidad, las grandes multinacionales tienen un peso similar al de algunos Estados y superior al de la mayoría. Este poder va en aumento, lo que ha generado preocupación y desconfianza en muchos sectores de la sociedad.

En las democracias occidentales han aparecido unos grupos de poder (*lobbies*) que representan a las multinacionales y que, a través de mecanismos tales como la financiación de las campañas de los partidos políticos, tratan de influir en los gobiernos de las naciones.

En ocasiones, personas que antes ocupaban puestos directivos en una gran empresa pasan a formar parte del gobierno. Esto provoca sospechas de que las medidas que proponen (como la concesión de subvenciones) se tomen exclusivamente para favorecer a sus antiguas empresas.

En los países pobres, las multinacionales influyen también sobre los gobiernos para que sus intereses económicos no se vean afectados por medidas relativas a la legislación laboral, fiscal o medioambiental.

En todo caso, una parte importante de la actividad económica de un país está todavía controlada en alguna medida por su gobierno, lo que contrarresta el poder de las multinacionales. Y algunas ONG♦ realizan campañas de información sobre los abusos que detectan, con el fin de que una mala publicidad dañe la imagen de la empresa, que esto provoque un descenso de las ventas y, con ello, de los beneficios.

(*Enciclopedia del Estudiante* Tomo 8 Geografía General, Santillana. Argentina, 2008, www. portalplanetasedna.com) [último acceso 28.4.10]

Vocabulario

Clairmont y Cavanagh   famosos analistas del sistema capitalista

sede   lugar donde tiene su domicilio una entidad económica

filial   dicho de una entidad: que depende de otra principal

oligopolio   mercado en el que un pequeño número de vendedores acaparan la venta de un producto

fiscal   relativo al pago de impuestos

ONG   organización no gubernamental

Actividad de lectura

En esta sesión vas a examinar algunas **características del artículo de periódico informativo.**

1   Todos los periódicos y revistas tienen normas de redacción a las que deben atenerse sus periodistas.

Los párrafos que siguen explican las normas estilísticas que se aplican a los artículos informativos publicados en el diario español *El País*.

"2.7. Las frases deben ser cortas, con una extensión máxima aconsejable de 20 palabras. Sujeto, verbo y predicado es regla de oro. No obstante, conviene variar la longitud y estructura de las frases y los párrafos. Es una forma de mantener el interés. Cambiar la forma, el orden y los elementos de las frases resulta más importante incluso que cambiar su longitud. Repetir la misma estructura es el camino más seguro para aburrir al lector. [...].

2.8. Es preferible usar los verbos en activa y en tiempo presente. Esto acerca la acción al lector. [...].

2.16. El autor de un texto informativo debe permanecer totalmente al margen de lo que cuenta, por lo que no podrá utilizar la primera persona del singular [...] ni del plural."

(Adaptado de Libro de estilo, Madrid, El País SA, 1991, pp.32–41)

2   La principal función que tienen las noticias periodísticas es la de comunicar al lector o a la lectora un hecho o un acontecimiento. Por lo tanto, los/las periodistas tienen que concentrarse en los datos de más interés. Para hacerlo, suelen estructurar su artículo de manera que responda a seis preguntas clave: qué, quién, cómo, dónde, cuándo y por qué. Las respuestas se encuentran normalmente en el primer párrafo o "entradilla".

Cuando leas los artículos informativos observa lo siguiente:

* Es muy frecuente el uso de la "pirámide invertida" (de mayor a menor interés), comenzando por el hecho más significativo, que refleja el título del artículo. Con el uso de esta técnica, la redacción del periódico puede recortar fácilmente el artículo sin que pierda coherencia, ya que en sucesivas ediciones del periódico a veces es necesario crear más espacio en la página para incluir las últimas noticias, fotografías, etc.

* La entradilla tiene, por lo tanto, una función muy importante, permitiendo enterarse rápidamente de la información crucial sin tener que leer todo el artículo.

* En los casos de conflictos o diferencias de opinión sobre los hechos, los/las periodistas deben hacer alusión a los puntos de vista de ambas partes. Es imprescindible que el lector o la lectora estudie estas distintas interpretaciones de los hechos o conclusiones que se hayan sacado para comprender plenamente la noticia.

3   Lee "La generación de los mil euros" (texto 5.1) y "Un país de hijos únicos" (texto 5. 2). ¿Se conforman ambos artículos con estas normas?

Actividad de escritura

En esta sesión te familiarizarás con las características más sobresalientes de los informes económicos: estructura, contenido y rasgos lingüísticos. Dado que estos informes son, generalmente, muy extensos, aquí vas a analizar en detalle un fragmento representativo de este tipo de documento.

Observa y aprende

Este apartado es una introducción a los rasgos más generales de los informes económicos. En él leerás un fragmento de un informe sobre las relaciones comerciales de los países latinoamericanos que forman la CAN (Comunidad de Naciones Andinas).

1   En primer lugar examinarás la función y la estructura de un informe.

Relaciona cada clase de documento con un título apropiado.

Tipo de documento	Título
(a) Información y descripción de una situación específica.	(i) El comercio internacional para torpes.
(b) Exposición y análisis de actuaciones realizadas.	(ii) Mis opiniones sobre el comercio justo.
(c) Presentación de una valoración subjetiva y personal de un problema.	(iii) Descripción y análisis de las medidas tomadas para reducir el consumo energético de la fábrica de Guadalajara.
(d) Recomendaciones o propuestas basadas en un análisis de hechos.	(iv) La exportación del jamón serrano a Australia: estudio del mercado.
(e) Explicación de un tema complejo a un público no especializado.	(v) Evolución del mercado de telefonía móvil en España 2009–2010 y previsiones para el futuro.
(f) Previsiones para un futuro basadas en un análisis previo de la situación pasada o actual.	(vi) Análisis del descenso de ventas ocurrido en el segundo trimestre y recomendaciones para incrementar la cuota de mercado de la sociedad.

2   De los tipos de documentos del paso anterior, ¿qué funciones no se asocian normalmente con los informes? ¿Por qué?

3   A continuación encontrarás una lista desordenada de las secciones de un informe escrito. Ordénalas.

> Anexo (estadístico)   Índice   Título
>
> Conclusiones   Bibliografía
>
> Resumen ejecutivo o sumario   Introducción   Secciones del documento

4   Vas a concentrarte ahora en la estructura de un informe concreto: La Comunidad Andina de Naciones. Los distintos apartados de un informe van precedidos de un encabezamiento, que destaca el tema clave que se va a tratar. Lee el texto siguiente y elige el título que mejor indique su contenido.

(a)   Orígenes e historia de la CAN.

(b)   La agricultura: un desafío para la CAN.

(c)   Integración y Comercio en la Región Andina.

(d)   Las Zonas de Libre Comercio en Latinoamérica.

La Comunidad Andina de Naciones (CAN) es una organización subregional con personalidad jurídica internacional. Está formada por Bolivia, Colombia, Ecuador, Perú y Venezuela y por los órganos e instituciones del Sistema Andino de Integración (SAI). Sus antecedentes se remontan a 1969 cuando se firmó el Acuerdo de Cartagena, también conocido como Pacto Andino. La CAN inició sus funciones en agosto de 1997.

[…]

La Zona de Libre Comercio (ZLC) es la primera etapa de todo proceso de integración y compromete a los países que la impulsan a eliminar aranceles◆ entre sí y establecer un arancel común ante terceros.

La ZLC andina se comenzó a desarrollar en 1969 y se culminó en 1993. Para ello utilizaron como instrumento principal el Programa de Liberación, encaminado a eliminar todos los derechos aduaneros y otros recargos que incidieran sobre las importaciones.

La ZLC tiene una característica que la hace única en América Latina: todos los productos de su universo arancelario están liberados.

- En septiembre de 1990 Bolivia, Colombia y Venezuela abrieron sus mercados.

- En enero de 1993 lo hizo Ecuador.

- Perú se está incorporando de forma gradual a la ZLC, tras suspender en agosto de 1992 sus compromisos con el Programa de Liberación. Finalmente, en julio de 1997, Perú y los demás miembros de la CAN llegaron a un acuerdo para la integración total de este país a la ZLC (mediante una progresiva desgravación◆ arancelaria), cuya aplicación comenzó en agosto de 1997 y [culminó] en el 2005.

La CAN ha llevado a cabo una Integración Comercial caracterizada por: Zona de Libre Comercio, Arancel Externo Común, Normas de Origen, Competencia, Normas Técnicas, Normas Sanitarias, Instrumentos Aduaneros, Franjas de Precios, Sector Automotor y Liberalización del Comercio de Servicios.

En el campo de las Relaciones Externas, la CAN mantiene: negociaciones con el MERCOSUR, con Panamá, con Centroamérica y con la CARICOM; relaciones con la Unión Europea, Canadá y EE.UU.; participa en el ALCA y en la OMC; y todos los países miembros tienen una Política Exterior Común.

Asimismo, este organismo ha realizado grandes esfuerzos para conseguir una Integración Física y Fronteriza en materia de transporte, infraestructura, desarrollo fronterizo y telecomunicaciones, y también una Integración Cultural, Educativa y Social.

[…]

Actualmente la Comunidad Andina agrupa a cinco países con una población superior a los 105 millones de habitantes, una superficie de 4,7 millones de kilómetros cuadrados y un Producto Interior Bruto del orden de los 285.000 millones de dólares. Es una subregión, dentro de Sudamérica, con un perfil propio y un destino común.

(*América Económica*, editado por Asesores de Publicaciones S.L. Año IX, Madrid, 5.10.07, www.americaeconomica.com) [último acceso 13.5.10]

Datos básicos de la CAN, año 2008

Población:	96,9 millones de habitantes
Extensión territorial:	3 798 000 km2
PIB:	US$ 407,9 mil millones de dólares
Exportaciones intracomunitarias:	US$ 7 171 millones de dólares
Exportaciones totales al mundo:	US$ 93 142 millones de dólares
Importaciones del mundo:	US$ 94 176 millones de dólares

(www.comunidadandina.org/estadisticas.asp) [último acceso 28.4.10]

Vocabulario

arancel   tarifa oficial que determina los derechos que se deben pagar cuando un producto se desplaza por un territorio (en aduanas, ferrocarriles, etc.)

desgravación   acto de rebajar los impuestos sobre algunos productos

5   El contenido debe seguir un orden lógico implícito y, como ya sabes, los párrafos son los que organizan la información de un texto. Vuelve a leer el texto y anota el tema de los párrafos.

Párrafo	Tema clave
Párrafo 1:	Introducción al tema. Orígenes e historia de la CAN.
Párrafos 2 – 4:	
Párrafos 5 – 7:	
Párrafo 8:	

¡Fíjate!

Para ayudar al lector o a la lectora a seleccionar el material que más le interesa, es primordial que los distintos apartados del informe estén debidamente encabezados con un título informativo. Además, la breve introducción del primer párrafo de cada apartado es muy útil: es una técnica para poner en contexto el resto del apartado. La información que sigue debe ampliar esta introducción, en un orden que sea coherente con el tema general del apartado. La extensión de los distintos párrafos puede variar, según su función o tema: el párrafo introductorio suele ser más breve que el resto, y un párrafo puede ser más largo que el resto si el tema lo justifica.

6   En esta sección vas a examinar en detalle algunas características lingüísticas y el contenido de los informes en general.

En primer lugar vas a analizar dos recursos muy utilizados en los informes.

Los informes suelen facilitar datos estadísticos, gráficos, cuadros, bibliografía suplementaria, etc. que a menudo no se incluyen en el texto central de las secciones del informe. ¿Sabes dónde se incluyen estos datos suplementarios?

Las fuentes consultadas (libros y otros documentos) también pueden aparecer en una bibliografía, añadida generalmente al final del informe u otro documento que la incluya. En ella se deben citar todas las obras que se han consultado. No obstante, a veces se hace alusión a publicaciones y otras fuentes que no se han consultado y que solo tienen una relevancia limitada respecto al tema, por ejemplo, una referencia a otro informe sobre un tema relacionado que se publicó en otra época o en otro país, y que se menciona simplemente para contextualizar la cuestión que se examina. En estos casos, para no sobrecargar la bibliografía con referencias innecesarias, se puede citar la obra en las notas a pie de página.

Hay varias maneras de organizar los datos bibliográficos, pero la que generalmente resulta más fácil para el lector o la lectora es catalogar las obras por orden alfabético de los autores. No te olvides de incluir:

- apellido(s), nombre(s) o iniciales del autor o de la autora;
- año de publicación;
- título de la obra (en cursiva);
- edición (si hay varias);
- tomo o número y fecha (si se trata de un periódico o revista),
- lugar de publicación;
- editorial;

- capítulo (aunque frecuentemente no se menciona);
- la(s) página(s) consultada(s).

A continuación tienes un ejemplo de cómo organizar una fuente bibliográfica:

Tamames, R. (1993) *Introducción a la economía española*, 21ª edición (revisada), Madrid, Alianza Editorial, Cap. 8, páginas 367–8.

7 A continuación tienes una serie de notas a pie de página, extraídas de un informe. Léelas e indica qué tipo de información se suele incluir en ellas. Comprueba tus respuestas en el siguiente recuadro sobre notas a pie de página.

1 Las estimaciones se basan en datos disponibles al 30 de septiembre de 1999. Para la mayoría de los países esto significa que se basan en las cifras de exportaciones de los primeros siete meses de 1999.

2 Secretaría General de la Comunidad Andina, *Evaluación de las exportaciones intra-andinas de la Comunidad 1996–1998*, 25 de abril de 1999, pág. 23.

3 La Homogeneidad del Desarrollo se define aquí como una situación en la que el PBI *per cápita* de los países de la región no muestra una elevada dispersión.

4 Esto obedece a varias razones: a las dificultades subsistentes con respecto a la competitividad internacional, a la protección existente en terceros mercados, etc.

5 Véase, por ejemplo, Hunter, Linda C.: "Europe 1992: An Overview", *Federal Reserve Bank of Dallas Economic Review*, enero de 1991.

Notas a pie de página

Las notas a pie de página suelen incluir información que se considera complementaria a la del texto central como:

- fechas de los datos utilizados;

- fuentes bibliográficas;

- definiciones de un concepto, explicación o aclaración de un hecho;

- bibliografía suplementaria, etc.

Aunque son útiles, se recomienda utilizar el mínimo de estas notas y que sean breves: si hay demasiadas el documento será difícil de leer, ya que interrumpen la fluidez de la exposición.

Los informes suelen constar de una parte descriptiva y otra técnica. Las referencias a datos estadísticos se incluyen frecuentemente en la parte técnica en, por ejemplo, un anexo o apéndice. Se puede hacer referencia a estos datos de varias formas:

- ... las exportaciones de la CAN han aumentado (véase el gráfico 1)/(véanse los gráficos 1 y 2)

- ... como muestra / indica / refleja el gráfico 1, China es uno de los países que más comercia con la CAN.

- ... según (se desprende de) el gráfico 1, las exportaciones a EE.UU. han disminuido durante el último año.

8 Escribe cuatro frases sobre los datos contenidos en los siguientes gráficos, haciendo las referencias oportunas, según lo que acabas de aprender.

enero-abril 2008

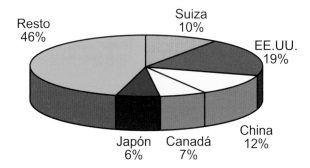

enero-abril 2009

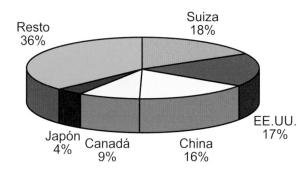

Exportaciones de la Comunidad Andina por país de destino, años 2008–2009

(Informe de Comercio Exterior elaborado por SUNAT, Superintendencia Nacional de Administración Tributaria del Gobierno de Perú, 2009. Disponible en: www.sunat.gob.pe)

9 A continuación vas a analizar las características del tipo del lenguaje que predomina en los informes económicos que estás estudiando.

Rellena la siguiente tabla de los rasgos lingüísticos de los informes económicos con ejemplos del texto que aparece en el paso 4.

Rasgos lingüísticos de los informes económicos	Ejemplos en el texto
Estilo impersonal; exclusión del autor o autora y de sujetos personales; uso de tercera persona / del "se" impersonal:	
Registro formal: uso de un vocabulario cuidado:	"gradual", "llevar a cabo"
Uso de vocabulario semiespecializado y acrónimos:	"CAN", "ZLC", "desgravación arancelaria"
Uso abundante de datos exactos o aproximados, porcentajes, cifras, comparaciones y fechas:	

El lenguaje usado en los informes económicos se caracteriza por la precisión y concisión. Se excluyen los adjetivos subjetivos, los términos ambiguos o equívocos y las valoraciones subjetivas.

Esto es debido a que el propósito del trabajo es presentar un análisis objetivo e imparcial de una situación, donde la interpretación personal solo se justifica en las conclusiones que se ofrecen al final del documento. Además, las afirmaciones que se hacen en los informes suelen apoyarse con porcentajes, cifras, comparaciones, etc.: los porcentajes y las fracciones se expresan en palabras (el 60 por ciento de..., un cuarto de) y las cifras, en números hasta el millar (543, pero 7 mil millones).

Aunque se utiliza un vocabulario semiespecializado, los términos demasiado técnicos se suelen definir o aclarar a pie de página; con el uso de acrónimos ocurre algo parecido, se suelen definir o bien la primera vez que ocurran o se adjunta una lista de las abreviaciones utilizadas en el trabajo, antes

del índice. Por último, aunque se recomienda utilizar un vocabulario cuidado, se debe evitar un estilo rebuscado o académico, que dificulte la comprensión del mensaje.

10 A continuación tienes una serie de frases que no se ajustan a las recomendaciones anteriores sobre el estilo y el lenguaje de los informes. Vuelve a escribirlas corrigiendo aquellas expresiones que no son adecuadas para este tipo de texto o que consideres que pueden formularse mejor.

Ejemplo

Brasil fue la economía que peor lo pasó con la crisis financiera asiática.

Brasil fue la economía *más gravemente afectada por* la crisis financiera asiática.

(a) El crecimiento de la producción mundial **bajó** de un **cuatro** por ciento en 1997 a un **dos coma cinco** por ciento en 1998.

(b) El conflicto interno es **malo** para el desarrollo económico del país.

(c) Debido al efecto de El Niño y teniendo en cuenta los informes adversos de la **OMC** sobre la industria bananera, **todo el mundo se hacía la idea de que** el comportamiento de la economía de los países del Caribe en 1997 **iba a ser pobre**.

(d) Los beneficios totales del grupo casi se **doblaron** en la década **en la que estamos**.

(e) Según el informe anual del Banco de Desarrollo del Caribe (BDC) muchos países **tuvieron** elevadas tasas de crecimiento en 1998.

(f) En conjunto, el progreso **hecho en lo de la** integración del Caribe en los últimos años **es magnífico**.

Ahora tú

En esta sesión vas a escribir un apartado de un informe sobre el desarrollo económico de una región latinoamericana desde 1980 hasta 2005. El informe va dirigido a un grupo de inversores que quiere fomentar el desarrollo de cooperativas agrícolas de la zona.

Primera fase: preparación de las ideas

En esta sección vas a generar ideas para escribir un apartado del informe.

Has recopilado una serie de datos para evaluar el crecimiento económico de 1980 hasta 2005. Tu objetivo es verificar si la región ha superado la crisis económica de los 80.

11 Estudia la información siguiente y escribe una frase que resuma la evolución económica de la región usando la información del gráfico.

¿Qué es el Mercosur?	Es una unión aduanera latinoamericana.
¿Cuándo se creó?	En 1991.
¿Cuáles son sus objetivos?	Crear una unión aduanera y un mercado común.
¿Cuántos países son miembros del Mercosur?	Hay cuatro miembros: Argentina, Brasil, Paraguay y Uruguay.

Algunos datos sobre Mercosur

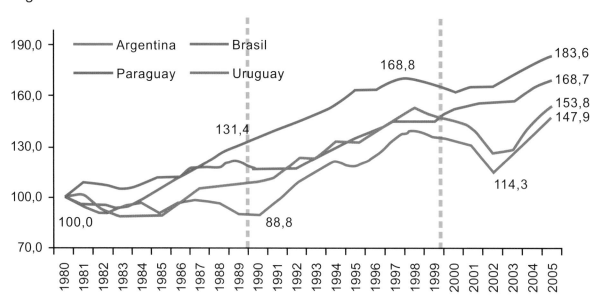

Evolución del PIB desde antes de la creación del Mercosur hasta 2005. (Base: 1980:100)

(Portal de economía argentino www.abeceb.com, 2008)

12 Mira la información proporcionada en el paso anterior y contesta las preguntas:

(a) ¿Qué organización supranacional existe en la región? ¿Cuándo se fundó? ¿Qué países incluye? ¿Qué objetivos tiene?

(b) ¿Qué información hay sobre el crecimiento económico de la región en general?

(c) ¿Hay información sobre el crecimiento por año? ¿El crecimiento sigue al mismo ritmo año tras año, o es mayor o menor en determinados años?

(d) ¿El crecimiento ha sido homogéneo en todos los países? ¿Qué países son excepcionales en este respecto?

Segunda fase: elaboración del texto

En esta sección se te dan una serie de pautas que te ayudarán a organizar tus ideas y a poner en práctica lo que aprendiste en la sección "Observa y aprende".

13 En esta actividad vas a escribir el apartado de un informe de unas 250 palabras. Sigue las siguientes recomendaciones:

• Vuelve a leer los apuntes tomados en los pasos 11 y 12 y escribe un encabezamiento para tu apartado.

• Estructura las ideas que has anotado, en un breve plan, sin incluir una introducción: anota qué tema clave corresponderá a cada párrafo.

• Escribe una breve introducción al apartado, siguiendo las recomendaciones que se hicieron en la primera parte de la sesión de escritura.

• ¿Necesitas incluir algún cuadro, gráfico o nota a pie de página para ilustrar, aclarar o ampliar los puntos que quieres realzar? Repasa el uso de estos recursos.

• ¿Estás familiarizado/a con los términos semiespecializados que tendrás que usar? Haz una lista de expresiones que te harán falta para aludir a conceptos de crecimiento, disminución u oscilación y repasa las convenciones para escribir porcentajes, cifras, fracciones y acrónimos.

• Repasa los consejos que hemos visto sobre el estilo y el registro que se deben emplear en este tipo de textos.

Tercera fase: autoevaluación

14 Antes de dar tu informe por acabado, comprueba si cumple los siguientes requisitos. Luego haz los cambios oportunos, si es necesario.

• ¿Tiene el apartado un encabezamiento adecuado?

• ¿Tiene una estructura lógica (un párrafo por cada idea central)?

• ¿Tiene una introducción breve que ponga en contexto su análisis de la situación?

• Si has incluido una nota a pie de página, ¿está justificada?

• ¿Son correctas las referencias a datos estadísticos?

• ¿Lo has redactado en un estilo impersonal?

• ¿Has usado un registro formal?

• ¿Has cuidado el uso de vocabulario semiespecializado?

• ¿Has usado correctamente los acrónimos?

• ¿Has presentado adecuadamente los porcentajes y las cifras?

Revisión de un texto

Una vez redactado el informe, o cualquier otro documento, conviene revisarlo minuciosamente, prestando atención no solo al contenido sino también al lenguaje. Repasa y comprueba siempre lo siguiente:

- Contenido: has cubierto los puntos principales, los argumentos quedan apoyados con evidencia, toda la información dada es relevante.

- Estructura: la línea argumentativa se sigue fácilmente, tiene una introducción y conclusión claras.

- Lenguaje: la ortografía de las palabras es correcta, la puntuación ayuda a la comprensión de la lectura.

- Propósito: has tenido en cuenta el tipo de lector o lectora.

Unidad 6

Medio ambiente

El mundo que habitamos es el sustento y el producto de la era postindustrial, caracterizada por una explotación irresponsable de los recursos naturales que en un futuro próximo puede tener consecuencias irreversibles en nuestro planeta. El cambio climático es sin duda uno de los mayores retos a los que se enfrenta nuestra civilización, y una de las cuestiones medioambientales más graves del mundo hispano es la gestión de los recursos hídricos, que trataremos en la primera parte de esta unidad.

Entre los sectores de actividad humana que más afectan a la biosfera se encuentra el turismo, cuyos efectos, como veremos, pueden llegar a ser muy nocivos. No son pocos, sin embargo, los consumidores que demandan una forma de viajar diferente, y que han llevado a las empresas a ofrecer una alternativa al turismo tradicional: el ecoturismo, del que tratan varios de los textos de esta unidad.

Otro de los avances hacia un mundo sostenible es la creación de parques naturales entre los que se encuentran algunos Parques hispanos muy famosos, como Doñana, en España, y las Islas Galápagos en Ecuador. Los espacios protegidos, por desgracia, no siempre se encuentran a salvo del peligro que las actividades (y la negligencia) humanas suponen para la vida que albergan, y esta unidad incluye también un texto sobre algunos desastres ecológicos ocurridos en los últimos años que demuestra que no parece que hayamos aprendido mucho de ellos. Para concluir, escucharemos también puntos de vista críticos con el movimiento ecologista tal y como ha sido planteado desde los países más desarrollados.

Tema 21   Abusos medioambientales

La revolución ecológica que la científica estadounidense Rachel Carson inició con su famoso libro *Primavera silenciosa* (1962) ha culminado en nuestra época, en la que las preocupaciones medioambientales han pasado a formar parte de la vida diaria de la sociedad y de la política de los gobiernos. Uno de los mayores retos a los que nos enfrentamos es sin duda el cambio climático, del que nos habla el siguiente texto. En él la Comisión Europea contesta las preguntas que sobre este tema han formulado los ciudadanos.

6.1

El cambio climático

Las variaciones climáticas han existido en el pasado y existirán siempre a consecuencia de diferentes fenómenos naturales, como los cambios fraccionales en la radiación solar, las erupciones volcánicas y las fluctuaciones naturales en el propio sistema climático.

Sin embargo las causas naturales pueden explicar sólo una pequeña parte del calentamiento. La inmensa mayoría de los científicos coincide en que se debe a las crecientes concentraciones de gases de efecto invernadero, que retienen el calor en la atmósfera como consecuencia de las actividades humanas.

Preguntas y respuestas sobre el cambio climático

[...]

¿Un ligero calentamiento no resultará beneficioso en general, especialmente en el norte de Europa?

Aunque un ligero calentamiento podría ser favorable para la agricultura del norte de Europa, ese beneficio se esfumaría♦ si la temperatura sigue subiendo. Las proyecciones estiman que habría incrementos en la producción agrícola de la UE si la temperatura aumentase hasta 2°C, pero más allá de ese nivel la producción se reduciría. Además, la escasez de agua y el aumento de la temperatura en el sur de Europa contrarrestarían♦ esa tendencia positiva del norte. Durante la ola de calor de 2003, muchos países del sur de Europa sufrieron caídas de su producción agrícola ¡de hasta el 30%!

En términos planetarios, los efectos del cambio climático serán en su mayor parte negativos. El aumento del nivel del mar pondrá en situación de riesgo a millones de personas que habitan en las costas. Por otro lado, el cambio climático aumentará tanto la frecuencia como la gravedad de fenómenos extremos, como sequías, inundaciones, olas de calor o tormentas de viento. [...]

¿El cambio climático me afectará a mí personalmente?

Si vives en Europa, tal vez hayas padecido la ola de calor de 2003, alguno de los incendios forestales ocurridos en el sur del continente o las inundaciones de los últimos años. Aunque es difícil afirmar que esos episodios fueran provocados por el cambio climático, coinciden con lo que los científicos señalan que está causando el cambio climático. También es probable que sufras condiciones meteorológicas extremas con más frecuencia en los próximos años y puede que observes cómo aumenta el precio de las pólizas de seguro para proteger tu inmueble de los daños que puedan ocasionar las tormentas.

En cuanto al futuro, se prevé que los países del sur de Europa sufran cada vez menos precipitaciones y tengan unas temperaturas más altas (en España se prevé que las temperaturas alcancen hasta 4,5°C más de media para 2080), mientras que las temperaturas en el norte de Europa aumentarán un poco menos (entre 1,5 y 2°C para 2080) y habrá más precipitaciones. Si vives en la costa, es posible que observes cómo sube el nivel del mar.

Asimismo, es probable que te veas afectado por otros impactos del cambio climático si trabajas en la agricultura, la silvicultura♦ o en entornos naturales, porque la vegetación y los animales se están desplazando de los lugares históricos a climas más fríos. Además, si esquías, observarás que a lo largo de los años los espacios para esquiar y los glaciares desaparecen. Es posible que en el futuro, cuando decidas a dónde ir de vacaciones, elijas lugares diferentes a los que escoges ahora, ya que algunos de los destinos turísticos habituales pueden ser demasiado calurosos o demasiado inestables. También es probable que veas cómo los gobiernos toman medidas para adaptarse al cambio climático. Por ejemplo, es posible que se refuercen las defensas contra las inundaciones, que se introduzcan nuevos códigos de edificación, que se anime a los agricultores a sembrar otros cultivos, etc.

Si el escenario se complica – es decir, si la sociedad no toma las medidas necesarias para limitar el cambio climático o si las cosas van aún peor de lo que la ciencia prevé hoy en día – es probable que también te afecte un empeoramiento económico general y tu país quizá tenga que plantearse la posibilidad de intervenir en conflictos causados por la escasez de agua y alimentos en terceros países, ofrecer ayuda humanitaria y permitir la entrada de refugiados.

¿Una persona puede conseguir realmente que cambie algo?

El cambio climático es realmente un problema de todos, y cada uno de nosotros forma parte de la solución. Si queremos ganar la batalla al cambio climático, todos los sectores de la sociedad y todos los ciudadanos deberemos colaborar.

Por ejemplo, en la UE, una tercera parte de la energía se consume en los hogares (que son, por tanto, los responsables del 20% de las emisiones de gases invernadero en la UE). De esa energía, el 70% se emplea en calefacción, el 14% en agua caliente y el 12% en luz y electricidad. Los coches privados son los responsables del 10% de las emisiones de gases invernadero en la UE. Las personas también compran productos hechos con energía, utilizan aviones, generan residuos, comen carne, etc. [y] todas [estas] actividades generan indirectamente emisiones de gases invernadero.

[...] En un contexto más general, la sociedad tendrá que hacer uso de diferentes instrumentos para reducir las emisiones de gases invernadero. Por ejemplo: aumentar el uso de las energías renovables, mejorar la eficiencia energética, producir energía de forma más limpia a partir de combustibles fósiles, emplear nuevos combustibles para el transporte, mejorar el aislamiento de los edificios y, a largo plazo, desarrollar nuevas tecnologías limpias, como el hidrógeno y la tecnología de células de combustible (siempre y cuando el hidrógeno se produzca con energía limpia) o las tecnologías de captura y almacenamiento de carbono.

¿Qué hace el sector empresarial?

Las empresas y la industria están empezando a comprender que al recortar sus emisiones de gases invernadero no sólo combaten el cambio climático sino que también pueden ahorrar dinero, mejorar su competitividad y reforzar su reputación corporativa. Cada vez son más las empresas que trabajan para reducir sus emisiones.

Por ejemplo, una gran empresa multinacional que fabrica diferentes productos en distintas regiones del mundo ha ahorrado 1.500 millones de euros desde 1990 reduciendo el consumo de energía e instalando nuevas tecnologías respetuosas con el medio ambiente en sus fábricas. Además, ahorra entre 7 y 11 millones de euros gracias al uso de las energías renovables. Con estas medidas, ha reducido sus emisiones de gases invernadero en un 67% desde 1990.

[...]

El desarrollo de tecnologías que no contribuyen al cambio climático también genera nuevos puestos de trabajo y abre nuevos mercados. Gracias a los programas de apoyo a la energía eólica existentes en varios países de la UE, Europa se ha convertido en el líder mundial en esta tecnología: las empresas europeas acaparan♦ en la actualidad el 90% del mercado mundial de equipos de generación eólica, que se está expandiendo rápidamente en todo el mundo.

¿No sería más lógico, desde el punto de vista económico, no intentar frenar el cambio climático e invertir dinero en adaptarse al mismo en lugar de combatirlo?

Cada vez hay más pruebas científicas que indican que las ventajas económicas de limitar el aumento de la temperatura global a un máximo de 2°C – el objetivo de la UE – compensarán con creces los costes de reducir las emisiones lo suficiente para mantener ese límite. A pesar de que al principio se invertirá dinero en modificar

el sector energético y reducir las emisiones de los gases invernadero, la contrapartida estará en los recursos que ahorraremos al evitar el daño derivado del aumento del nivel del mar, de las condiciones meteorológicas extremas, de la escasez de agua, de las inundaciones y del mal funcionamiento de los ecosistemas.

El informe más serio aparecido hasta ahora sobre los costes del cambio climático es el Informe Stern sobre las consecuencias económicas del cambio climático, publicado en octubre de 2006 por el gobierno británico. Este informe concluye que las acciones tempranas para limitar el cambio climático tendrán un coste mucho menor para nuestras economías que el que supondrían a largo plazo los daños asociados a un cambio climático incontrolado. [...] Así mismo, los actores del mercado que lideran el desarrollo de tecnologías respetuosas con el medio ambiente tendrán una ventaja competitiva muy importante y aquí, la UE, tiene una verdadera oportunidad para tomar el liderazgo mundial, al igual que lo hizo con el mercado de los equipos de energía eólica, en el que las empresas europeas suministran actualmente al 90% del mercado global.

(http://ec.europa.eu/environment/climat/campaign) [último acceso octubre de 2009]

Vocabulario

esfumarse   desaparecer

contrarrestar   paliar, neutralizar el efecto de algo

silvicultura   cultivo de los bosques o montes

acaparar   apropiarse de algo y retenerlo

- Según la información expuesta en el texto, ¿ha llegado el proceso de calentamiento global a un punto de no retorno?

- ¿Cuáles son las principales iniciativas que se han tomado a escala mundial para combatir el cambio climático?

Las consecuencias del cambio climático, si bien afectan a todo el planeta, castigan con mayor dureza a los grupos humanos más desfavorecidos. El artículo que aparece a continuación examina la situación de los pueblos indígenas de Latinoamérica y el modo en que se están enfrentando a este problema medioambiental.

6.2

La Tierra tiene fiebre

Alejandra Martins

BBC Mundo

"La vulnerabilidad de los pueblos indígenas al cambio climático no es un tema que haya sido bien comprendido desde el inicio y no había sido tenido debidamente en cuenta en informes".

Gonzalo Oviedo es consejero sobre políticas sociales de la Unión Internacional para la Conservación de la Naturaleza, IUCN por sus siglas en inglés, y coautor de un informe de la organización sobre el impacto del cambio climático en los pueblos indígenas.

De acuerdo con el experto, algunas de las áreas que más riesgo corren con el calentamiento global en América Latina son al mismo tiempo áreas de gran vulnerabilidad humana, porque en ellas habitan comunidades indígenas muchas veces empujadas a zonas marginales en condiciones de pobreza, con muy poca atención del sector público.

Estas comunidades no sólo son víctimas del cambio climático, también exigen un mayor protagonismo a la hora de diseñar estrategias de adaptación. El 80% de los bosques del mundo están en zonas habitadas por pueblos indígenas, según el Programa de Naciones Unidas para el Medio Ambiente, y cualquier mecanismo de respuesta al cambio climático va a afectarlos directamente.

De los Andes a Centroamérica

En el caso de Sudamérica, "se ha comprobado que las montañas son muy sensibles a los cambios climáticos. La disminución de las lluvias conduce a una disminución de los glaciares y, por ejemplo, en Perú, en las montañas altas se ha evidenciado una disminución significativa

de la cantidad de hielo que se derrite convirtiéndose en agua y dando origen a los ríos", señala Oviedo.

Lo mismo, según el autor del informe de la IUCN, se ha visto en "el caso de Bolivia en la zona del altiplano◆ donde está el río Lauca, lo que está produciendo una situación de sequía en áreas donde viven pueblos indígenas".

Se observa algo similar en Ecuador, donde la nieve del volcán Cotopaxi alimenta al derretirse las fuentes de agua que salen a los valles, dando origen a ríos con caudales que ahora son "cada vez menores". En la zona seca del sur de los Andes (Bolivia, Perú y norte de Chile) "hay comunidades que están sufriendo seriamente por la sequía, como los Urus, donde hasta hoy no se ha hecho nada", señala Oviedo.

En Centroamérica, el problema es otro: la exposición a fenómenos climáticos extremos, como huracanes, que se originan en el Caribe. "Particularmente es la costa atlántica de Centroamérica la que está afectada, y ahí es donde vive, por ejemplo, el pueblo Misquito. Y en la zona montañosa muy afectada por estos eventos climáticos también viven pueblos indígenas, que en muchos casos trabajan tierras ecológicamente frágiles, en parcelas pequeñas, de escasa fertilidad".

Cambios catastróficos

Los pueblos indígenas han utilizado tradicionalmente métodos de adaptación a variaciones climáticas. En América Latina se han investigado muy poco las respuestas tradicionales de adaptación a la variabilidad climática, según Oviedo.

"Las comunidades indígenas de los Andes han practicado por siglos un sistema de utilización selectiva de pisos ecológicos, moviéndose hacia arriba o abajo en la montaña, cultivando por ejemplo, variedades de papa más resistente al clima seco y frío en la parte más alta y usando otros cultivos en las partes bajas".

Según Oviedo se trata de una excelente adaptación a la variabilidad climática, pero no sería suficiente si toda la montaña se ve afectada por una reducción severa en la cantidad de agua. En muchos casos, además, las comunidades han perdido los derechos de acceso a tierras en todo ese rango.

> **❝**
> El problema ahora es que con el cambio climático los cambios a nivel de la disponibilidad de agua son tan catastróficos que ya esos sistemas tradicionales por sí solos no funcionan. **❞**

También se han construido tradicionalmente pequeñas represas◆ para cosecha de agua, pero los mecanismos locales no serían suficientes para enfrentar los cambios de gran magnitud que se predicen con el calentamiento global.

Tradiciones y técnicas modernas

La respuesta puede estar en combinar las prácticas tradicionales con otras técnicas de eficacia probada, y un ejemplo de que esto es posible es el llamado Quesungual, un método de agroforestación desarrollado en Honduras.

El sistema incorpora prácticas tradicionales de las comunidades indígenas lencas◆, como el cultivo entre árboles que sujetan la tierra, evitando deslizamientos, y elementos más modernos desarrollados en conjunto con técnicos de la FAO◆, como la no quema de vegetación y la diversificación de cultivos.

Podrían también adaptarse a América Latina técnicas sofisticadas de cosecha de agua, como la llamada *aflaj*, utilizada en tierras áridas del Medio Oriente, por ejemplo. Los sistemas altamente desarrollados de colecta de agua en tiempos incásicos◆ se han perdido, señala Oviedo, y el sistema actual de usar represas de pared de tierra a cielo abierto es doblemente problemático: se pierde agua por filtración y por evaporación.

En la técnica *aflaj*, que significa compartir, el agua que cae en la cima de las montañas corre a través de túneles de roca y se almacena en reservorios subterráneos, de donde se comparte de acuerdo a reglas estrictas, explica Oviedo.

[…]

"Árbol sagrado"

Un tema que los pueblos indígenas deben llevar a foros internacionales es el riesgo de los megaproyectos de desarrollo e integración regional, advirtió a BBC Mundo Egberto Tabo, representante de la COICA, Coordinadora de las Organizaciones Indígenas de la Cuenca Amazónica, con sede en Ecuador.

La cuenca amazónica, donde viven más de 400 pueblos con diferentes costumbres y conocimientos, está amenazada, según Tabo, por proyectos como la carretera Manta Manaos, una carretera que, asegura, ha causado deforestación en la Amazonía.

Los pueblos amazónicos también pueden aportar su espiritualidad y a través de ella una forma más profunda de sentir y reaccionar ante lo que está sucediendo en la Naturaleza.

"Cada ser viviente representa algo para nosotros, tiene algo que contribuir. Un árbol es un ser que nos guía, un ser muy sagrado, así como para la gente blanca la Iglesia es un lugar sagrado".

(Adaptado de Martins, A., *BBC Mundo*, 1.6.09, www.bbc.co.uk/mundo) [último acceso 9.10.09]

Vocabulario

altiplano   meseta de mucha extensión, situada a gran altitud. Son típicos de algunos países latinoamericanos, como Bolivia

represa   obra, generalmente de cemento armado, para contener o regular el curso de las aguas

lencas   pueblo indígena del suroeste de Honduras y del este de El Salvador

FAO   siglas de la Organización de las Naciones Unidas para la Agricultura y la Alimentación (*Food and Agriculture Organization* en inglés)

incásico   incaico, perteneciente o relativo a los incas

- Elabora un esquema con los principales retos ecológicos y humanos a los que se enfrenta cada uno de los países mencionados en el texto.

- ¿Qué soluciones a los problemas de la conservación del entorno se mencionan en el texto?

El aumento de la población mundial y la industrialización a gran escala están teniendo alarmantes consecuencias en el medioambiente, que empieza a pasarnos factura. Uno de los principales problemas en el mundo hispano es la gestión del agua, la cual, como veremos en el texto que sigue, afecta especialmente a Latinoamérica, donde su disponibilidad está ligada a la política y los intereses comerciales.

6.3

La guerra del agua: América Latina será escenario de una batalla por el vital líquido

Cuando Kofi Annan dijo que el agua era una posible "causa de conflictos y guerras", obviamente estaba pensando en América Latina.

Los granjeros del norte de México sufren una sequía desde hace años, que ha dejado pérdidas ascendentes a US$1.000 millones. Sin embargo, el 80% del agua del país la consumen empresas agrícolas, mineras y ganaderas, sin pagar nada.

En Ciudad de México, Santiago de Chile y Lima se agotan las reservas subterráneas del líquido. El bombeo excesivo del manto acuífero◆ ha provocado que la capital mexicana se hunda más rápidamente que Venecia; ahora el agua se trae desde una distancia de 200 kilómetros. En Chile, el agotamiento de los embalses necesarios para la energía hidroeléctrica causó apagones◆ generalizados hace unos años.

En Lima casi nunca llueve y el abastecimiento de agua depende de los ríos que bajan de los Andes. La escasez de agua potable causó una epidemia de cólera en 1991, la primera en un siglo.

En San Salvador, en los barrios de clase media, el agua siempre está racionada. La municipalidad no tiene un programa para conservar el agua de lluvia, pero permitió que una embotelladora de Coca-Cola se adueñara de un manto acuífero. Si los capitalinos◆ quieren agua, deben madrugar para llenar baldes◆.

A medida que la región se desarrolla, el problema del agua empeora. En cinco años, la mitad de la población mundial vivirá en ciudades, según la Escuela de Salud Pública Bloomberg de Johns Hopkins. Pronto, Sao Paulo tendrá más de 20 millones de habitantes. Entretanto, la cantidad de agua potable en América Latina es la tercera parte de lo que era en 1950. Regresemos a México: cuando el auge de las maquiladoras◆, la población de la frontera creció de 1.4 millones en 1940 a casi 12 millones hoy. Y eso que es un desierto.

Estamos al borde de un desastre. En América Latina, 78 millones de personas no tienen suficiente agua, mientras 117 millones carecen de instalaciones higiénicas adecuadas, según la ONU. Marq de Villiers, autor de *Water: The Fate of Our Most Precious Resource* ("El agua; la suerte de nuestro recurso más precioso"), ofrece un dato aún más deprimente: en Latinoamérica sólo se trata el 2% de las aguas negras◆. Es obvio que cientos de miles de habitantes de las congestionadas ciudades de la región morirán de diversas enfermedades si esas cifras no cambian.

El consumo mundial de agua potable se duplica cada 20 años. Es hora de que los líderes latinoamericanos cambien la situación: programas para conservar el agua, nuevas instalaciones de tratamiento, tecnologías y obras de irrigación para conservar el agua de lluvia. Los negocios agrícolas deben pagar el agua que consumen.

La privatización es una salida fácil, pero no siempre funciona en las regiones pobres. Bolivia sufrió violentos motines en 2000 cuando una filial de Bechtel Corp. compró la compañía local de acueducto y alcantarillado y disparó la tarifa mensual◆. Las compañías están motivadas por las ganancias, no por el servicio público. Es por esa razón que los gobiernos latinoamericanos deben prohibir las obras de acueductos comerciales a gran escala. En Cochabamba, donde ocurrieron los motines, la compañía local de acueducto, bajo nueva dirección, ha priorizado el suministro de agua a los que no la tienen.

Obviamente, los gobiernos que no pueden costear el cloro para purificar el agua necesitarán ayuda de instituciones internacionales de préstamo como el Banco Mundial y el Fondo Monetario Internacional. Esas instituciones, en vez de promover la privatización del agua, deben costear la reparación de las infraestructuras. Si se mejora el cobro de impuestos, los gobiernos regionales podrían pagar las reparaciones.

A la larga tendrán que hacerlo. Dentro de poco habrá 123 millones de latinoamericanos más en las ciudades y 23 millones en el campo sin acceso al agua. Si no se hace algo, los planificadores dicen que ciudades enteras podrían perecer tras agotar sus reservas de agua. Imaginen los motines.

(Adaptado de The Free Library. Freedom Magazines, Inc., 2002, www.thefreelibrary.com) [último acceso octubre de 2009]

Vocabulario

manto acuífero   reservas de agua que están por debajo de la superficie del suelo y son la principal fuente de riego agrícola y consumo humano

apagón   interrupción pasajera del suministro de energía eléctrica

capitalino   habitante de la capital

baldes   cubos

maquiladoras   plantas manufactureras para la exportación de productos a Estados Unidos. Las maquiladoras mexicanas suelen pertenecer a compañías extranjeras

aguas negras   agua contaminada con desechos orgánicos humanos o animales

disparó la tarifa mensual   subió mucho el precio que los consumidores tenían que pagar por el agua cada mes

• ¿Según el artículo cuál es el país más afectado por problemas hídricos?

• ¿Por qué, en opinión del autor, la privatización no es una solución? ¿Con qué ejemplos ilustra su punto de vista en este sentido?

En el artículo que aparece a continuación se describen proyectos de obras civiles para intentar resolver el problema del agua y mejorar su calidad en la ciudad de México.

LA GRAN
ALFOMBRA
AZUL

(Viñeta cómica del humorista Ramón, publicada en El País, 19.3.08, www.elpais.com/vineta) [último acceso octubre de 2009]

6.4

EL SUMINISTRO DE AGUA DE LA CIUDAD DE MÉXICO

Mejorando la sustentabilidad

La creciente urbanización es una realidad insoslayable◆ en el mundo cambiante de hoy. En los países en desarrollo, la falta de oportunidades de trabajo en las áreas rurales, la declinación de las economías de subsistencia◆ y la esperanza de acceder a una vida mejor han propiciado el nacimiento de las modernas megalópolis. Desafortunadamente, la infraestructura urbana, las instituciones y los recursos naturales disponibles han resultado a menudo insuficientes para responder al ritmo de expansión de los nuevos asentamientos◆. En todo el mundo se plantea una pregunta central: "¿cómo integrar los principios del desarrollo sostenido bajo circunstancias de esta naturaleza?" El agua es un recurso vital insustituible. Su abastecimiento◆, localización y desecho◆ presenta numerosos retos, los cuales deben ser enfrentados para satisfacer las crecientes demandas de estas nuevas áreas metropolitanas.

La Zona Metropolitana del Valle de México (ZMVM) ejemplifica estos retos. La demanda de agua para los 20 millones de personas que habitan en el área significa un desafío formidable para quienes tienen la responsabilidad de abastecer◆ a esta población. Como el agua superficial en la Cuenca de México es muy escasa, la principal fuente de abastecimiento para la ciudad es el Acuífero◆ de la Ciudad de México, localizado en el subsuelo del área metropolitana. Aunque el volumen de agua almacenada◆ es muy grande, su calidad es susceptible de sufrir un serio deterioro, debido a la permanente actividad que tiene lugar sobre el acuífero. La falta de tratamiento a las aguas residuales y el control insuficiente de los desechos peligrosos han colocado a este acuífero – y a todo el sistema de distribución de agua – en riesgo de contaminación microbiológica y química. Además, el uso del acuífero se ve restringido debido a una serie de problemas relacionados con el hundimiento del suelo. En efecto, desde que se inició la explotación del agua subterránea en el siglo XIX [hasta] la fecha, el constante descenso en los niveles de agua subterránea ha provocado un hundimiento cercano a los 7.5 metros en el centro de la Ciudad de México. Este hundimiento ha aumentado la propensión natural de la ciudad a las inundaciones, al tiempo que ha dañado la infraestructura urbana.

Los intentos de controlar las inundaciones, así como los de abastecer de agua y servicios de desagüe◆ a la ZMVM, han puesto en marcha proyectos masivos de obras civiles, tales como la construcción del sistema de drenaje profundo y la importación de agua desde la Cuenca del Cutzamala. […] El rápido crecimiento urbano y la falta de sustentabilidad financiera han restringido la capacidad del Gobierno para satisfacer la demanda de agua, ampliar el sistema de distribución a las áreas donde el servicio es deficiente, así como para proporcionar un tratamiento adecuado a las aguas residuales antes de desecharlas o reutilizarlas.

Desde 1988, México ha llevado a cabo grandes reformas enfocadas a la localización de nuevas fuentes de agua y al mejoramiento de los servicios de abastecimiento. Sin embargo, el futuro del agua en la ZMVM, al igual que en muchas ciudades del mundo, es incierto. En un sentido, el caso de esta zona de México plantea una situación extrema que podría presentarse en muchos otros lugares.

(http://lanic.utexas.edu/la/Mexico/water/libro. html) [último acceso 6.9.00]

Vocabulario

insoslayable   inevitable

economías de subsistencia   economías basadas en la agricultura o ganadería, generalmente familiares, que producen ganacias para satisfacer sólo las necesidades básicas

asentamiento   lugar donde se establece un núcleo de población

abastecimiento   provisión

desecho   eliminación de aguas residuales

abastecer   proporcionar; aquí, proporcionar agua

acuífero   terreno que contiene agua en una capa o zona del subsuelo

almacenada   guardada

desagüe   acción de hacer salir el agua por un conducto

Tema 22 Turismo y medio ambiente

El turismo, uno de los sectores más prósperos del momento, puede llegar a tener un efecto devastador en el medio ambiente, debido principalmente a la construcción de infraestructuras, al consumo de energía y agua y a la generación de residuos que implica. Éste es el tema que estudia el siguiente texto, cuyo autor analiza desde un punto de vista crítico el verdadero efecto de actividades que en apariencia nos pueden parecer inocuas.

6.5

TURISMO E IMPACTO AMBIENTAL

Impactos del turismo de interior

Aunque el turismo de sol y playa sea el responsable de la mayor parte de la degradación ambiental, en el interior, y en ocasiones provocado por un turismo supuestamente respetuoso con el medio ambiente, también se dan casos de incompatibilidades normalmente asociadas con la práctica de algún deporte.

El ejemplo más claro procede del turismo de invierno y en especial de la práctica del esquí. La escasa permanencia de la nieve en nuestras montañas y el limitado número de cumbres nevadas ha hecho de la innovación artificial un recurso contestado por organizaciones ecologistas, que insisten en lo perjudicial que resulta para los neveros♦ de alta montaña y los cursos altos de los ríos. Por otro lado, la construcción de pistas de esquí lleva consigo una continua renovación año a año motivada por la necesidad de ofrecer nuevos

atractivos a los visitantes. Así, nuevas pistas con nuevos remontes♦, mejores accesos, esquí nocturno o adaptación de pistas para *snowboard*, provocan nuevas fricciones con el entorno. Según la *Lliga per la Defensa del Patrimoni Natural* (DEPANA) de Cataluña, la estación de Baqueira-Beret, que ya consiguió limitar la protección del Parque Nacional de Aigüestortes para futuras ampliaciones de sus instalaciones, ha sido la principal causante de la desaparición de la perdiz nival de la zona o de que la población de urogallo se haya visto seriamente comprometida con la construcción de las pistas de Port Ainé. El Fondo Mundial de la Naturaleza/ADENA, por su parte, advierte que la continua ampliación de las pistas de Valdelinares en la sierra de Gúdar (Teruel) puede acabar con uno de los bosques de pino negro mejor conservados.

Otro grave efecto sobre el entorno lo provocan las excursiones de coches todoterreno, algunas de ellas celebradas sin obtener los oportunos permisos, como ha ocurrido con casos detectados en la sierra de Guadarrama, entre Madrid, Segovia y Ávila. Ruido, emisiones contaminantes y erosión del suelo son algunos de los impactos provocados por estos vehículos, lógicamente amplificados cuando forman caravanas. La importancia de esta modalidad de desplazamiento por medios naturales ha conllevado que algunas comunidades autónomas legislen sobre la materia.

El parapente, que tiene prohibida su práctica durante la época de cría de aves que nidifican en paredes rocosas, el barranquismo♦ o descenso de cañones, con manifiestos efectos negativos en varias sierras oscenses♦, las diferentes modalidades de descenso de rápidos (*rafting*, *hidrospeed*, *hidrobob*) o incluso la bicicleta de montaña, que en ocasiones invade de manera incontrolada caminos y senderos tradicionales utilizados por senderistas, han repercutido gravemente sobre algunos espacios donde previamente no se ha logrado una planificación de estas actividades.

(SADAVE, Sistema Avanzado De Agencias de Viajes Españolas, www.aedave.es) [último acceso octubre de 2009]

Vocabulario

neveros   parajes de alta montaña en la que se conserva la nieve durante todo el año

remontes   aparatos utilizados para subir una pista de esquí

barranquismo   deporte de aventura que se basa en el descenso por los desniveles del terreno próximo a los ríos. Este deporte también se conoce por su nombre inglés, *canyoning*

oscense   de la ciudad o provincia de Huesca

- En el informe se mencionan varias especies de fauna y flora que se ven amenazadas por el turismo. Realiza un esquema de cuáles son y qué tipos de turismo suponen un mayor peligro para ellas.

El español Joaquín Araújo es ecologista por vocación y por profesión. Nadie como él conoce el impacto medioambiental ocasionado por el turismo. En esta entrevista explica de qué modo se puede colaborar para minimizar sus efectos negativos.

6.6

La austeridad mejora el disfrute

CONSUMER: ¿Qué es lo que más distingue al turista respetuoso?

J. Araújo: Quien sabe disfrutar de un paisaje y de una cultura que le son extraños, debe hacerse notar lo menos posible individualmente, incluso convertirse en invisible si puede ser. El turista ha de ser sencillo y austero, procurar pasar desapercibido, y no exhibir su capacidad adquisitiva si es superior a la de la gente que desea conocer. Este planteamiento de no predominancia y de respeto es clave, tanto en el impacto medioambiental y paisajístico como en la relación con las personas de los países o lugares que conocemos como turistas. El turismo sexual, sin ir más lejos, es repugnante, prostituye a poblaciones enteras, las explota. No somos ningún modelo a imitar, no tenemos de qué presumir. La dignidad y la cultura de la gente nativa de los enclaves turísticos son sagradas.

CONSUMER: Bien, seamos respetuosos con las gentes del lugar, pero, ¿qué ocurre con la naturaleza, realmente la agreden♦ mucho los viajes turísticos?

J. Araújo: Sí, es un impacto grave. Es el mismo mensaje de antes. Lo ideal es que el ecosistema que visitamos, desde la flora hasta la fauna pasando por el aire, no perciba que hemos llegado. Debemos reducir el consumo de transporte y energía, de alojamiento; en fin, el turista responsable no reproduce en su viaje de vacaciones el despliegue de comodidades de su casa en la ciudad, porque ello supone costes medioambientales enormes, despilfarro de recursos escasos en lugares que visitamos precisamente por sus valores naturales y paisajísticos. En el interior de un parque natural, o en plena costa, no debe instalarse un hotel de 20 pisos de altura, autopista hasta la puerta y discoteca. Y eso, o poco menos, es lo que se está haciendo.

[…]

CONSUMER: Cuando el usuario elige un determinado tipo de vacaciones, ¿puede influir en algo para que el turismo sea más sostenible?

J. Araújo: Sin duda. El turista puede exigir en las agencias destinos con criterios de sostenibilidad. Por ejemplo, una playa con sol, pero también con agua limpia, bellos paisajes, sin ruido ni grandes concentraciones humanas, con una naturaleza poco agredida, con facilidades para contactar con la gente del lugar… Y si no lo tienen, ir a otra agencia. O, incluso mejor, pensar en un viaje distinto, adonde haya tranquilidad y un ecosistema poco modificado por el hombre. En general, si optáramos simplemente por un turismo sin artefactos, donde el coche se sustituye por bicis, caballos o burros, el aire acondicionado por el botijo◆, la siesta y la sombra, y los circuitos interminables por la relación cercana con las culturas locales, el impacto negativo del turismo sería mucho menor en los lugares y entornos humanos que se visitan. El consumo justo y equilibrado nos devuelve la condición humana, y además, hemos de ser conscientes de que no podemos dilapidar recursos escasos, como el agua, el suelo, los bosques, la fauna, la cultura rural tradicional o el silencio.

(*Consumer,* julio–agosto de 1997, pp.14–16)

Vocabulario

agreden   dañan

botijo   vasija de barro que mantiene el agua fresca para beber

- Nombra algunas de las características que debe poseer el turista respetuoso.

- Piensa en tu propia manera de viajar. ¿Se corresponde con los consejos de Araújo?

La conciencia medioambiental desarrollada en los últimos años ha despertado en los ciudadanos un sentimiento de respeto por la naturaleza y las gentes de esos lugares, antes remotos, que tanto desean visitar. La demanda de un turismo más ecológico es ya una realidad: el llamado ecoturismo atrae a muchos viajeros que además de disfrutar de sus vacaciones quieren contribuir a la conservación de la biodiversidad y las tradiciones de otros pueblos. Los dos textos que siguen a continuación tratan este tema desde diferentes ángulos. Por una parte, el artículo 6.7 describe este fenómeno en todo el mundo; mientras que la noticia 6.8 nos presenta un ejemplo concreto de ecoturismo del que se benefician los indígenas de la Amazonia boliviana.

Sol, piña colada y ecología

Turismo sostenible

Viajar a otras tierras, disfrutar de sus gentes, pasear por sus senderos, gastar lo prohibido… el verano se presta♦ para ello y para otras muchas distracciones.

Resulta difícil no caer en la tentación de organizar un viaje acomodado a la economía familiar después de un año de trabajo, y más cuando las explotaciones turísticas han echado raíces en lugares paradisíacos que, no hace muchos años, estaban vírgenes y al único cuidado de sus pobladores. Sin embargo, la revolución turística no es siempre de color de rosa, a tenor♦ de las consecuencias que ha tenido en algunos de estos lugares, donde el impacto ha sido tal que, atestados♦ ahora por miles de visitantes sedientos de descanso, poco o nada tienen que ver con lo que fueron en un pasado no muy lejano. El turismo se ha convertido en su base económica, pero, a cambio, han tenido que pagar un alto precio: una explotación incontrolada, cementación de las costas, pérdida de identidad y cultura, o una dependencia casi absoluta del sector turístico como fuente de recursos.

Ante este panorama, ha surgido el concepto de turismo sostenible o ecoturismo, una nueva definición de este sector que, con raíces en el marco medioambiental, invita a viajar y a visitar áreas naturales para disfrutar, apreciar y estudiar sus atractivos (paisaje, flora y fauna silvestre), así como cualquiera de sus manifestaciones culturales. Basado en los principios de la Declaración de Río de Janeiro sobre Desarrollo y Medio Ambiente y en las recomendaciones de la Agenda 21, estimula una fórmula vacacional favorable a la conservación de las tierras visitadas, con un bajo impacto ambiental y cultural, y que

propicie♦, desde un punto de vista socioeconómico, la participación de las poblaciones locales. […]

Los imprevisibles efectos del turismo

Las consecuencias del turismo se prestan a dos lecturas diferentes. En su vertiente positiva, cabe destacar que juega un papel importante en el desarrollo socioeconómico de muchos países, contribuye al intercambio cultural, y fomenta la paz y las relaciones entre los pueblos, creando una conciencia más global para el respeto a un amplio mosaico cultural y a las diferentes formas de vida de los países.

Sin embargo, no siempre se han cumplido las expectativas que se tenían del turismo como motor de desarrollo económico. Muchos países, sobre todo del Sur, apuestan por este sector como fuente de riqueza con la esperanza de obtener ingresos en divisas♦, nuevos empleos (también en otros sectores) y un equilibrio socioeconómico en todas sus regiones. Pero, con más frecuencia de la deseada, este intento resulta en vano porque el turismo, como actividad económica de temporada, reacciona con celeridad a los imprevistos: inestabilidad política, desastres naturales, epidemias, criminalidad… Estos factores, en combinación con la gran competencia con otros países, pueden provocar que la demanda de un lugar de destino caiga en picado♦ de un día a otro.

A esto se une, en el terreno puramente económico, que a los ingresos por divisas turísticas (fuente fundamental de muchos países) hay que restar una suma considerable para la importación de los artículos necesarios precisamente para fomentar un turismo de calidad, un gasto que, en las regiones más apartadas y casi sin explotar, puede alcanzar hasta el 90% del total de las divisas. Esta circunstancia afecta especialmente a países pequeños, pobres y poco industrializados, como pueden ser las Islas del Caribe y del Pacífico, donde, además, la mayoría de los hoteles son propiedad de cadenas extranjeras.

No hay que olvidar tampoco que el turismo internacional tiene una clara influencia en el paso de las formas de vida tradicionales hacia un estilo más occidental.

[…]

El turismo sostenible como reto del futuro

Para minimizar el impacto negativo del sector turístico, la Asamblea de las Naciones Unidas solicitó a la Comisión de Desarrollo Sostenible (CSD) que presentara un programa de trabajo dirigido a fomentar un turismo sostenible y adecuado a aspectos éticos, sociales y culturales, así como a garantizar el cuidado del medio ambiente y unos buenos resultados económicos.

El concepto de turismo sostenible reconoce universalmente "el derecho de cada individuo al descanso y a la recreación, a una limitación razonable de las horas de trabajo, vacaciones periódicas pagadas, así como a la libertad de viajar dentro del marco de las leyes". Y todo ello se basa en potenciar en los destinos turísticos el desarrollo económico, el respeto a la naturaleza, la identidad de los pobladores y la justicia social, sin poner en peligro las buenas relaciones y la paz entre los pueblos.

Desde este punto de vista, los promotores del turismo sostenible apelan a la comunidad internacional, a empresas del sector y a los gobiernos para que adopten una serie de medidas más globales en favor, por ejemplo, de una sostenibilidad ética, social y cultural que incluya el respeto de los derechos humanos, la erradicación de la prostitución y del trabajo infantil, la participación de la población local en la vida política y la creación de condiciones laborales más justas y humanas para los trabajadores de esta rama.

Según la petición trasladada por los defensores del turismo sostenible o ecoturismo, también se pretende una sostenibilidad ecológica basada en la preservación del equilibrio medioambiental y en un transporte turístico de precios ajustados y coherentes con el medio ambiente.

Por último, solicitan una sostenibilidad económica que aumente los ingresos de la población local, que limite el número de propiedades turísticas en poder de capital extranjero y que permita la participación de los grupos sociales locales, sobre todo de mujeres y jóvenes, para que éstos se beneficien también de la riqueza creada.

(*Consumer Eroski*, http://revista.consumer.es) [último acceso octubre de 2009]

Vocabulario

prestarse a   permitir, dar motivo u ocasión a algo

a tenor de   a juzgar por

atestado   concurrido, transitado por mucha gente

propiciar   favorecer, facilitar

divisas   dinero extranjero

caer en picado   caer rápidamente, sin control

- Usando las ideas que se desarrollan en el texto 6.7, define en una sola frase qué es el ecoturismo.

- En tu opinión, ¿es posible que el turismo sea ecológico, o siempre implicará cierto grado de impacto sobre el entorno?

6.8

Ecoturismo en la Amazonia boliviana

El ecoturismo apunta a convertirse en una alternativa económica para los indígenas de la Amazonia boliviana, entre ellos los tacana, que ya gestionan un albergue en el entorno del Parque del Madidi, uno de los espacios naturales con mayor biodiversidad de todo el mundo.

Los amantes del turismo alternativo y sostenible tienen la oportunidad de disfrutar de una de las más importantes reservas biológicas del planeta en el albergue de San Miguel del Bala, una comunidad tacana ubicada a unos 460 kilómetros al nordeste de La Paz y bañada por el río Beni, de la cuenca del Amazonas.

El río es la única vía para llegar tanto al poblado tacana como a su albergue desde las vecinas Rurrenabaque o San Buenaventura, a poco más de una hora de paseo en una de las numerosas barcazas de madera con motor fuera borda que a modo de "autobuses fluviales" conectan todas estas localidades.

Las 45 familias tacana que viven en San Miguel de Bala combinan su forma de vida tradicional como pescadores y agricultores con la gestión de su albergue: un conjunto de cabañas ubicadas en un frondoso◆ bosque tropical y construidas con materiales de la zona como caña, hojas de palmera seca para el techo y maderas autóctonas.

Allí los tacana ofrecen al viajero hospedaje, circuitos al interior del Madidi e incluso gastronomía típica como sus deliciosos "pescados a la hoja" envueltos en hojas de la planta conocida como "dunucuabi" y cocinados sobre un suelo de brasas.

También se pueden realizar actividades de intercambio cultural con una comunidad indígena que continúa viviendo en sus chozas de paredes de madera o caña y techos de hojas de "patujú", que no tiene más electricidad que la que proporcionan pequeños generadores y que carece de centro sanitario.

Biter Supa, corregidor de San Miguel de Balas (la máxima autoridad de la comunidad), relató a Efe que la falta de electricidad y de asistencia sanitaria son los principales problemas de los tacanas, que sí disponen sin embargo de agua potable y de una escuela para los cerca de 60 niños del poblado.

En cualquier caso, la idea de los gestores del Parque Nacional del Madidi es dar mayor participación y responsabilidad a las comunidades indígenas que habitan en la zona para combinar la preservación y el desarrollo con proyectos comunitarios sostenibles.

"[Los indígenas] conservan pero también tienen que recibir algo. Hay que dar alternativas económicas a los pueblos indígenas que viven en la zona", dijo a Efe José Luis Howard Ramírez, jefe de Protección del Parque del Madidi.

(Noticia publicada el 23.9.09 en www.ecoticias.com) [último acceso octubre de 09]

Vocabulario

frondoso de follaje espeso, abundante en hojas y ramas

- ¿Qué beneficios crees que obtienen las comunidades indígenas amazónicas del turismo?
- ¿Piensas que este tipo de turismo es aplicable a todo tipo de zonas / comunidades?

En España, en la Costa Blanca y en Andalucía el gran despegue del turismo de golf desde los 90 ha tenido un gran impacto ambiental. A continuación puedes leer un fragmento de un artículo académico que trata de algunos de estos impactos.

6.9

CAMPOS DE GOLF Y MEDIO AMBIENTE

UNA INTERACCIÓN NECESARIA

Cayetano Espejo Marín

Universidad de Murcia

[…] Priestley y Sabí (1993) en su investigación *El medio ambiente y el golf en Cataluña: problemas y perspectivas* distinguen cuatro facetas en el impacto ambiental generado por los campos de golf en ese ámbito territorial. El cambio de paisaje, la problemática del valor ecológico, la forma diferencial de construcción, y el uso del agua y los conflictos que se han generado o que se pueden generar en un futuro.

a) El cambio cualitativo del paisaje. El golf representa un tipo de paisaje perteneciente u originario de otros lugares, donde las condiciones ambientales son distintas. La implantación de este deporte, por tanto, comporta una adaptación o una transformación radical del paisaje. Desde un punto de vista visual representa una cierta estética subjetivamente bella, pero extraña a las áreas mediterráneas. Dado el carácter subjetivo de toda valoración de los paisajes, no se puede afirmar categóricamente su perniciosidad♦. […]

b) Problemática ecológica. La extensión de un campo de golf a pesar de ser importante, no lo es como para representar cambios ecológicos importantes. Depende, en gran medida, del área a transformar, esto es de la ubicación de cada campo, y por tanto es muy variable en función del mismo. En la mayoría de los casos, no ha sido el campo de golf en sí mismo, como el impacto generado alrededor suyo, incitado tanto directa como indirectamente. Es el caso de las urbanizaciones. A este respecto cabe insistir en que un campo de golf va frecuentemente rodeado de una urbanización, y de hecho el golf puede servir de cobertura a un negocio inmobiliario.

c) El efecto de los modelos de construcción de los campos de golf. Este factor enlaza con los problemas ecológicos y del paisaje. La construcción de nuevos campos de golf y la expansión de los antiguos se ha realizado a veces a base de fuertes remodelaciones del paisaje y con técnicas constructivas "duras" en relación con el medio natural. Un análisis pormenorizado de su construcción muestra que la necesidad de regadío, de drenaje, de remodelación de pendientes y de diseño, obliga a levantar suelos autóctonos y a la utilización de maquinaria pesada que transforma el sustrato, al instalar toda una serie de conducciones que permiten el uso de riego por aspersión soterrado♦. Luego se rellena con gravas, arenas, mantillo vegetal y finalmente se planta el césped. Con esta operación se podría decir que se ha maquillado y transformado el potencial ecológico del sector.

d) El suministro de agua. Los campos de golf basan su existencia en la presencia de césped y éste necesita abundantes cantidades de agua para su mantenimiento. Además del agua de riego, se añade la construcción de lagos, bien por razones de diseño o como sistemas de almacenamiento de agua. Estos lagos, la mayor parte de los cuales son poco profundos, inciden en la pérdida de agua por evaporación, hecho que incide en el consumo de agua.

> (Cuadernos de Turismo ISSN: 1139–7861 2004, 14; pp. 67–111. www.um.es) [último acceso 28.4.10]

Vocabulario

perniciosidad   cualidad de algo malo o dañino

riego por aspersión soterrado   la práctica de regar distribuyendo el agua gota a gota por medio de tubos enterrados bajo la tierra

- Según el texto que has leído, ¿cuáles son los principales efectos de la construcción de campos de golf?

Tema 23 Naturaleza protegida

En España existe una gran variedad de espacios protegidos que pretenden garantizar la conservación de la fauna y flora autóctona. Entre ellos se encuentran lugares tan conocidos como el Parque de Doñana, Sierra Nevada, Timanfaya o Picos de Europa. A continuación leeremos un texto que explica con detalle las diferencias entre conceptos como "Parque Natural", "Parque Nacional", "Reserva de la Biosfera"; etc.

6.10

Las figuras de protección medioambiental: qué distingue a un parque natural de una reserva de la biosfera y un parque nacional

La figura del parque natural es una de las más relevantes en el campo de la preservación en España y una de las más extendidas por nuestro país. Son más de un centenar los que se distribuyen a lo largo del territorio. Sergio Fernández, ingeniero de montes y miembro de la empresa de consultoría Garrigues Medio Ambiente lo define así: "Un parque natural es un espacio natural protegido cuya competencia es exclusiva de las comunidades autónomas. Por lo general es de una extensión amplia, no ha sufrido una transformación sensible por la explotación u ocupación humana y su belleza natural, fauna, flora y gea – esto es, el conjunto geomorfológico que lo conforma – se consideran muestras singulares del patrimonio natural de una determinada comunidad autónoma", explica. No obstante, la denominación de parques naturales se puede compatibilizar con la presencia del hombre y de sus actividades.

En concreto, la ley 4/89 aprobada por el Congreso de los Diputados establece en su artículo 13 que los parques naturales "son áreas naturales, poco transformadas por la explotación u ocupación humana que, en razón a la belleza de sus paisajes, la representatividad de sus ecosistemas o la singularidad de su flora, de su fauna o de sus formaciones geomorfológicas, poseen unos valores ecológicos, estéticos, educativos y científicos cuya conservación merece una atención preferente". En este mismo artículo se establece que en los parques "se podrá limitar el aprovechamiento◆ de los recursos naturales, prohibiéndose en todo caso los incompatibles con las finalidades que hayan justificado su creación". También se señala que en los parques se facilitará la entrada de visitantes con las limitaciones precisas◆ para garantizar la protección de aquéllos.

Diferencias entre los distintos espacios naturales

[…]

PARQUE NATURAL Y PARQUE NACIONAL

Las diferencias son fundamentalmente administrativas, aunque con algún matiz◆:

Parque Natural: su gestión depende de cada comunidad autónoma (Consejería de Medio Ambiente correspondiente). […]

Parque Nacional: básicamente es igual que el anterior tipo de espacio natural, aunque en principio los parques nacionales están menos transformados aún por la mano del hombre, y su singularidad debe ser de interés general para la Nación por ser representativo de los principales sistemas naturales españoles. [...] "Esto es bastante polémico, porque supone la desaparición del Estado Central en la gestión de estos espacios, y por tanto, la denominación de "nacional" y el interés para la "Nación" y "ecosistemas españoles" se queda sin fundamento, además del problema de la desaparición del organismo correspondiente, de la gente que trabaja en él y, sobre todo, del problema añadido de los Parques Nacionales que se reparten entre varias comunidades autónomas, como, por ejemplo, los Picos de Europa", apunta Sergio Fernández.

[...]

En la actualidad hay en España 13 parques nacionales.

OTROS: RESERVA DE LA BIOSFERA, RED NATURA 2000, LIC Y ZEPAS

A las figuras de protección españolas se añaden otras denominaciones de ámbito europeo o mundial que también están presentes en nuestro país. Son éstas:

Reservas de la Biosfera: La gestión también es de las comunidades autónomas, pero su origen es diferente. Son los gobiernos de cada país los que a través de los respectivos Comités Nacionales proponen los espacios a ser considerados Reservas de la Biosfera, y es el Consejo Internacional de Coordinación del programa internacional Hombre y Biosfera (*Man and The Biosphere*) de la UNESCO el que estudia estas propuestas y las aprueba en función del cumplimiento de una serie de requisitos. Entre estos se incluye la disposición de una zonificación adecuada, que debe seguir el siguiente esquema: Zona Núcleo, Zona Tampón y Zona de Transición, permitiendo diferentes tipos de actividades y con diferentes grados de protección en cada caso. [...] Este programa Hombre y Biosfera (MaB, *Man and the Biosphere*) es el principal programa de la UNESCO para vincular la conservación del medio ambiente con el desarrollo sostenible. Para lograr precisamente una administración racional de los recursos de la biosfera, este programa se planteó de manera que incluyera la participación de las poblaciones humanas en sus proyectos de conservación de áreas y recursos naturales.

Como principal instrumento para este fin se creó el concepto de Reserva de la Biosfera que se agrupa en una Red Mundial. La principal novedad es que esta figura de protección no incluye sólo la protección de los elementos naturales existentes, sino también, y con idéntico nivel de prioridad, la protección de formas tradicionales de explotación sostenible de los recursos naturales.

Así, quedan definidas las Reservas de la Biosfera como zonas de ecosistemas terrestres, costeros o marinos, o una combinación de los mismos, y que cumplan con tres objetivos:

– Conservación de los paisajes, los ecosistemas, las especies y la diversidad genética. Desarrollo económico y humano sostenible desde los puntos de vista sociocultural y ecológico.

– Conocimiento científico y apoyo logístico a proyectos de demostración, de educación y capacitación sobre el medio ambiente.

– Conocimiento de investigación y observación permanente en relación con cuestiones locales, regionales, nacionales y mundiales de conservación y desarrollo sostenible.

A modo de resumen, se puede señalar que la Reserva de la Biosfera representa una figura de protección mundial que implica conservación tanto de valores naturales como humanos (desarrollo sostenible) y gestión de las comunidades autónomas.

Además existe un cuarto grupo de figuras de protección, de escala europea, que es la Red Natura 2000, cuyo fin es salvaguardar◆ la biodiversidad de Europa (hábitats), y para esto se consideran tanto espacios naturales como seminaturales (dehesas◆, estepas cerealistas, etc.). El marco reglamentario de esta Red Natura 2000 son la Directiva de Hábitats y la Directiva de Aves.

Los espacios que se proponen son los LIC (lugares de importancia comunitaria, que posteriormente se declararán ZEC, zonas de especial conservación) y las ZEPAS (zonas de especial protección para las aves). Éstas ya están más o menos instauradas, pero los ZEC aún están en proceso de desarrollo. "Esta es una figura de protección europea que implica conservación de los diferentes hábitat europeos y gestión de las comunidades autónomas. LIC y ZEPAS hay muchísimos y normalmente incluyen poblaciones y la gente ni los conoce", aclara Sergio Fernández.

(*Consumer Eroski*, http://parquesnaturales. consumer.es) [último acceso octubre de 2009]

Parque Nacional de Ordesa y Monte Perdido, España

Vocabulario

aprovechamiento   explotación de los recursos

preciso   necesario, que es imprescindible para un fin

matiz   rasgo poco perceptible que da a algo un carácter determinado

salvaguardar   defender, amparar, proteger

dehesa   tierra generalmente acotada y por lo común destinada a pastos

- ¿Cuáles son las principales diferencias entre "Parque Natural" y "Reserva de la Biosfera"?

- Además de los elementos naturales contenidos en ella, ¿qué protege también la "Reserva de la Biosfera"?

A continuación visitaremos dos espacios naturales protegidos. En primer lugar (6.11), aprenderemos más sobre la historia y características del Parque Nacional de Doñana (Andalucía) por boca de uno de sus mejores conocedores, José Antonio Valverde. Este parque fue víctima en años posteriores de uno de los más graves desastres ecológicos de la historia de España, como veremos más adelante, en el texto 6.13. Otro de los espacios naturales que visitaremos se encuentra en Ecuador: las Islas Galápagos, un paraje de gran belleza y valor inestimable, sobre el que trata el texto 6.12.

José Antonio Valverde, el padre de Doñana

Hace más de medio siglo se le metió en la cabeza que Doñana debía convertirse en reserva natural. ¡Vaya si lo consiguió! Creó el parque nacional y la estación biológica, fue su primer director y los hizo famosos en el mundo.

Rafael Ruiz

Él habla. Casi da igual lo que pregunte el periodista.

Él cuenta, entre puntilloso y entrañable♦, historias de su trayectoria como biólogo, como padre de la estación biológica y el parque nacional de Doñana; fundador del Centro de Rescate de la Fauna Sahariana, en Almería; maestro de Félix Rodríguez de la Fuente ♦…

Él habla. Y el principal asunto del encuentro, Doñana, deriva en mil ramas de curiosidades, proyectos y logros, desde su estudio sobre los montes ibéricos en los que Alfonso XI♦ cazaba osos hasta las memorias que ahora está escribiendo. ¿Y cuántos folios lleva? Suelta una expresión, algo entre ¡bufff! y ¡bueenooo!

El día de la entrevista, José Antonio Valverde […] acaba de llegar de Doñana – su hábitat más propicio desde hace 45 años – de recoger una cría de marsopa♦ varada♦ en la playa y destinada al museo de cetáceos que se montará en Matalascañas. La primera vez que visitó las marismas♦ fue en 1952, acompañando a Francisco Bernis, pionero de la ornitología en España. Un año después, los dos naturalistas acometieron♦ el primer anillamiento♦ científico de aves – de garzas – que se efectuaba en España. Ese mismo año, 1953, el general Franco visitó también Doñana, pero con un propósito bien distinto: comprobar el estado de las repoblaciones forestales♦ con pino y eucalipto. En 1954, durante una estancia en Francia para estudiar las garcillas de La Camargue, Valverde consolidó su idea: Doñana debía convertirse en una reserva científica.

¿Qué fue lo primero que le impresionó de Doñana?

Me pareció un campo estupendo de investigación que había que conservar por encima de todo. Es lo que más me sigue impresionando siempre que voy, el juego del conjunto de la naturaleza. Bueno, también encontrarme con venados♦ tan confiados porque nunca han oído el tiro de un cazador, tan mansos y tan felices.

En 1958, Valverde se planteó como objetivo comprar 6.000 hectáreas de marismas a través de una cuestación♦ internacional. De ese movimiento europeo no sólo saldría el parque nacional de Doñana, sino también uno de los grupos conservacionistas mundiales con más prestigio, el WWF (Fondo Mundial para la Naturaleza, Adena en España). En 1963–1964 se formalizó la compra de la finca y se puso en marcha la estación biológica (con Valverde a la cabeza). Y final feliz: el 26 de octubre de 1969, Doñana adquiría la categoría de parque nacional; a la cabeza del emblemático espacio, también su padre, Valverde, como primer director.

¿Quiénes fueron los que más le ayudaron en aquellos años a salvar Doñana de los planes de desecación y forestación?

Entonces en España a nadie le importaba que se hiciera el parque nacional; luego se han querido apuntar muchos al carro♦, pero al principio me encontré bastante solo luchando frente al acuerdo de la Confederación Hidrográfica y los ayuntamientos para desecar el norte de las marismas. Mi arma era escribir cartas; emprender una campaña en Europa para recaudar dinero con el objetivo de comprar terreno en las marismas y convertirlo en una reserva natural para la investigación. Los primeros que mandaron dinero fueron suizos, franceses, holandeses y escandinavos.

¿Y en el Gobierno español?

El secretario general del Consejo Superior de Investigaciones Científicas, José María Albareda. También fue decisivo, vital, el papel de la prensa. Los reporteros fueron creando la bola de nieve.

¿Nota muchos cambios entre sus primeros viajes y los últimos?

La pérdida de biodiversidad es evidente, pero es algo que está pasando en toda Europa.

En los cotos♦, el mal mayor han sido las dos enfermedades que han afectado al conejo, base de la estructura del ecosistema mediterráneo; muchos animales, como el lince, tienen en el conejo la base de su alimentación.

¿Es ése el principal problema del parque nacional?

Ése y la colmatación♦ de la marisma. En este caso hay dos grandes culpables: los ingenieros agrónomos y los cangrejos americanos, que se introdujeron en las marismas y que han acabado convirtiéndose en plaga. Los dos, ingenieros y cangrejos, se han dedicado a perforar el terreno y movilizar el fango.

¿Se hace mucha política con Doñana?

Sí. Es otro gran problema, que la investigación científica no es la que marca el camino a seguir.

¿Y ha habido en los últimos años errores de gestión?

El principal ha sido el del manejo del agua. Se ha cedido con excesiva frecuencia a las presiones locales para desecar la marisma y que haya más ganado.

(*El País dominical*, 5.3.98, p.49)

Vocabulario

entrañable   muy querido, tierno, que provoca simpatía

Félix Rodríguez de la Fuente (1928–80) médico odontólogo de profesión, y apasionado por la fauna ibérica, que profundizó en los estudios de la vida animal. Fundó la Sociedad Española de Ornitología y fue cofundador de Adena. Desarrolló una importante labor de divulgación a través de series televisivas como *Planeta azul* y *El hombre y la tierra*

Alfonso XI (1311–50)   rey de Castilla y León

marsopa   animal marino semejante al delfín

varada   que ha quedado en la arena de la playa

marismas   terreno bajo y pantanoso que inunda el agua del mar

acometieron   empezaron

anillamiento   colocación de anillas o aros en las patas de los pájaros para estudiar sus movimientos

repoblaciones forestales acción de replantar árboles y otras especies vegetales en los bosques

venados ciervos o cualquier otro animal de caza mayor

cuestación recogida de donativos para un fin benéfico

apuntarse (o montarse) al carro unirse a un proceso o a una actividad que ya está en marcha para beneficiarse de su prestigio

cotos terrenos reservados para la protección de ecosistemas y especies animales o vegetales

colmatación rellenado de una depresión en el terreno con sedimentos arrastrados por el agua

- ¿Por qué son importantes los Parques Nacionales como el de Doñana?

- ¿Crees que en la actualidad se cuida más el medio natural que hace varias décadas? Justifica tu respuesta.

Hay que tomar medidas urgentes si no queremos perder gran parte de la riqueza natural de nuestro planeta. Las islas Galápagos son un ejemplo de ecosistema en peligro de grave deterioro. El artículo siguiente explica algunos de los problemas a los que se enfrenta el archipiélago.

Ecuador declara a Galápagos en riesgo

Redacción BBC Mundo

El presidente de Ecuador, Rafael Correa, declaró en emergencia y prioridad nacional a las Islas Galápagos por lo que calificó de crisis institucional y de su ecosistema.

Ecuador declaró a las islas como parque nacional en 1959.

Las islas, que fueron declaradas Patrimonio de la Humanidad por la Organización de Naciones Unidas para la Educación, la Ciencia y la Cultura (UNESCO), albergan docenas de especies de flora y fauna en peligro de extinción. Están ubicadas a unos 1.000 kilómetros de las costas de Ecuador.

"Galápagos es un tesoro para la humanidad y por eso hemos preparado este decreto para ordenar la institucionalidad de las islas", dijo Correa.

[...] Los expertos de la UNESCO señalan que el crecimiento poblacional y el resurgimiento de actividades ilegales, como

El piquero de patas azules es una especie endémica de las Islas Galápagos.

la pesca y el turismo indiscriminado, son parte de los problemas administrativos y operativos que ponen en riesgo el delicado ecosistema de las islas.

Repercusión negativa

Según ambientalistas, la población humana en Galápagos se ha duplicado desde la década de 1980, lo que ha repercutido negativamente [en] el medioambiente.

A la UNESCO le preocupa que Ecuador carezca de mecanismos para asegurar la conservación de las especies que habitan el archipiélago.

Sobrepoblación

BBC Mundo conversó con Santiago Bejarano, ex guía naturalista y residente temporal de las islas por más de 12 años. Bejarano reconoce que la situación que se vive en Galápagos es compleja.

"En Galápagos hay intereses políticos, turísticos, de conservación y territoriales con la Armada; entonces todo entra en conflicto".

La creación de una ley especial para las islas, en las que únicamente se permite trabajar a quien resida en el archipiélago, provocó, según Bejarano, un aumento desmedido en la inmigración; es decir, el efecto contrario al espíritu original de la norma.

"Cuando yo fui a Galápagos en 1992, había una población de 8.000 habitantes, actualmente hay como 28.000", comenta.

"Esta ley atrajo a más residentes de una forma ilegal, han pasado los controles y se han hecho residentes permanentes", añade.

"Un parche♦"

El aumento de población ocurre debido al crecimiento de la demanda turística, pero también genera todo un círculo de utilización de recursos con gran repercusión en las islas.

"Los alcaldes de los sitios poblados quieren atraer ingresos económicos a sus localidades y han permitido el ingreso de barcos con capacidad para 500 visitantes".

Bejarano cree que la firma del decreto de emergencia por parte del gobierno será una solución temporal, no un compromiso a largo plazo.

"Se va a poner un parche, pero no se va a solucionar la complejidad del asunto", agrega.

(BBC Mundo, http://news.bbc.co.uk/hi/ spanish/science) [último acceso 27.4.10]

Vocabulario

parche solución provisional

- ¿Cuáles crees que son las mayores amenazas para las Islas Galápagos?
- ¿Crees que se deben restringir las actividades económicas de la población local para proteger el entorno de las Islas Galápagos?

Por desgracia, el hecho de que una zona esté considerada espacio protegido no siempre la libra de los peligros que supone la negligencia humana. En España encontramos dos trágicos ejemplos: el vertido industrial que en 1998 causó un desastre ecológico irreversible en Doñana; y el hundimiento del Prestige, un petrolero que en el año 2002 cubrió las playas gallegas de lodos tóxicos. El artículo que sigue repasa algunos de estos desastres en todo el mundo comenzando con una multa histórica impuesta recientemente en Francia. Por otro lado, el texto explica cómo, de todas formas, en la mayoría de los casos los culpables de estos atentados contra el planeta suelen quedar impunes.

Los desastres ecológicos suelen acabar en un limbo jurídico

MARÍA SÁNCHEZ DÍEZ

La justicia francesa ha condenado a la petrolera Total a pagar 375.000 euros, la multa máxima prevista por la ley por un delito de contaminación marítima, e indemnizaciones por valor de 192 millones de euros por el desastre ecológico del "Erika".

La sociedad de inspección de barcos Rina, el armador♦ y el gestor del petrolero "Erika" pagarán las reparaciones conjuntamente con Total. En 1999 este barco, que tenía más de 25 años, se hundió en las costas francesas de Bretaña, vertiendo al mar 20.000 toneladas de fuel que causaron una marea negra que afectó a más de 400 kilómetros de costa.

Los abogados de la petrolera ya han aconsejado a la compañía que recurra la resolución de los tribunales. La marea negra se sumirá previsiblemente en un farragoso♦ laberinto judicial de apelaciones y recursos. Pese a la contundencia de la sentencia, la experiencia y la historia nos

Limpieza del crudo derramado en Alaska por el Exxon Valdez

enseñan que de aquí a que alguien llegue a pagar un solo euro pueden pasar muchas cosas. Y mucho tiempo.

Una multa reducida a la mitad

Algo así sucede con el caso del "Exxon Valdez". En 1989, el buque chocó contra un arrecife◆ coralino. Esta vez fueron 42 millones de litros de crudo◆ los que dejaron 2.400 kilómetros de la costa de Alaska empantanados de fuel. Los ecosistemas marítimos de la zona todavía se están recuperando de la catástrofe.

El pasado mes de octubre, el Tribunal Supremo de Estados Unidos anunció que iba a estudiar la demanda a Exxon Mobil que establece que la compañía debe pagar una multa de 2.500 millones de dólares. La indemnización primitiva ascendía a los 5.000 millones, convirtiéndose en la más alta nunca impuesta a una compañía privada por daños y perjuicios. Pero las sucesivas rebajas fruto de las apelaciones de la petrolera la han reducido a la mitad.

Exxon Mobil ha alegado durante todo el proceso, uno de los más largos de la historia de Estados Unidos, que 2.500 millones de dólares es una cantidad muy alta que la ley marítima no permite imponer. Se calcula que la compañía genera esta cantidad de beneficios en algo más de tres semanas. Sólo entre abril y junio de 2007 obtuvo un beneficio neto de 10.260 millones.

Aznalcóllar y el Prestige

En España también tenemos cierta experiencia de catástrofes sin responsables. Nueve años después de que un vertido tóxico en las minas de Aznalcóllar (Sevilla) contaminara el río

Guadiamar y parte del Parque Natural de Doñana, todavía no se ha resuelto si la empresa sueca Boliden deberá pagar los 89,9 millones de euros que la Junta de Andalucía empleó en recuperar la zona contaminada.

Y el pleito◆ durará todavía varios años más, después de que el Tribunal Superior de Justicia de Andalucía haya dictaminado hace apenas un mes que la Junta no tenía "precepto legal alguno" para exigir la reparación de daños.

El caso del petrolero "Prestige", que en 2002 derramó 11 millones de litros de fuel en las costas gallegas, es más enrevesado◆. Un maremágnum de responsabilidades ha hecho que el proceso por la peor catástrofe ecológica de España naufrague más aún que el propio barco.

La instrucción◆, por la que ya han pasado ocho jueces diferentes en Corcubión, no está ni siquiera terminada. El último varapalo procesal◆ que ha recibido ha sido en Nueva York, donde un juzgado ha desestimado la demanda que España presentó contra la empresa estadounidense American Bureau of Shipping (ABS), que certificó que el envejecido "Prestige" era apto para transportar combustible.

Más de 20.000 muertos sin homicida

Sin embargo, que las compañías acaben recibiendo multas es lo que pasa en el mejor de los casos. En muchas ocasiones los desastres ecológicos quedan totalmente impunes♦.

Hace ya 23 años que en Bhopal (India) hubo una fuga de más de 40 toneladas de gases tóxicos en una fábrica propiedad de la multinacional americana de pesticidas Union Carbide (hoy fusionada con Dow Chemical). Un total de 8.000 personas murieron por exposición directa a los gases y 15.000 más lo hicieron más tarde por las secuelas.

Union Carbide nunca dio información ni a los afectados ni a los médicos indios sobre la composición de los gases liberados ni sobre los efectos sobre la salud, alegando que la fórmula era secreto de fabricación.

La empresa abandonó el país sin responder por los daños causados. Y no sólo abandonó su fábrica, sino que también dejó allí los tanques llenos de residuos químicos peligrosos que podrían salir a la superficie en cualquier momento por acción de los agentes erosivos. Ni siquiera se ha celebrado juicio[1].

(Publicado el 16.1.08 en www.soitu.es) [último acceso octubre de 2009]

---

1 El juicio se llevó a cabo en 2010, y un tribunal de Bhopal impuso condenas leves por negligencia a ocho de los responsables de la catástrofe.

Vocabulario

armador persona o empresa que arma o dota un barco para su explotación comercial

farragoso desordenado e inconexo

arrecife estructuras sólidas del relieve del fondo marino formadas por el desarrollo acumulado de corales pétreos

crudo mineral viscoso que una vez refinado proporciona el petróleo, el asfalto y otros productos

pleito litigio judicial entre partes

enrevesado difícil, intrincado, oscuro o difícil de entender

impune que queda sin castigo

instrucción curso que sigue un proceso judicial

varapalo procesal golpe, castigo impuesto por un proceso civil o criminal

- ¿En qué se basa la autora para deducir que las multas impuestas a las empresas que han provocado desastres naturales son insuficientes?

- En tu opinión, ¿el endurecimiento de las penas judiciales sería una solución?

La conciencia ecológica, que en los países del llamado primer mundo se entiende como un avance positivo, no es un concepto tan obvio cuando entra en juego la lucha por la supervivencia. Y es que la ecología es a veces un lujo que los países en vías de desarrollo no pueden permitirse, como apunta el autor del siguiente texto, un economista de la Universidad de Chile quien nos expone su punto de vista, muy crítico con el discurso actual del movimiento ecologista.

Ecología vs Pragmatismo: la ecología en los países no desarrollados

Por Jaime Durruty, economista de la Universidad de Chile

Es preciso encontrar equilibrios más justos para la humanidad [...]. Los países pobres requieren imperiosamente◆ combatir con sus escasas fuerzas la pobreza y la miseria, y las naciones poderosas deben apoyarlos en esta tarea moralmente prioritaria. Las naciones ricas podrían compensar a las naciones pobres por aquello que dejan de producir en aras de◆ la conservación medioambiental. Resolver los apremiantes◆ problemas de las naciones más desfavorecidas es una condición previa para la efectividad de los objetivos medioambientales y que sin duda contribuirá decisivamente a éstos.

Los asuntos medioambientales son, sin duda alguna, un tema relevante de los tiempos actuales. Si hay que declararse a favor o en contra de la preservación del planeta, nadie en su sano juicio se restaría a tan importante objetivo. Sin embargo, ¿qué sucede cuando ese objetivo es contrapuesto a otros tan urgentes o importantes como aquél? Ése es el verdadero dilema porque, en efecto, el sistema productivo mundial genera externalidades negativas como la polución, pero a su vez todos reconocemos que el crecimiento económico es también un objetivo muy deseable, y en muchos casos, absolutamente prioritario.

La perspectiva de los países desarrollados es ciertamente injusta con las naciones en vías de desarrollo. Descontando◆ el hecho contradictorio de que entre ellos no exista uniformidad respecto de sus compromisos individuales para reducir la producción de residuos contaminantes, los países desarrollados pretenden imponer severas restricciones a aquellos que no pertenecen al club. Ciertamente para ellos, hoy, y después de haber recorrido antes el mismo camino contaminador, o más dañino todavía, y de ser responsables de los actuales niveles de este mal, la cuestión de la superación de la pobreza de sus poblaciones no tiene casi relevancia alguna. ¿Qué sucede en los países pobres en que billones de personas no disponen de agua potable, ni alimentos suficientes para paliar◆ el hambre, ni medicinas para combatir la mortandad, entre otras situaciones calamitosas◆? Nadie podría sostener que bajo la perspectiva dogmática del ecologismo exagerado, cien árboles en pie o más, valen uno solo de los cientos de miles de niños que mueren de hambre anualmente en el mundo. En el contexto de este otro desmejorado grupo de países, ambos objetivos son dramáticamente contradictorios y en ese escenario, o estos países hacen sólo lo posible por la ecología y lo imposible por la pobreza, o los países desarrollados les ayudan con la pobreza doméstica a cambio de que no dañen exageradamente el medio ambiente. De cierta manera, para esas realidades tan distantes de la realidad europea o japonesa o norteamericana, el ecologismo a todo trance no es más que un lujo que no se pueden permitir. La pregunta clave es ésta: ¿de qué sirve a miles de niños tener un mundo respirable y sustentable en el largo plazo, con ríos transparentes y otros encantos paradisíacos, si han de morir en las próximas 24 horas, y otra igual cantidad al día siguiente, y así en forma sucesiva?

Entonces la cuestión es materia de una política mundial para ayudar a la dramática situación de la pobreza y la miseria de la otra parte del mundo, en tanto se define para ella un cierto "óptimo de daño medioambiental". Las legislaciones en estos países no pueden ser tan estrictas como lo son en el mundo desarrollado y, mientras las naciones más ricas no actúen para aliviar estos flagelos◆ del mundo pobre, no harán más que prolongar la huella de mortandad e infelicidad que deja como rastro el subdesarrollo persistente.

(Durruty, J., *Infoecología*, www.infoecologia.com/Opinion) [último acceso octubre de 2009]

Vocabulario

imperiosamente   de forma inevitable

en aras de   en interés de

apremiante   que compele u obliga a alguien a que haga algo inmediatamente

descontar   dar por hecho

paliar   mitigar, suavizar, atenuar una enfermedad o pena

calamitoso   infeliz, trágico

flagelo   (figurativo) aflicción, calamidad

- ¿Por qué, según el autor del texto, los habitantes de los países en vías de desarrollo no pueden guiarse por criterios ecologistas?

- ¿Estás de acuerdo con el punto de vista del autor? Justifica tu respuesta.

Actividad de lectura

La entrevista es un género periodístico donde se reproducen las palabras textuales del personaje entrevistado con el objeto de dar más inmediatez a su retrato. Según la conocida periodista española, Rosa Montero, "La entrevista es como una fotografía hecha con palabras: atrapa la menudencia, lo cotidiano; detiene un fragmento de tiempo y lo conserva" (*El País Semanal*, no. 238, 10 de septiembre de 95, p.14).

A continuación te familiarizarás con los rasgos más destacados de las entrevistas con la técnica de la lectura rápida.

1   Lee esta información sobre las **características de las entrevistas**.

- Predominio del estilo directo: las entrevistas reproducen generalmente las respuestas literales de la persona entrevistada. El léxico, registro y expresión (concisa o expansiva) de las respuestas permiten formarse una impresión del carácter de la persona entrevistada.

- Rasgos del discurso oral: las entrevistas, por su carácter de transcripción, suelen incluir frases incompletas, repeticiones innecesarias, muletillas ("pues", "¿entiendes?", "¿te fijas?", etc.).

- Estructura: introducción, pregunta / respuesta y cierre. La estructura de las entrevistas es flexible: los párrafos descriptivos o narrativos pueden aparecer o no a lo largo de la alternancia pregunta / respuesta. En cualquier caso, normalmente hay un párrafo introductorio donde se suelen ofrecer notas biográficas del entrevistado o de la entrevistada, acontecimientos recientes que justifican la entrevista (premios, publicaciones, estrenos, etc.) o se recrea el momento y escenario del encuentro.

2   Lee rápidamente el título, el primer párrafo y las preguntas del artículo "José Antonio Valverde, el padre de Doñana" (texto 6.11). ¿Qué temas se abordan en la entrevista?

¡Fíjate!

La lectura rápida de un texto tiene como objetivo obtener una idea general de los temas abordados.

Las secciones que pueden ayudar a conseguir este objetivo son:

- el título;
- el subtítulo;
- los epígrafes;
- el párrafo introductorio;
- las dos primeras líneas de los demás párrafos;
- el último párrafo, etc.

Con la lectura rápida de estas partes de un texto, puedes decidir si el artículo es de tu interés y, si es así, las ideas generales captadas te prepararán mentalmente para leerlo con detenimiento.

3   Lee toda la entrevista. ¿Qué impresión tienes de José Antonio Valverde y del parque de Doñana?

4   Ahora lee rápidamente la entrevista con Joaquín Araújo titulada "La austeridad mejora el disfrute" (6.6). ¿Estás de acuerdo con su actitud hacia el turismo?

Actividad de escritura

En esta sesión te familiarizarás con las convenciones generales de las cartas al director de un periódico o revista.

Observa y aprende

En esta sección te concentrarás en la finalidad y la estructura de las cartas al director.

Hay muchos motivos por los que se escriben cartas a la prensa. En esta actividad conocerás algunos.

1 A continuación tienes el comienzo de varias cartas a la prensa y una lista de propósitos de las distintas cartas. Enlaza cada casilla con su propósito.

> (a)   Con el número 7 de su revista ya en mis manos, no tengo más remedio que escribirles indignado. Me decepcioné bastante al observar cómo...

> (b)   En relación a las apreciaciones de Hernán Gómez en el último número de *Nuestra Fauna*, me permito hacer unas aclaraciones concernientes a las causas involucradas en el tráfico de animales indefensos.

> (c)   En todos los medios de comunicación se habla de la reciente catástrofe del Prestige y se buscan responsables.
>
> A mí me gustaría hacer aquí una breve reflexión sobre la responsabilidad del Ministerio...

> (d)   El interesante artículo "Verde, que te quiero verde", publicado en su revista la semana pasada, me lleva a agradecerle la labor que se viene realizando desde la redacción de su prestigiosa revista...

Propósito de la carta:

(i)   Se hace una reflexión sobre un tema de actualidad.

(ii)   Es una queja o crítica al periódico o revista.

(iii)   El objeto es añadir información o hacer una aclaración.

(iv)   Es una felicitación a la revista.

2 Ahora lee la siguiente carta a la revista *Conservación* y señala su propósito.

CONSERVACIÓN Y COMERCIO DE LA FAUNA SILVESTRE

Señor Director:

He leído los artículos de los últimos números de *Nuestras Aves* sobre uso sustentable y comercio de aves silvestres. El debate es enriquecedor pero confuso: los juicios de valores publicados sobre "ética" parecen rechazar que también hay comerciantes de pájaros con ética y conservacionistas o proteccionistas sin ella. Me parece oportuno reflexionar sobre cómo podrían insertarse las propuestas y planteos publicados sobre este tema en la realidad socioeconómica actual.

Creo firmemente en que se pueden administrar de manera sustentable los recursos naturales y que la intangibilidad o prohibición tiene el sabor del fracaso de no haberlo hecho. Pienso que es mejor vivir en un mundo donde tengamos la oportunidad de aprovechar bien sus recursos que en otro donde todos estén vedados.

El fragmentario conocimiento biológico de nuestra fauna y las dificultades de fiscalización◆, que las tiene y son muchas, no pueden paralizar la política administrativa o comercial de la Argentina.

Vivimos en un mundo complejo donde no son pocos los que creen que no innovar es lo mejor, cuando no, lo más fácil. Nos guste o no, el mundo sigue innovándose y rodando. Si no le damos un impulso con alternativas viables y realistas (en lo ambiental, comercial, legal, administrativo y social), rodará, pero con menos especies y menos superficie de hábitats naturales.

Claudio Bertonatti

(Adaptado de *Conservación*, año 1, no. 1, Asociación Ornitológica de la Plata, mayo de 1997)

Vocabulario

fiscalización   control gubernamental

¡Fíjate!

Las cartas al director son un tipo de género epistolar donde el lector o la lectora de un periódico o revista tiene la oportunidad de airear su punto de vista sobre temas variados. Estas cartas suelen ser una reacción a algo y pueden incluir comentarios o reflexiones personales, sugerencias, críticas, aclaraciones, felicitaciones, etc., o expresar acuerdo o disconformidad en relación a la posición de la redacción del periódico o a temas de actualidad.

En la siguiente actividad analizarás la estructura de una carta al director.

3   Ya conoces bien la diferencia entre un texto expositivo, que presenta o explica un tema, y un texto argumentativo, donde se defiende una idea y se refutan otras. Lee de nuevo la carta al director de la actividad anterior y señala qué tipo de texto es (expositivo o argumentativo). Justifica tu respuesta.

La estructura de una carta al director es flexible y se adapta al motivo por el que se escribe. Sin embargo, normalmente, este tipo de carta es argumentativa: en ella se expresa una opinión sobre un tema de actualidad o sobre alguna carta publicada. Por ello, la estructura suele contar con una introducción, donde se expone la finalidad de la carta y la idea que se defiende, un cuerpo argumentativo, donde se presentan uno o dos argumentos en apoyo a la idea central, y una conclusión, que ofrece una reflexión sobre el tema y que pretende causar cierto impacto en quien la lee.

---

4   Ahora completa el siguiente cuadro de la estructura de la carta especificando donde corresponda: cuál es la postura (la tesis) que defiende el autor, qué argumentos esgrime para apoyarla, y cuál es su conclusión.

Introducción (párrafo 1)	Finalidad de la carta: *hacer una reflexión sobre un debate actual* Tesis: ...
Cuerpo argumentativo (párrafos 2 y 3)	Argumento: ... Argumento: ...
Conclusión (párrafo 4)	...

El objetivo de la siguiente sección es identificar y practicar los elementos lingüísticos de las cartas a la prensa.

Primero estudiarás las características de la introducción de las cartas a la prensa.

5   Vuelve a leer los extractos de cartas a la prensa del paso 1 y señala:

   (a)   En qué persona del verbo escriben los firmantes para hablar de sí mismos.

   (b)   En qué persona del verbo se dirigen los autores al director del periódico o revista.

6   Completa las siguientes tablas con las expresiones utilizadas en los extractos de la página 226 para referirse a una noticia o artículo y para expresar el propósito de las cartas.

Alusión a noticia o algo publicado
Con el número 7 de su revista ya en mis manos, …

Propósito de la carta
Queja / disconformidad …
Aclaración: …
Reflexión: …
Felicitación: …

Es frecuente escribir la carta en primera persona singular ya que se hace hincapié en un punto de vista personal:

> Me decepcioné bastante al observar…

Sin embargo, a menudo cuando se hacen generalizaciones, la primera persona singular se combina con el uso de la primera persona del plural, como señal de respeto:

> Vivimos en un mundo complejo.

Para dirigirse al director o a la redacción del periódico se suele emplear la tercera persona singular o plural:

> El interesante artículo [...] publicado en su revista.

> ...no tengo más remedio que escribirles indignado.

A continuación nos centraremos en el tipo de conclusión de una carta a la prensa.

Las conclusiones en las cartas a la prensa han de ser elocuentes. Su finalidad no es tanto recapitular como causar cierto efecto en la persona que lee la carta. Esto se suele conseguir bien con expresiones figurativas:

> Hoy en día el turismo y el medio ambiente han contraído un matrimonio de conveniencia.

O bien con frases sentenciosas o citas relevantes:

> Como dijo Cervantes: "Los buenos pintores imitan la naturaleza, pero los malos la vomitan".

Dado que el objetivo de la carta es su publicación, cuanto más elocuente sea, más lectores atraerá a la causa defendida en ella.

7   Escribe otra conclusión a la carta de la actividad 2, buscando el máximo efecto. Utiliza expresiones metafóricas, frases sentenciosas o citas apropiadas.

Ahora tú

Ahora vas a escribir una carta a la prensa.

Primera fase: preparación de las ideas

Antes de escribir, hay que generar ideas.

Para empezar, vas a leer una carta a la prensa a la que más tarde tendrás que responder.

8   Lee la siguiente carta a la revista *Ecos del Mundo*.

Toma nota de los temas que se plantean.

Ecos del Mundo, no. 34, 10 de diciembre 2009

Sr. Director:

Permítame hacer unas reflexiones sobre el tema de las patentes de plantas medicinales utilizadas tradicionalmente por las tribus indígenas en la selva amazónica.

La Oficina de Patentes y Comercio de Estados Unidos ha cancelado, hace poco, la patente registrada por Loren Miller en 1986 de la planta trepadora Ayahuasca. Se dice que los chamanes y ancianos de los poblados indígenas, que utilizan esta planta en ceremonias sagradas religiosas en la Amazonía, se sentían ultrajados por esta patente; pero ¿por qué este sentimiento de ultraje? Si es porque al registrar la patente no se reconoce que los indígenas fueron los primeros en descubrir sus propiedades curativas, todos nos hacemos cargo de la ofensa. Pero esto no quita que la comercialización de la planta la habría hecho accesible a millones de otros seres humanos, sin haberles robado a los indígenas su derecho de seguir utilizándola.

De acuerdo, el dueño de los laboratorios International Plant Medicine Corporation, basados en California, contaba con engrosar aún más sus arcas; pero, ¿por qué poner un candado a los secretos de la naturaleza?

Julia Carvajal

9   ¿Cuál es tu reacción ante las cuestiones que se formulan? Elige la opción u opciones apropiadas y justifica tu elección con dos argumentos o ideas aclaratorias.

(a) Estoy de acuerdo con su planteamiento.

(b) Estoy en contra del argumento central.

(c) La carta me indigna y la encuentro ofensiva.

(d) Quisiera añadir o hacer alguna aclaración.

(e) Me alegra que se planteen dichas cuestiones.

10   Ya puedes preparar la estructura de tu propia carta. Completa el siguiente plan de acuerdo con el contenido que desees incluir.

Párrafo 1 – Introducción

Motivo de la carta.

Alusión a la carta del paso 1 y tesis central.

Párrafo 2 – Cuerpo argumentativo

Presentación de dos argumentos o ideas en apoyo a la tesis central.

Párrafo 3 – Conclusión

Citas, frases sentenciosas, generalización, etc.

Segunda fase: elaboración del texto

11 Ahora escribe una carta al director de *Ecos del Mundo*, de no más de 200 palabras, expresando tu punto de vista sobre la carta publicada en la revista.

Antes de escribir, asegúrate de que sabes contestar las siguientes preguntas:

- ¿He comprendido bien los temas que se plantean en la carta publicada?
- ¿Cuál es el objetivo de la carta que voy a escribir?
- ¿Qué tipo de reacción quiero expresar ante la carta publicada?
- ¿Sabrán algo mis lectores/as sobre las patentes de plantas medicinales?
- ¿Es el esquema de la carta claro y coherente?

Tercera fase: autoevaluación

12 Es esencial volver a leer lo que has escrito y reescribir aquello que no responde satisfactoriamente a las siguientes preguntas.

En cuanto al contenido y al desarrollo de las ideas:

- ¿Está claro el propósito de la carta y la publicación a la que alude?
- ¿Dejo claros los distintos aspectos del debate?
- ¿Añado algo nuevo al tema del debate?
- ¿Incluyo ideas redundantes?
- ¿Es clara la estructura de la carta, con los párrafos bien delimitados?

En cuanto a los rasgos lingüísticos y estilo:

- ¿Soy coherente en el uso de las formas personales de los verbos?
- ¿Soy coherente en el uso del registro, evitando giros demasiado coloquiales?
- ¿Puedo mejorar el efecto de la conclusión?

En cuanto a la corrección gramatical, presta especial atención a:

- La ortografía.
- La concordancia de género y número.
- El uso correcto de las formas verbales.
- El uso correcto de las preposiciones, en particular de "por" y "para".

13 Ahora modifica tu borrador a la luz de las consideraciones anteriores.

Clave

Unidad 1

Actividad de lectura

1. Los textos no son todos ensayos humanísticos. El texto 1.2 ("Testimonio") es una descripción de una vivencia personal, no un ensayo. En él la autora expone una experiencia particular, no universal; y no pretende informar a la audiencia, ni defender una idea. Por otro lado, el registro es más coloquial que académico: expresiones como "Somos poquitos los bolivianos" o "personas que [...] negocian con estas cosas" son sólo algunos ejemplos.

2. Tanto el texto 1.1 como el 1.3 son ensayos humanísticos, redactados en un tono académico (aparecen términos abstractos, metáforas elaboradas, datos históricos contrastados, etc.).

   El texto 1.1 ("La Virgen y el toro") es un texto argumentativo. En él se defiende, mediante argumentos, un punto de vista personal. El autor opina sobre unos hechos intentando que el lector se sienta identificado con su punto de vista: defiende una idea central o tesis.

   El texto 1.3 ("La identidad latinoamericana") es un texto expositivo. En él predomina la información sobre la opinión. En este tipo de textos el autor tiene la intención de informarnos ofreciéndonos datos objetivos, y su opinión, o bien no aparece, o queda en segundo plano.

Actividad de escritura

1. Las categorías siguientes son las que aparecen en la biografía de Averroes, y son bastante comunes en muchas biografías de personajes famosos: nombre(s), familia, lugar de nacimiento, fecha de nacimiento, primeros años / estudios, profesión, vida privada, acontecimientos importantes de su vida, ejemplos de su obra, muerte, su personalidad, su importancia.

3

Categorías de información	Datos de Averroes
Nombre(s)	Ibn Rusd (árabe), Averroes (latín).
Familia	Abuelo y padre: *cadíes* (jueces) de Córdoba.
Lugar y fecha de nacimiento	Córdoba, 1126.
Primeros años/ estudios	Tradicional educación alcoránica (religiosa), jurídica, médica; también la filosofía y la docencia.
Profesión	*Cadí* (juez), médico importante; también filósofo y científico.
Vida privada	Se casó entre 1146 y 1153.
Acontecimientos de su vida	1168 presentado a la corte del califa; 1169 *cadí* de Sevilla; 1182 médico principal de cámara y cadí de Córdoba; desde 1184 íntimo del califa; 1195 condenado y desterrado; 1198 perdonado.

Ejemplos de su obra	Medicina: *De las fiebres de Galeno*; filosofía: *Sobre la sustancia del mundo* (1178); filosofía política: *Sobre la República de Platón* (1194).
Muerte	1198, en Marraquech (Marruecos).
Su personalidad	Muy apreciado: espíritu original, creyente musulmán, muy trabajador, gran docente.
Su importancia	El más grande de los pensadores de Al Ándalus, observador de la naturaleza (verificación empírica).

4

1163 Yusuf califa – corte de letrados, científicos y pensadores.
1184 Yaqub califa (estaba interesado en las ciencias) – lucha contra los castellanos.
1195 Batalla de Alarcos – derrota de Alfonso VIII.

5

- Futuro, condicional, presente, presente histórico: para cambiar la perspectiva y añadir interés.

- Presente o pretérito perfecto: para evaluar la importancia o el impacto de la persona biografiada.

- Pretérito imperfecto: para descripciones y acciones habituales en el pasado.

- Pretérito indefinido, presente histórico: para narrar acontecimientos en el pasado.

- Pretérito pluscuamperfecto: para aclarar la relación entre acontecimientos en el pasado.

6 (a) Pretérito indefinido y presente histórico.

   (b) Para obtener un efecto de inmediatez cuando se cambia de acontecimientos normales o esperados en la vida de Averroes a acontecimientos más dramáticos.

7 (a) el año 1126, entre 1141 y 1146, entre 1146 y 1153, en esta última fecha, el año 1163, antes de esta fecha, tuvo lugar en 1168, a partir del 1184, el 18 de junio de 1195, a comienzos de 1198, fechado en 1194, el año 1198, a la edad de 72 años.

   (b) primero, después, más tarde, finalmente, antes de esta fecha, pocos meses después, unos meses después de, ya

   (c) Durante su periodo sevillano, siendo *cadí* en Sevilla, algo más de dos años.

8 el más grande de los pensadores, un espíritu original, empecinado observador, auténtico creyente, aprecio global [...] alto, fiel musulmán, médico principal de cámara, frecuentes viajes a Córdoba y a Marraquech, el filósofo cordobés, el pensador cordobés, gran trabajador.

9 Sugerencia:

   (a) **grande:** importante, notable

   (b) **original:** nuevo, distinto

   (c) **empecinado:** terco, pertinaz, obstinado

   (d) **auténtico:** genuino, verdadero

   (e) **culto:** sabio, erudito, cultivado

   (f) **global:** universal, total, general

   (g) **fiel:** leal, honesto

Unidad 2

Actividad de lectura

2   Sugerencia:

El título del libro, *Precariedad y persistencia*, me sugiere algo que no es muy estable, pero a la vez una insistencia, una determinación en llevar algo a cabo. Son dos términos casi opuestos, que tal vez resumen lo que es la vida.

Creo que el título del libro ayuda a interpretar mejor los poemas. Por ejemplo, el poema "Post it" nos puede hacer pensar el todo lo más rutinario y prosaico de la vida diaria, pero a la vez, es esta rutina la que nos ancla en el mundo real. El segundo poema, "Detrás de un gran hombre", viene a decir lo mismo. ¡Lo importante, efectivamente, es tener los pies en el suelo! El tercer poema es quizás el más difícil de entender, pero creo que quiere decir que aunque se nos intente inculcar miedo a los que son distintos de nosotros, no hay en realidad "monstruos", ni "amenazas".

Actividad de escritura

2   **Novela**: (a), (d), (e), (h).

     Cuento: (b), (c), (f), (g).

3   Sugerencias:

   (a) Destrucción total

   (b) El fin del mundo

4   Sugerencias:

El título *Apocalipsis* es apropiado porque se trata del final de la raza humana (como en la Biblia).

El tema central del cuento es la extinción de la raza humana.

Me ha gustado el cuento porque creo que es muy posible que se llegue a una situación así. / No me ha gustado el cuento porque me parece demasiado simplista.

5   (a) En el siglo treinta y dos.

   (b) Porque con apretar un botón las máquinas harán todo por ellos.

   (c) Las artes (música, pintura); las artesanías (tapices flamencos); el transporte (los automóviles), etc.

   (d) Los seres humanos empezarán a desaparecer hasta extinguirse y las máquinas se duplicarán hasta ocupar todo el espacio disponible.

   (e) Porque el último de los seres humanos se olvidará de desconectarlas.

6   (a) Falso. (tercera persona del plural: ellos / los hombres)

   (b) Verdadero. (nosotras / las máquinas)

   (c) Falso. (desde el punto de vista de las máquinas)

7   (a)–(i), (b)–(iii), (c)–(ii).

8   Sugerencias:

triste – alegre; misterioso – evidente; cínico – sincero; serio – jocoso; superficial – profundo; satírico – directo; pesimista – optimista; sentimental – racional; lúgubre – animado; fantástico – real

9   Sugerencia:

Tono	Antónimo
triste	alegre
misterioso ✓	evidente
cínico	sincero
serio ✓	jocoso
superficial	profundo ✓
satírico ✓	directo
pesimista ✓	optimista
sentimental	racional ✓
lúgubre	animado
fantástico ✓	real

10   La raza humana: perezosa (párrafo 10: Les bastaba apretar un botón...); olvidadiza (párrafo 3: ... se olvidó de desconectar...).

Las máquinas: perfectas (párrafo 1: ... tal perfección...); trabajadoras (párrafo 2: ... lo hacían todo por ellos.); activas (párrafo 3: ... seguimos funcionando).

11   Sugerencia:

El mundo de las máquinas es un mundo lleno de bullicio y perpetua actividad. No hay paz ni tranquilidad en ninguna parte. Hay dos tipos de máquinas: uno de género masculino y otro de género femenino. Para distinguirse, las primeras son verdes y las segundas amarillas. Todas son perfectas: ni muy gordas ni muy delgadas, ni muy altas ni muy bajas.

Siempre están contentas porque jamás se enferman. Dado que el clima sigue tan variable, viven en casas grandes y automatizadas de metal gris y ventanales inmensos en grupos de 4 parejas y en perfecta armonía. El crimen ha desaparecido y no hay necesidad de policías ni ejércitos. Sin embargo, la superpoblación hace la actividad de cada máquina cada día más limitada y todas están empezando a oxidarse.

12   **Hipérbole:** figura retórica que consiste en la exageración positiva o negativa de lo que se habla.

Hipérbaton: figura retórica que consiste en una alteración del orden normal o habitual de las palabras en una frase o construcción.

Enumeración: expresión sucesiva y ordenada de los elementos de una serie o de las partes de un todo.

Ironía: figura retórica que consiste en dar a entender lo contrario de lo que se dice.

13   **Hipérbole**

"Les bastaba apretar un botón y las máquinas lo hacían todo por ellos".

"Las máquinas terminaron por ocupar todos los sitios disponibles".

Enumeración

"... ya no necesitaban comer ni dormir ni hablar ni leer ni escribir ni pensar ni hacer nada".

"... fueron desapareciendo las mesas, las sillas ... el Partenón".

14 Sugerencia:

La hipérbole dramatiza y exagera la situación actual con relación al uso excesivo que los seres humanos hacen de las máquinas mientras que la enumeración enfatiza los efectos negativos de la dominación de las máquinas.

15 Sugerencias:

(a) Sí, creo que le disgustan las máquinas intensamente.

(b) Sí, porque muchas personas utilizan máquinas de todo tipo innecesariamente, simplemente porque les da pereza hacer las cosas ellos mismos. Aunque también es verdad que, por otra parte, hay muchas máquinas, como los electrodomésticos por ejemplo, que ahorran tiempo que el individuo puede utilizar para desarrollar sus actividades de ocio; las máquinas también pueden ahorrarnos dinero y hacer la comunicación más inmediata y eficiente.

(c) La falta de capacidad para desarrollar ciertas tareas, por ejemplo: los niños que siempre utilizan calculadoras no son capaces de calcular sin ellas. La poca salud y agilidad física: el abuso de las máquinas como el automóvil, la televisión y el computador hace que la gente haga poca actividad física.

(d) Sí, es corto y muy interesante. Además, no es muy difícil de leer.

Unidad 3

Actividad de lectura

3

La situación de las lenguas indígenas en Suramérica

Las diversas circunstancias de la colonización europea siguen siendo la clave del entendimiento de la situación lingüística actual de Suramérica. La profundidad temporal variable del impacto […], las particularidades de la historia precolombina según las regiones y la diversidad extrema de la geografía americana crearon una gama de procesos muy variados que podríamos sin embargo tratar de clasificar muy aproximadamente en cuatro tipos de contextos político-lingüísticos, en función del grupo demográficamente mayoritario dentro de los Estados modernos.

Al sur tenemos regiones mayoritariamente "blancas", como Argentina, Uruguay, el sur de Brasil y Chile. Son países de clima templado, históricamente poco ocupados por indígenas americanos, fuertemente colonizados por oleadas de inmigrantes recientes (siglos XIX y XX). Aunque en los últimos años las minorías indígenas de estos Estados (sobre todo en Argentina y en Chile) están expresando reivindicaciones […], lo cierto es que las grandes mayorías son y se precian◆ de su estirpe◆ europea. […] El castellano y el portugués funcionan masivamente como lenguas de integración en una situación lingüística que tiende al monolingüismo.

Al otro extremo, tenemos regiones con una presencia india considerable que, en algunas ocasiones, rebasa la mayoría de la población. Éstos son países andinos como Ecuador,

Perú y Bolivia, donde el campesinado es indígena, demográficamente importante desde épocas remotas […] y se ha mantenido en tanto que masa poblacional◆ numerosa, y marginalizada, que sigue en buena parte hablando variedades del quechua y también del aymara. […] La población de origen hispánico, aunque se perciba como criolla, mantiene una lealtad lingüística fuerte al castellano y a los valores de la cultura europea. El castellano sigue conquistando posiciones pero el tamaño de los grupos lingüísticos en presencia impide anticipar claramente la configuración futura de la situación lingüística de estos países.

Paraguay representa por sí solo en el continente el caso único de un Estado con una lengua indígena, el guaraní, hablada por la casi totalidad de la población. Bien cierto es que se trata de una población cultural y genéticamente muy mezclada. La lengua también ha sufrido un proceso de hibridación considerable con el castellano. Este último se mantiene como la lengua oficial, culta y de referencia. Hay actualmente intentos importantes de estandarización y modernización. No hay que olvidar que, como los demás Estados americanos, Paraguay tiene también grupos tribales.

Al oriente y al norte del continente, Brasil, Venezuela y Colombia representan formaciones sociales intermediarias entre los dos primeros grupos mencionados. Por un lado, tuvieron una importante ocupación preibérica, aunque nunca tan numerosa como en los Andes centrales; por otro lado esa población se mestizó mucho con el inmigrante europeo. En la actualidad quedan en esos países un gran número de grupos indígenas pero poco importantes cada uno en cuanto a su tamaño demográfico. […] El castellano y la lengua portuguesa son vehículos muy universalizados […].

En el caso de Colombia, que participa al mismo tiempo del mundo andino, del mundo caribeño y del mundo de las bajas tierras amazónicas u orinoquenses, la fragmentación lingüística y la variedad de situaciones sociolingüísticas es especialmente notoria. En un Estado de 35 millones de habitantes, una población indígena que no alcanza 600.000 personas, pertenecientes a 81 identidades étnicas amerindias, está presente en 29 de los 32 departamentos que tiene el Estado. De esta población, unas 130.000 personas no hablan ninguna lengua amerindia aunque se identifican como indígenas y tienen hábitos sociales y culturales que los acreditan como tales. El resto habla 66 lenguas diferentes (algunas de ellas con variaciones dialectales importantes) reagrupables en 22 estirpes lingüísticas (12 familias lingüísticas y 10 lenguas aisladas). Las grandes familias lingüísticas suramericanas Arahuaca, Caribe, Quechua, Tupí y la gran familia centroamericana Chibcha coexisten con familias de ámbito más regional.

(Landaburu, J. (1997) "La situación de las lenguas indígenas de Colombia: prolegómenos para una política lingüística viable", Seminario internacional sobre políticas lingüísticas, Bilbao, Unesco Etxea, pp. 301–2)

4   El texto contiene las características del texto expositivo. En particular, se entra directamente en materia; el texto sigue una estructura clara y hay una ordenación lógica de los contenidos. Se usa terminología específica al tema, ya que se persigue la precisión. Se persigue también la objetividad, citando datos y cifras, y no se expresan opiniones personales.

Las características sintácticas utilizadas incluyen:

- Oraciones de carácter explicativo y aclaratorias.

    Ejemplo: Aunque en los últimos años las minorías indígenas de estos Estados (sobre todo en Argentina y en Chile) están expresando reivindicaciones [...], lo cierto es que... Brasil, Venezuela y Colombia representan formaciones sociales intermediarias entre los dos primeros grupos mencionados. Por un lado, tuvieron una importante ocupación preibérica, aunque nunca tan numerosa como en los Andes centrales; por otro lado esa población se mestizó mucho con el inmigrante europeo.

- Enumeraciones.

    Ejemplo: como Argentina, Uruguay, el sur de Brasil y Chile.

- Elementos ordenadores del discurso.

    Ejemplos: En el caso de Colombia; Por un lado... por otro lado...

Actividad de escritura

Observa y aprende

2   Sugerencia:

    ¿Qué se nos dice sobre...

    ... la autora?

    Es bilingüe, chicana, y estudio escritura creativa en la Universidad de California.

    ... el argumento?

    Son historias sobre la vida cotidiana de los latinos en Los Ángeles.

    ¿Dónde y cuándo tiene lugar la acción?

    En la actualidad, en Los Ángeles.

¿Quiénes son los protagonistas?

Los inmigrantes hispanos.

¿Cuál es el tema principal?

La tristeza, la familia y la injusticia (Párrafo 6).

¿Qué otros elementos temáticos aparecen?

El racismo, la violencia policial (Párrafo 3).

¿Cómo es...

... la estructura del libro?

Es un libro de cuentos y poemas, que se superponen como "tarjetas reversibles" (Párrafo 2).

... el modo de narrar?

El estilo combina dos lenguas, el español de la calle y el inglés (Párrafo 5).

... la valoración general?

Combina ingenio y humor, explora en profundidad los temas que trata, es fácil sentirse identificado con los personajes (Párrafos 5 y 6).

3

Párrafo 1:	Presentación del contenido
Párrafo 2:	Análisis del formato/estrategias narrativas
Párrafo 3:	Relación de la autora con el contenido
Párrafo 4:	Información más detallada sobre la autora
Párrafo 5:	Comentario sobre el estilo literario
Párrafo 6:	Conclusión y valoración

4

Hablado	Escrito
golpes buenísimos	pasajes o diálogos muy cómicos
no se hace pesada	no resulta tediosa
engancha	mantiene el interés del lector
están que se salen	son excelentes
te partes de risa	provoca la carcajada
un punto triste	sabor amargo, trágico

5 Expresiones que sirven para expresar tipos la secuencia lógica de relación entre las partes del discurso

Expresiones que organizan	en primer lugar, en segundo lugar
Expresiones para concluir	por último, en definitiva, en suma, en conclusión
Causa	a causa de, dado que, debido a, gracias a
Consecuencia	en consecuencia, por tanto, de ahí que
Contraste	sin embargo, por un lado, por otra parte, no obstante, a diferencia de

6 (a) En primer lugar

(b) por un lado

(c) por otro

(d) gracias a

(e) Por otra parte

(f) sin embargo

(g) En suma

Ahora tú

7 Este modelo está basado en la novela *La sombra del viento* (2001), del escritor español Carlos Ruiz Zafón.

Presentación

(a) La sombra del viento.

(b) 2001.

(c) Española.

(d) Carlos Ruiz Zafón.

Sinopsis del argumento

(a) Un amanecer de 1945 un muchacho es conducido por su padre a un misterioso lugar oculto en el corazón de la ciudad vieja: El cementerio de los libros olvidados. Allí encuentra un libro maldito que cambiará el rumbo de su vida y le arrastrará a un laberinto de intrigas y secretos enterrados en la ciudad.

(b) *La sombra del viento* es una oda a la lectura, al amor por los libros.

Comentario y valoración

(a) Es el primer libro para adultos del autor, que escribía novelas juveniles y guiones para el cine en EE.UU.

(b) En el libro hay abundantes descripciones de los personajes, tanto físicas como psicológicas.

(c) Es un libro trepidante, en que las tramas se entrelazan y los enigmas se suceden.

(d) El argumento es a veces previsible; y aparecen elementos un tanto sentimentalistas y estereotipados, típicos del cine estadounidense actual.

(e) La ambientación de la Barcelona de principios del siglo XX está bien documentada.

Conclusión

(a) Se trata de un libro con mucha acción, que funciona muy bien, el ritmo no desfallece, mantiene el interés en todo momento.

(b) Es un libro entretenido, comparable a las películas de efectos especiales.

10 Sugerencia:

La sombra del viento de Carlos Ruiz Zafón se publicó en el año 2001 con un gran éxito de ventas. El autor, residente en EE.UU. y escritor de guiones cinematográficos, había publicado anteriormente varios libros de literatura juvenil (*Las luces de septiembre, Marina*).

La trama se centra en la aventura de un muchacho que en 1945 es conducido por su padre a un misterioso lugar oculto en el corazón de la ciudad vieja de Barcelona: El cementerio de los libros olvidados. Allí encuentra un libro maldito que cambiará el rumbo de su vida y le arrastrará a un laberinto de intrigas y secretos enterrados en la ciudad.

La sombra del viento es un misterio literario ambientado en la Barcelona de la primera mitad del siglo XX, desde los últimos esplendores del Modernismo a las tinieblas de la posguerra. La novela combina técnicas de relato de intriga, de novela histórica y de comedia de costumbres. El autor entrelaza tramas y enigmas en un relato sobre los secretos del corazón y el encanto de los libros manteniendo la intriga hasta la última página.

Si bien el argumento es muy entretenido y la ambientación muy cuidada, aparecen algunos elementos que resultan un tanto predecibles; y se podría acusar al autor de abusar de los lugares comunes a los que con frecuencia recurre el cine estadounidense, sobre todo en los pasajes de corte sentimental. De todos modos, la narración está bien construida y el libro constituye una lectura agradable y amena.

En conjunto, *La sombra del viento* es una novela ideal para abstraerse y disfrutar viajando en el tiempo, un libro que apasionará a los amantes de la literatura de aventuras.

Unidad 4

Actividad de lectura

2 Desde el punto de vista de la organización, el autor utiliza subtítulos para dividir el texto en secciones.

Los recursos lingüísticos que se utilizan también son los de este tipo de texto. En primer lugar, los hechos se presentan de manera objetiva, sin ningún elemento de opinión ni valoración.

Además, se utilizan los siguientes recursos:

- conectores lógicos (sin embargo) y sobre todo, en este caso, conectores temporales (luego)

- precisión léxica: aunque el vocabulario es menos técnico que en textos especializados de la misma disciplina (El modelo geocéntrico, la teoría heliocéntrica, el modelo copernicano, sistemas extragalácticos)

En el texto no predominan el presente o futuro del indicativo, sino que está escrito en pasado, ya que explica los modelos del universo desde una perspectiva histórica.

Actividad de escritura

1 **Texto literario**: metáforas, enumeraciones preguntas retóricas, abundancia de adjetivos, exclamaciones, vocabulario coloquial, anécdotas.

   Texto científico: enumeraciones, vocabulario especializado, preguntas retóricas, datos bibliográficos.

2 El texto (a) es de divulgación científica y el texto (b) es de carácter científico especializado. En el texto (a) se explican las cosas haciendo referencia a objetos corrientes (televisión, pizza), mientras que en el texto (b) se da por sentado que el lector o la lectora entiende los términos especializados.

3 Todos ellos son cortos y atractivos, utilizan el lenguaje coloquial ("no está a punto"), la pregunta ("¿estamos solos en el universo?") o una afirmación sorprendente ("microbios buenos") o cualquier recurso que invite a leer el artículo.

4 Sugerencias:

   Enfriar: la clave de la conservación.

   Historia del frío.

   La revolución que llegó del frío.

5 (a) Se basaba en que el aire se calienta al comprimirse y se enfría en su expansión.

   (b) Karl von Linde, en 1871, adaptó un sistema de refrigeración industrial. Fabricó a continuación neveras que utilizaban éter metílico y luego amoniaco como refrigerante. Por fin adaptó el sistema a un modelo doméstico.

   En 1913 surge la nevera Domelre: la primera nevera eléctrica de uso doméstico.

   En 1918 la nevera Kelvinator representó el primer éxito comercial.

   1931: producción en serie de la nevera Electrolux en Europa (1952 en España).

   (c) Los primeros testimonios datan de 1861. En 1880 se empezó a llevar carne de Australia a Londres, y en 1891 parece ya una práctica establecida.

6 (a) La introducción nos dice de qué va a tratar el texto. La conclusión resume de alguna forma su contenido o la importancia de este.

   (b) No. Parece que empieza directamente con el tema y acaba sin un resumen conclusivo.

7

Frases de opinión personal / anécdotas:	"… Domeldre (un nombre poco imaginativo que venía de Domestic Electric Refrigerator)…"
Ejemplos / comparaciones:	"… hasta la familia real probó la carne importada…"
	"… como pasteles de carne, gambas rebozadas…"
	"Tenía como un bombín de bicicleta…"
Preguntas retóricas:	"¿Cuándo empezó el verdadero boom del consumo?"
Coloquialismos:	"… le dedicó un editorial calificándole de estúpido…"
	"guardando cola"
Acotaciones o citas no bibliográficas:	"… mejor que Dios Todopoderoso"

8 (a) Estos recursos le dan al texto un tono más informal.

   (b) No, no son esenciales para la comprensión del texto.

   (c) Su función es facilitar la comprensión.

9 "... su idea mereció la crítica sarcástica del *The New York Times*...";

   "Para las familias españolas quizás la historia de la nevera comience..."

10 Se pregunta, hace pensar que, se cree que, suponen, sugiere, se ignora, se dice, se piensa que...

11 (a)–(i); (b)–(ii); (c)–(i); (d)–(i), (ii), (iii), (vi), (vii), (viii); (e)–(ii).

12 Sugerencia: que el planeta Tierra se ha duplicado o tiene un doble.

15 Sugerencia:

    Los astrónomos de la NASA han encontrado un planeta casi idéntico a la Tierra. Como un gemelo del nuestro, el planeta llamado Edén se encuentra cerca de la estrella 47 en la Osa Mayor y posee una característica que lo hace diferente a todos los planetas descubiertos hasta ahora: la de poseer oxígeno en su superficie. Este dato levanta especulaciones en toda la comunidad científica sobre la posibilidad de encontrar vida en el mismo. Como dice Darwin, un astrónomo de la Agencia Europea del Espacio (ESA): "El oxígeno es un gas inestable que necesita reponerse constantemente, la presencia de oxígeno sólo tiene una explicación plausible: vida". Pero no todos piensan en iguales términos: "Si fuera un tipo de vida avanzada, ya hubiéramos tenido signos de ella" comenta otro astrónomo, lo que nos lleva a la siguiente cuestión: si hay vida ¿qué tipo de vida hay?, ¿será más o menos avanzada que la nuestra? Es inevitable recordar las imágenes de extraterrestres monstruíticos que han invadido nuestra ciencia ficción durante años, pero en términos reales, ¿qué puede implicar para nuestro planeta la presencia de otras formas de vida?

    Miedo, rechazo y entusiasmo son algunas de las reacciones suscitadas por el descubrimiento. En todo caso, como afirma un astrónomo: "el descubrimiento es una puerta abierta a la investigación".

16 Sugerencia:

    ¿La Tierra tiene un gemelo?

Unidad 5

Actividad de lectura

3 Los dos textos son artículos periodísticos informativos, y se atienen a las normas de este tipo de texto. Los textos están escritos en presente, y utilizan la voz activa en vez de la pasiva. La longitud y la estructura del las frases varía, y se usa por ejemplo el estilo directo. Se presentan los hechos y las opiniones de los entrevistados de manera objetiva, y el periodista se mantiene al margen de lo que cuenta, evitando el uso de la primera persona. En ambos textos la entradilla explica el tema del artículo. Es un poco difícil ver si los textos tienen una estructura de pirámide invertida, ya que han sido editados y faltan algunos párrafos.

Actividad de escritura

1 (a)–(iv), (b)–(iii), (c)–(ii), (d)–(vi), (e)–(i), (f)–(v).

2 La función (c) porque el informe generalmente presenta un análisis objetivo e impersonal de un problema.

La función (e) porque el informe normalmente no se usa para difundir noticias, y se supone que el lector o la lectora ya está bastante familiarizado/a con el tema.

3   El orden correcto es: Título, Índice, Resumen ejecutivo o sumario, Introducción, Secciones del documento, Conclusiones, Anexo (estadístico), Bibliografía.

4   El encabezado correcto es (c)

5

Apartado	Tema clave
Párrafo 1:	Introducción al tema. Orígenes e historia de la CAN.
Párrafos 2 – 4:	La Zona de Libre Comercio entre los países que la integran.
Párrafos 5 – 7:	Áreas de Integración y países externos con los que comercia.
Párrafo 8:	Situación en la actualidad.

6   Se incluyen al final del informe.

8   Sugerencia:

–   Como muestra el gráfico 2, los principales destinos de las exportaciones de la Comunidad Andina en 2009 fueron Estados Unidos y Suiza.

–   Las exportaciones de la CAN al resto de países han disminuido (véanse gráficos 1 y 2).

–   Japón no fue un destino destacado de las exportaciones de la Comunidad Andina, según se desprende del gráfico 2.

–   Las exportaciones a Suiza representaron un 18 por ciento del total de las exportaciones realizadas por la Comunidad Andina en 2009, como indica el gráfico 2.

9

Rasgos lingüísticos de los informes económicos	Ejemplos en el texto
Estilo impersonal; exclusión del autor o autora y de sujetos personales; uso de tercera persona / del "se" impersonal:	"Se firmó el acuerdo", "se comenzó a desarrollar"
Registro formal: uso de un vocabulario cuidado:	"gradual", "llevar a cabo".
Uso de vocabulario semiespecializado y acrónimos:	"CAN" , "ZLC", desgravación arancelaria
Uso abundante de datos exactos o aproximados, porcentajes, cifras, comparaciones y fechas:	"una población superior a los 105 millones de habitantes, una superficie de 4,7 millones de kilómetros cuadrados y un Producto Interior Bruto del orden de los 285.000 millones de dólares."

10   (a)   El crecimiento de la producción mundial **se redujo** de un **4** por ciento en 1997 a un **2,5** por ciento en 1998.

(b)   El conflicto interno es **perjudicial / contraproducente** para el desarrollo económico del país.

(c) Debido al efecto de El Niño y teniendo en cuenta los informes adversos **de la Organización Mundial del Comercio** (OMC) sobre la industria bananera, **las previsiones sobre** el comportamiento de la economía de los países del Caribe en 1997 eran **desfavorables**.

(d) Los beneficios totales del grupo casi **se duplicaron** en la **presente** década.

(e) Según el informe anual del Banco de Desarrollo del Caribe (BDC) muchos países **registraron** elevadas tasas de crecimiento en 1998.

(f) En conjunto, el progreso **logrado** en **materia de** integración del Caribe en los últimos años **resulta notable**.

11 El crecimiento económico de la región ha sido satisfactorio en el periodo 1980–2005, aunque en varios países la tasa de crecimiento se redujo entre los años 2000–2003.

12 (a) El Mercosur, fundado en 1991. Su objetivo es crear una unión aduanera y un mercado común. Los países miembros son Argentina, Paraguay, Uruguay y Brasil.

(b) Evolución del PBI de 1980 a 2005.

(c) Crecimiento económico por año: en conjunto la tasa de crecimiento bajó entre 2000 y 2003, afectando esta contracción especialmente a Argentina.

(d) El crecimiento no ha sido igual/homogéneo en todos los países: dentro de Mercosur, Paraguay es el país de mayor crecimiento, con una tasa de 183,6 por ciento (tomando de base el año 1980=100). Argentina y Uruguay son los que muestran unas tasas de crecimiento más bajas.

13 Aquí tienes una sugerencia. Recuerda incluir en tu informe el gráfico de la p.190:

Crecimiento económico de los países del Mercosur, de 1980 a 2005.

En los años 90 los países del Mercosur registraron una tasa de crecimiento económico satisfactoria, demostrando que han superado la recesión económica de la década de los 80. Este crecimiento ha sido desigual, sin embargo, en el tiempo, y entre los diferentes países.

Si analizamos la evolución del PIB década por década, se podría decir que de 1980 hasta la creación del MERCOSUR en 1991, se nota una evolución del PIB que pasa de un índice base 100 en 1980* a 131 en 1990. El país que tiene el PIB más alto es Paraguay, seguido por Brasil, Uruguay, y Argentina, que tiene el PIB el más bajo de los 4.

De 1990 a 2000 se aprecia por cada uno de los cuatros países, un crecimiento de sus PIB muy importante, debido a la influencia positiva de los acuerdos comerciales, que favorecen la circulación de productos entre los países miembros tal como la exportación a otros países, fuera de la zona de libre mercado. Por un índice de 131.4 en 1990, el índice en 2000 ha pasado a 168.8; es decir 37 puntos más por un periodo igual (10 años). El país que más ha crecido durante este periodo es Paraguay, cuyo PIB ha aumentado de 19% de 1990 a 2000.

Desde 1990, los PIB de los 4 países siguen creciendo. Sin embargo, notamos una pequeña recesión en 2002 para Uruguay y Argentina.

A la luz del gráfico, se concluye que todos los países del MERCOSUR siguen una evolución similar.

*Como indica el gráfico, los valores se han calculado tomando como referencia el año 1980 (1980=100).

Unidad 6

Actividad de lectura

2   La entrevista es a un personaje que ha contribuido mucho a la conservación y protección de un parque nacional, Doñana. En ella se abordan temas como:

- los atractivos de Doñana al principio;
- las personas que colaboraron con José Antonio Valverde;
- el papel del gobierno español;
- los cambios en Doñana;
- los problemas;
- los errores de gestión.

3   Sugerencia:

Parece un personaje muy interesante que, en una época donde el interés por temas conservacionistas no era más que incipiente, se preocupó por cultivarlo y difundirlo contra viento y marea. El parque tiene algunos problemas acuciantes a los que hay que atender si se quiere seguir con la labor protectora que fomentó "el padre de Doñana".

Actividad de escritura

1   (a)–(ii), (b)–(iii), (c)–(i), (d)–(iv).

2   Se hace una reflexión sobre el tema del uso sostenible y comercio de aves silvestres que ha sido debatido en números pasados de la revista *Nuestras Aves*.

3   Se ajusta a un texto argumentativo porque toma posiciones respecto al debate sobre conservación y comercio de aves, alegando que hace falta evitar posturas extremas y que hay que ser realista si se quiere de verdad conservar los hábitats naturales.

4

Introducción (párrafo 1)	Finalidad de la carta: hacer una reflexión sobre un debate actual Tesis: el debate sobre conservación y comercio de aves silvestres es confuso y se caracteriza por tomas de posturas extremas.
Cuerpo argumentativo (párrafos 2 y 3)	Argumento: el uso sostenible de los recursos naturales es posible y es preferible a su prohibición. Argumento: la necesidad de conocer mejor la fauna y superar trabas administrativas o fiscales.
Conclusión (párrafo 4)	Hay que innovar y buscar alternativas viables y realistas en todos los ámbitos.

5   (a)   en primera persona del singular (yo)

   (b)   en tercera persona del singular (usted) o del plural (ustedes)

6

Alusión a noticia o algo publicado
Con el número 7 de su revista ya en mis manos, …
"En relación a las apreciaciones de Hernán Gómez en el último número…".
"…se habla de la reciente catástrofe…".
"El interesante artículo 'Verde, que te quiero verde' publicado en su revista la semana pasada…".

Propósito de la carta
Queja / disconformidad
"no tengo más remedio que escribirles indignado";
Aclaración
"me permito hacer unas aclaraciones…";
Reflexión
A mí me gustaría hacer aquí una breve reflexión …";
Felicitación
"me lleva a agradecerle…".

7   Sugerencia:

Innovar o perecer, he ahí la cuestión. Mal que nos pese, el mundo sigue avanzando y no espera a que nos decidamos a seguirlo. Salvaremos más especies si proponemos soluciones con los pies en la tierra y no con la mirada hacia atrás.

Índice de textos

Acknowledgements

Grateful acknowledgement is made to the following sources:

Text

Page 10: Viezzer, M. (1977) "Si me permitten hablar...", testimonio de Domitila, una mujer de las minas de Bolivia, 1988 Siglo Veintiuno Editores; *page 12*: Zea, L. (1993) "La identidad latinoamericana", Fuentes de la cultura latinoamericana, Fondo de Cultura Económica, México, pp. 12–13; *page 15*: Vincent, M. "Cuba: la isla de los mil dioses", *El País Semanal*, El País, pp.115–16; *page 16*: © Ediciones El País, S.L.; *page 18*: © Arranz del Barrio, A. (1988) "El baile flamenco"*,* 1988 Librerías Deportivas Esteban Sanz SL; *page 21*: Alicia Rodríguez Mediavilla, "El nuevo flamenco (no tan nuevo)". Taken from esflamenco.com. Reproduced by permission; *page 24*: www.20minutos.es; *page 25*: "Yo no me siento español", Daniel Borasteros / El País Internacional; *page 27*: Martínez Ten, L. *et al.*, "El viaje de Ana, Historias de inmigración contadas por jóvenes", Segunda parte / Artículo 2 "El señor Wong, la señora Wong y el joven Hu", pp.77–79, © Consejo de la Juventud de España; *page 29*: Urzaiz, E. (1999) "Hijos de dos continentes", *Noticias Latin America*, enero de 1999; *page 41*: Elosua, M. "Citas - La imaginación". *Muy Interesante*, 206, G y J España Ediciones; *page 45*: Yorkievich, S. "El arte de una sociedad en transformación", *Arte y sociedad*, UNESCO Publishing; *page 47*: Benedetti, M. (1971) "Situación del intelectual en la América Latina", *Literatura y arte nuevo en Cuba* (1971) Estela, Barcelona, pp.149–51; *page 50*: Reprinted with permission from the Organisation of American States. All Rights Reserved. *page 53*: Portalmundos.com; *page 56*: Credited to Lluis Llach, http://www.unilang.org and cleared under UniLang Public License (version 2); *page 58*: Jara, V. "Te recuerdo, Amanda", 1970 Editorial Lagos, Argentina (1), 1974 Joan Jara (2). Assigned to: WESTMINSTER MUSIC LIMITED of Suite 207, Plaza 535, Kings Road, London SW10 0SZ. International Copyright Secured. All Rights Reserved. Used by Permission; *page 59*: Aldecoa, Josefina, "Ojos como pantallas", Garci, J.L. (ed.) *Nickel Odeon, Revista trimestral de cine*, Nickel Odeon Dos, S.A.; *page 63*: *Cartelmanía* (1998) Madrid, PROGRESA, p.2; *page 66*: © Casa de América; *page 70*: Post-it, *Detrás de un gran hombre, La frontera* © Maite Pérez Larumbe; *page 76*: © 1956 Cortázar, J., "La continuidad de los parques" (del vol. *Final de Juego*); *page 82*: © "Las lenguas peninsulares", *Lengua y literatura* (Secundaria 2000) (edición de 1998) Madrid, Grupo Santillana de Ediciones; *page 86*: © Libertad Digital S.A.; *page 88*: © "Las lenguas peninsulares", *Lengua y literatura*, (Secundaria 2000) (edición de 1998) Madrid, Grupo Santillana de Ediciones; *page 92*: © Libertad Digital S.A.; *page 96*: © MMIX; *page 97*: © Carlos Fuentes; *page 99*: © *Padres Hispanos*. Premium News Theme por Adii; *page 101*: © www.fundeu.es; *page 103*: "¿Cómo se dice, banqueta, vereda o acera?" 10.3.2006, http://www.fundeu.es; *page 104*: "Traductora afirma que los criterios comerciales afectan la evolución del español", 20.7.2005, http://www.fundeu.es; *page 106*: From http://ww1.elcomercio.com;

page 109: © El Tecolote; *page 119*: © Zaragoza, G. (1989) *Rumbo a las Indias*, Madrid, Grupo Anaya SA, pp.56–65; *pages 125 and 129*: © M. Garciasa; *page 132*: Permission given courtesy of Ismael Sánchez @ madri+d from website www.madrimasd.org/; *page 135*: www.nynas.com; *page 137*: © 2009 avis legal; *page 140: Muy Interesante*, no. 206, julio de 1998, pp. 183–4, © 1998 G y J España Ediciones; *page 145*: axxon.com.ar; *page 146*: © BBC; *page 148*: © Diario Público; *page 159*: © El País; *page 162*: "Un país de hijos únicos" by Luz Sánchez Mellado / El País Internacional; *page 164*: Sandra Huenchuán Navarro (1995) "Mujeres indígenas rurales en la Aracaunía", http://www.xs4all.nl/~rehue/art/huen1.html; *page 167*: "Arturo Limón: Emprendedores", www.pyme.net.uy; *page 170*: Begoña Aguirre (1998) "Alérgicos al dinero" Copyright © 1998 El País; *page 173*: "La Organización de los Estados Americanos", *Américas*, OAS; *page 175*: "El Mercosur y su origen", Real Academia Uruguaya (RAU); *page 176*: © Americaeconomica.com; *page 179*: Alejandro Jáuregui Gómez, "Implicaciones de la globalización en la economía latinoamericana", http://www.gestiopolis.com; *page 181*: Martínez Coll, Juan Carlos (2001) "Comercio internacional y globalización" en "La Economía de Mercado, virtudes e inconvenientes" http://www.eumed.net/cursecon/15/index.htm edición del 28 de agosto de 2007; *page 182*: "Las 200 multinacionales más poderosas dictan la política mundial", http://www.portalplanetasedna.com.ar/poblacion12b.htm, Fuente Consultada: *Enciclopedia del Estudiante, Tomo 8, Geografía General*; *page 187*: © AméricaEconomía.; *page 200*: "La Tierra tiene fiebre", Alejandra Martins, taken from http://www.bbc.co.uk/mundo/participe/2009/05/090529; *page 203*: © Copyright 2010, vLex. All Rights Reserved; *page 205*: "El Suministro de agua de México". Copyright 2000, by the National Academy of Sciences; *page 207*: "Turismo e impacto ambiental", taken from http://www.aedave.es/publico/informes_esp/medio_ambiente/impacto_ambiental.shtm. Fecha de consulta: octubre de 2009; *page 208*: Extracts from "La austeridad mejora el disfrute", *Consumer*, julio-agosto de 1997, Fundación Grupo Eroski; *page 212*: Article "Ecoturismo en la Amazonia boliviana" taken from www.ecoticias.com. Reproduced by permission; *page 213*: Cuadernos de Turismo; *page 215*: Las figuras de protección medioambiental: qué distingue a un parque natural de una reserva de la biosfera y un parque nacional. *Todos los Parques Naturales, Parques Nacionales y Reservas de la Biosfera,* Fundación Eroski; *page 218*: Ruiz, R. (1998) "Jose Antonio Valverde, el padre de Doñana", *El País dominical*, © Diario El País Internacional, SA; *page 220*: Article taken from BBC Mundo.com; *page 222*: © soitu.es; *page 225*: Durruty, J., (2007) "Ecología vs Pragmatismo: la ecología en los países no desarrollados". Infoecologis, www.infoecologia.com; *page 228*: *Conservación*, año 1, núm. 1 de mayo 1997, Asociación ornitológica de la Plata.

Illustrations

Cover image and page 1: Cuban beach at María la Gorda © Enrico Gandolfo/iStockphoto.com; *page 7*: © Jason P. Howe/South American Pictures; *page 11*: © Danny Warren/iStockphoto; *page 13*: © Sourabh Jain/iStockphoto; *page 15*: © Manuel Velasco/iStockphoto; *page 19*: Courtesy of the Lutterworth Press; *page 21*:

Chambao; *page 22*: © Andrew Lepley/Getty Images; *page 23*: © Edward Veguilla/ Getty Images; *pages 29 and 30*: © Sara Jacobi; *page 36*: © Manolo Blanco/ Flickr cleared under Creative Commons Attribution-NonCommercial-ShareAlike 2.0 Generic license; *page 39*: © *Sexto Sol*/Getty Images; *page 43*: © Glen Van Etten/flickr; *page 51*: © Roberto Mamani Mamani, www.mamani.com; *page 55*: © Lucasz Witczak/iStockphoto; *page 58*: © Fundación Víctor Jara; *page 61*: © Everett Collection / Rex features; *page 63*: *Mujeres al borde de un ataque de nervios* courtesy of The Picture Desk.com; *page 65*: © ICAIC/IMCINE/Telemadrid/ The Kobal Collection; *page 67*: Getty Images; *page 75*: © Peter Horree/Alamy; *page 79*: © Fernando Rosell-Aguilar; *page 96*: © Rabdon —cleared under Creative Commons Attribution— Share Alike 3.0 Unported license; *page 99 (left)*: © Ana Abejón/iStockphoto; *(right)*: © Carmen Martínez/iStockphoto; *page 106*: From http://ww1.elcomercio.com; *page 109*: Olga García Echeverría (2008) *Falling Angels: Cuentos y poemas*, Calaca Press/Chibcha Press; *page 111*: USA – Authors – Junot Diaz © Darryl Bush/San Francisco Chronicle/Corbis; *page 113*: © Editorial Planeta, derechos reservados; *page 115*: DNA spiral © Osuleo/ iStockphoto; *page 119*: Zaragoza, G. (1989) *Rumbo a las indias*, Madrid, Grupo Anaya SA., pp.169– 71; *page 124*: © Vladimir Piskunov/iStockphoto; *page 131*: Denise Wyllie (2006), from www.wikipedia.org, reproduced under the terms of the Creative Commons Attribution ShareAlike 2.5 License; *page 132*: Credit given to CSIRO, Australia for image on CSIRO Education's *Science by Email* publication, at www.csiro.au/ sciencemail; *page 133*: © Instituto de Astrofísica de Canarias; *page 135*: By kind permission of C Technologies AB; *page 146*: © Andrew Rich / iStockphoto; *page 155*: © Science Photo Library; *page 157*: © Javier Pierini / Getty Images; *page 159*: © Digitalskillet/iStockphoto; *page 178*: © Claudio Divizia/iStockphoto; *page 183*: © Salvador Busquets; *page 193*: © Lledospain/Dreamstime.com; *page 198*: Getty Images; *page 204*: © Olivier Blondeau/iStockphoto; *page 208*: © Nick Leonard; *page 210*: © Arthur D Chapman http://www.flickr.com/arthur_chapman; *page 212*: © The Biggles/iStockphoto; *page 218*: © Bruce R. Swanson / Flickr; *page 219*: © Michael Gutiérrez / Flickr; *page 221*: © soitu.es.; *page 200*: Getty Images; *page 206*: © Olivier Blondeau/iStockphoto; *page 210*: © Nick Leonard; *page 212*: © Arthur D Chapman http://www.flikr.com/arthur_chapman; *page 214*: © The Biggles/iStockphoto; *page 217*: © Consuelo Almazán/iStockphoto; *page 220*: © Bruce R. Swanson / Flickr; *page 221*: © Michael Gutiérrez / Flickr; *page 223*: © soitu.es.

Cartoons

Page 160: www.forges.com; *page 161*: © Ediciones El País, S.L.; *page 171*: © Ediciones El País, S.L.; *page 205*: © Ediciones El País, S.L.

Figures

Page 188: la Secretaría General de la Comunidad Andina © Copyright 2007; *page 190*: © 1997 - 2009 SUNAT – PERU; *page 192*: © 2008 abeceb.com.